といっても、この「へんこつ」上下二巻は、いわば、第一部である。このあと、中野碩翁の失脚から、水野越前守の天保の改革まで、大きな時代の波を越えて、馬琴が多難な八十二年の生涯をどう終えるかを書くことが、私の「へんこつ」である。

この「へんこつ」上下で、作中人物の何人かが、書きはなしの儘になっているのは、そのためで、何卒御寛恕頂きたい。

昭和五十年五月、

単行本　昭和50年6月文藝春秋刊

「へんこつ」について

平岩弓技

滝沢馬琴を書きたいと思いはじめたのは私が二十代の時だったから、かれこれ、十五、六年、その思いを胸の中であたためていたことになる。

そんなにも長いこと書けないでいたのは、一つには、相手があまりにも大きすぎて、私の手に負えなかったこともあるし、一つには馬琴の日記の所為である。殊に晩年は克明すぎるほどの日記を遺していて、その日、誰が来たか、なにを喋ったか、どこへ出かけたか、金銭の出入りはどうであったか、空模様から、地震まで記載してあって、これは記録としても、材料としても申し分のないようなものの、いささかわずらわしくもあり、うっとうしい気にもなる。

そんなこんなで、私は馬琴という材料をもて余しながら、それでも思い切れないで、馬琴に関する資料、その生きた時代背景などをせっせと集め、せっせと読んでいた。

調べれば調べるほど、偏屈と反骨の精神の持ち主であり、その生きた時代にも心を惹かれるものが多い。

馬琴の生きた時代に、数回の大疑獄事件が起っていて、その端がいずれも大奥に発しているのも面白かった。権力と金と女の関係はいつの世にも不変のものらしい。

たまたま、中国地方に「へんこつ」という呼称があると聞いた。頑固で、かたくなな老人のイメージが、私の肩から力を抜いてくれて、なんとなく、気楽に馬琴にとり組む気持になった。

へんこつ・上　目次

へんこつ　上

神田同朋町

夜の中から湧き上って来たような濃い靄(もや)であった。

足許を照らしている提灯のあかりすら、ややもすると湿って消えそうな水分の多い大気がよどんでいる。

一日中、降った雨はもう上っていて、出がけに持たされた傘は邪魔になったが、借りものの足駄は、道がひどくぬかっているので、結構、役に立っている。

提灯の光が、ぎりぎりのところでやっと照らし出した水たまりに危く足を踏み込みそうになって、馬琴(ばきん)は辛うじてふみ止まった。が、その拍子に小脇にはさみ込んで来た傘がずり落ちて足許へころげた。舌打ちして、馬琴は傘を拾い上げる。用心して拾ったのに、手にべったりと泥が触ったところをみると、傘は泥濘にまみれているらしい。

こんなことなら、深川から乗って来た駕籠をわざわざ鶴屋で下りるのではなかったと思い、むらむらと腹が立って来た。

昨夜、このところ馬琴の著作を割合、手がけている書肆(しょし)の丁平の招きで深川に遊び、つい飲みすぎて泊ったあげく、今日は宿酔でどうにも頭が上らなかった。一つには、昨夜から馬琴の介抱をしてくれた新妓の浜萩というのが、如何にも素人っぽさの残った野暮なとりなしながら、心をこめてもてなしてくれたのが気に入って、それでなくともあまり帰る気になり難い我が家を思うと、つい、ずるずると夜まで腰がすわってしまったのが本当のところで、雨は上るし、二夜続けての外泊に、いくらなんでも帰った時の女房がわずらわしく、重たい腰を無理にあげての帰りがけに、駕籠が我が家に近づけば近づくだけ、敷居の高さが思いやられて、同じ神田の書肆、鶴屋の前で下りたのは、昨年の暮に書き下した、ちょいとした黄表紙の原稿料を、ついでの時に取りに行くから、わざわざ届けなくともよいといっておいたのを、帰りにくい我が家への手土産に取って行こうと思いついたからであった。

幸い、主人がいて、首尾よく三両の金は受けとったが、ただ金を取りに来たと思われたくない見栄もあって、世間話に時刻(とき)を費やしてしまい、駕籠をあらためて頼むほど、我が家は遠くもなく、用心の傘と提灯、足駄を借りての帰り道になってしまったものだ。

それもこれも、今ごろ、さぞや癇性に眼を釣り上げて自分の帰りを待ちかまえているだろう女房のお百の所為と思うと、昨夜から今朝にかけての新妓の瑞々しい肌ざわりと思い比べて、なんでお百のような女と夫婦になって三十年も暮して来たものかと、いまいましさが先に立つ。

その癖、この馬琴、六十歳になるこの年齢まで、古女房に口答え一つ出来ない男であった。

道をまがると橋であった。川が近づいたせいか、靄が一段と深くなる。黒い影が二つ、いきなり馬琴の前に立った。

「もし……」

靄の中から呼びかけたのは、意外なことに若い女の声であった。

身がまえた体から力を抜いて、馬琴は提灯を幾分、高く前方へ向けた。

ぎょっとしたのは、そこに一匹の獣をみたからである。仔牛ほどもある、犬のようであった。毛並はやや黄ばんで白く、耳はすっくと立って、鼻が黒い。犬にしては鋭すぎるような眼が、馬琴の眼窩を射た。

「おそれ入りますが、四谷へ参るには、この道でよろしゅうございましょうか」

声の主は頭巾をかむった娘のようであった。

夜のことでわからないが、着ているものはずっしりと重たげな絹物だし、帯も織物で値にしたら、かなりと思われる身なりとみえた。

「四谷までは、ちょっとした道のりだが……」

もっとよく相手を見きわめようと、一足出かかると犬が低くうなった。

娘が小さく、犬をたしなめているが、それでも、頭を低く、いつでもとびかかれる身がまえである。

馬琴は気味が悪くなった。

冬の夜更け、人通りはないし、自身番も遠い。

「これをまっすぐ、お行きなさいまし。坂を下ったら、左手のほうに……」

娘はそっちをみて腰をかがめた。

「お手間をとらせました」

ふっと影が動く。犬がすぐ続いた。女の足音はひそやかに闇に消えて、気がつくと、肩から頭から、しっとりと夜気に濡れている。

娘が提灯を持っていなかったのに、馬琴は気がついた。この靄ごもる夜を、若い女と犬が、どこから来て、どこまで行こうというのか。

気をとり直して、歩きかけ、石につまずいた。それでなくとも、足になじみのない足駄は、鼻緒の前つぼに重みがかかりすぎて、ふっつと切れる。

なんという夜かと、馬琴は歯ぎしりした。夜は暗いし、手許は悪い。それでなくとも潔癖で無器用な男が、泥まみれの足駄の鼻緒へ手をかける気は更にない。

腹立ちまぎれに、馬琴は借りものの足駄を黒い川の中へ叩き込んだ。

やけくそで、頭のてっぺんまで、はねをあげて、神田明神下の自身番の前を通りかかったのが、ちょうど九ツ近く、いつもなら、股火鉢で居ねむりをしている老爺一人が板張りの壁にもたれている筈の番屋が、あかあかと灯をふやし、鋭い眼つきの男が三、四人、一かたまりになっている。

なにか、近所に事件でも起ったらしいと察して、今更、馬琴は自分の恰好が気になった。

この雨上りの夜更け、尻っぱしょりで足駄もなく、寒さしのぎの頰かむりの男が、みとがめられないわけはない。

「おい……」

果して、番屋の外に立っていた男が誰何した。

「お前、この夜更け、どこへ行くんだ」

相手は岡っ引のようであった。馬琴が顔を知らないところをみると、この界隈を縄張りにしている蕎麦屋の長次の下っ引ではなさそうであった。

悪いことに、こういう時の馬琴は腹を立てては損だとわかっている癖に、持ち前の頑固と反骨が、ぐいと頭をもたげてくる。

もともとは、武士の家に生まれて、二十一の年までは軽輩ながら、武家奉公をしていた過去が、もはや、すっかり市井の町屋暮しに馴れ切った今でも、妙な時に限って、馬琴の体の奥深い部分から意識されて来て、そうなると、普段でも、とても六十の老人にはみえない頑強な体つきが一層、胸を張り、肩をいからせる恰好になる。

「手前、返事をしねえな。唖か……」

果して、岡っ引が居丈高になった。番屋の中の連中が、一せいにこっちをみる。

「胡乱な奴だ。しょっぴいて来い」

どなったのは、町方の役人で、定廻りの旦那だろう、黄八丈の着流しに、巻羽織の出立は粋だったが、この寒夜に面倒な事件にかかわり合ったことで、苦り切っている。

肩を小突かれたのをふりはらって、馬琴は自分から番屋へふみ込んだ。

あかるい所で顔を見せれば、一人くらい、この町内にいる自分を見知っている奴がいてなんとかなるだろうと思ったのが計算違いで、ざっと見回したところ、どれもこれも、はじめての顔ばかりだ。

「手前……お上にお手数をわずらわす気か」

火に一番近いところから、巻羽織の男がどなった。頬骨のはった顔つきは、馬琴のもっとも嫌いな役人風を吹かせる男と見えた。

癇癪を押し殺して、馬琴は頭を下げず、胸をそらしたまま、答えた。

「とんでもない。手前は、ただ、この先の家へ帰るところでございますが……」

強いて愛想を浮べたつもりが、相手にはふてぶてしく笑ったとみられる。

「家は……」

「神田明神下、同朋町……」

「手前の名は……」

「滝沢馬琴と申します」

重々しく名乗ったのに、

「滝沢馬琴……なんだ、生業は……」

これは黄表紙や読本と無縁の相手だとわかりながら、馬琴の面目は大いに傷ついた。

すでに読本では山東京伝につぐ作者として「椿説弓張月」や「夢想兵衛胡蝶物語」はかなり世間に流布されているし、十年ほど前から書き下していて、未だに完結はしていないが、「南総里見八犬伝」は大層な評判で滝沢馬琴の名を広く喧伝した筈だった。

それを相手は全く無視している。不意に新しい提灯が土間へ入って来た。

「こりゃ、笠松の旦那……」

下っ引の声で、思わずふりむいた馬琴は、暗がりから雨を払いながら番屋へ入って来た三人を見て、救われた表情になった。

最初に入って来たのは、中肉中背で、巻羽織が不似合なほど、丸っこい、頬の豊かな男で、柔和な目と太い眉がいささか下り気味なのも愛敬になっている。まず、八丁堀の役人とは思えない人相だが、これは南町奉行の定廻り同心で、笠松京四郎という男、続いて、この先で本業

の蕎麦屋を営むかたわら、好きで、お上の諜報方をつとめている長次という岡っ引が、そして、その後から、

「こりゃあ、笠翁殿、いったいどうしたんです」

さわやかな声が、馬琴をやっと安堵させた。

声の主は、これも八丁堀の巻羽織で、ずばぬけて背の高い男であった。笠松京四郎ほどではないが、これもどちらかというと、童顔で、眼鼻立ちのきっぱりしたいい男前であった。

「新吾さん、いや、いいところへ来合せて下すった……」

正直に、馬琴は音をあげた。実際、地獄で仏とはこのことで、まして、相手が神田同朋町へ移転する前からの知り合いで、かつて「南総里見八犬伝」を書く時、その苗字を借り、作中人物の一人を思い描くきっかけになった相手だけに、張りつめていた気持が一度にゆるむ感じである。

犬塚新吾、これも、親の代からの町同心であった。

「実は、知人の招きの帰り、つい、この先の鶴屋に所用があって立ち寄りましてな。我が家まで、それほどの道のりではなし、歩いて帰る道すがら、鼻緒を切らし、この体たらくでござる。そこを、どうやら、あやしまれて、姓名をいうてもわかってもらえず、ほとほと、困惑して居りましたよ」

いささか、皮肉をこめて馬琴は番屋を見回した。犬塚新吾はもとより、笠松京四郎も長次親分も、それぞれ昵懇（じっこん）の間柄だから、こうなっては鬼に金棒の気分である。

「これは、上村どの……」

犬塚新吾は、馬琴の言葉をざっときいて、火のむこうで苦り切っている先着の同心に会釈をした。

「おききのように、御不審の者は、この先の神田同朋町に居をかまえる滝沢馬琴どの、我々は笠翁どのと呼んで、古くから懇意にして居ります。手前も、ここに居る笠松も、長次も顔見知り、御子息は医者として、松前侯のお抱えでもあり、決して胡乱な者ではございませんが……」

新吾が慇懃な言葉遣いなのをみると、前から番屋にがんばっている同心は、どうやら、年齢からいっても、新吾の上役に当るらしい。

頬骨の張った、馬琴の最も嫌いな顔立ちで、口のきき方もとげとげしい。

「おい、死骸はみたのか」

新吾の挨拶を無視して、まわりへどなった。

「只今、戸板で運ばせましたが、お検(あらた)め下さいますか」

長次が物馴れた様子で、小腰をかがめる。鬢(びん)に、もう白いものがかなり目立つ年齢で、自分の息子程の上役の癇癪にも、さして動じるふうもない。

「外へ出ろというのか」

上村と呼ばれた同心が眉を寄せた。

「へい、中は狭うございますし、御定法で……」

滅多なことでは、死骸を番屋の中へかつぎ入れることはない。

「かまわん。内へ入れろ。雨の中で検めが出来るものか」

上村一角の言葉に、長次は、ちらと犬塚新吾をみた。同じ町方同心でも、犬塚新吾と笠松京四郎は、いわゆる定廻りで、長次はこの二人の旦那から手札をもらっている手先であった。が、今日、はじめて、この自身番で顔をみた上村一角という同心は、長次の知る限り、定廻りでも臨時廻りの旦那でもない。しかし、服装からいっても、犬塚新吾や笠松京四郎の態度から推しても、八丁堀の人間には違いないので、その横柄なものの言い方が、いささか忌々しくはありながら、逆いもならず、むしろ、自分の旦那である犬塚新吾の指図を待ったものであった。

「上村どのが、ああおっしゃる。入れて来い」

新吾は軽く顎をひき、馬琴のわきへ立った。

小者が心得て、長次と一緒に外へ出て行く。

「いったい、なんでございます」

馬琴は、物書きの好奇心をとり戻していた。

町奉行所の同心の仕事の中で、いわゆる捕物や探索にもっとも縁の深いのが、三廻りといわれるものであった。つまり、定廻り、臨時廻り、隠密廻りの三種で、この中、定廻りの旦那は一年三百六十五日、きまっている持場を自身番から自身番へまわって行く。

事件があれば逮捕にふみ込むこともあるし、番屋で事情をきくこともないではないが、大方の小事件はその手先の岡っ引がすませるから、同心が自ら取調べる場合はそれほど多くはない。

どういう死骸が運ばれて来たのか知らないが、定廻りの旦那二人の他に、職種の不明な町方同心まで加わって、検死をしようというのは、珍しいことであった。

馬琴の問いに、犬塚新吾が答える前に、戸板が土間へ運び込まれて来た。かぶせてある薦(こも)から人間の腕がだらりと垂れ下っている。

女か、と馬琴は思った。

雨にびっしょり濡れた振袖が戸板からこぼれている。紫のぼかし染めに梅の縫いのある重たげな袂で、重ねは鹿の子、振りからは緋縮緬がのぞいている。

「おい……」

再び、上村一角が荒い声を出した。

「そいつらを外へ出せ。検めがすむまで、誰も番屋へ入っちゃならねえ」

ぞっとするような眼を馬琴へ向けた。

馬琴にとって、それはいやな夜であった。

這々（ほうほう）の体で、神田同朋町の我が家へ帰ってみると、入口の戸はすでにしまっている。なるべくなら、女房のお百に知れずに、家へ入りたいものと、わざわざ、庭をまわって長男の宗伯の居間の雨戸を叩いたのに、

「どなた……」

はね返って来たのは、お百のしゃがれ声である。あっと思う間に、雨戸が一枚あいて、行燈の光が外へこぼれる。

また、降り出した雨を避けて縁に上っていた馬琴は否応なしに、鬼のような女房と鼻を突き合せる結果になった。

「父上……」

医者のくせに病身の息子は、熱でも出したらしく布団に横になり、傍の火鉢で煎薬が煮えている。お百がこの部屋にいたのは、おそらく、息子に煎薬を飲ませるためとみえた。

それにしても、間の悪いことおびただしい。

「あなた……」

お百はもう眼が釣り上っていた。昨夜は外へ泊って、あげくの帰りがこの夜更け、頭からぬれねずみの有様である。

「おい、足を洗う仕度をしてくれ」

不貞腐れて、馬琴は居直った。

「裏へまわって下さいな。なんですか、こんなところから……寒いのにあけっぱなしで、宗伯は熱を出してるんですよ」

いきなり、馬琴の眼の前で雨戸がぴしゃっと閉った。

苦虫を嚙みつぶしたように、馬琴は裏口へ廻る。出来ることなら、このまま雨の中をとび出してしまいたいところだが、そうもならない己れが更に腹立たしい。

裏口も亦、閉っていた。主人が帰宅していないのに、戸閉めにするとは何事かと叱りたいところだが、昨夜、深川へ泊った手前、どなれないのが業腹である。

夜の寒さが濡れた体にしみ込んで、立っていられないほど、体が慄える。戸があいたと思ったとたん、猫の仔のように首の根っ子を女房が摑んだ。普段、非力だといっているくせに、こういう時は馬鹿力の出る女であった。ずるずると土間へひきずり込まれ、力まかせにふりはなされて、馬琴は意気地なく、上りかまちに尻餅をついた。

「なにをする……危いじゃないか」

それでも、せい一杯、男の威厳をみせたのに、

「なにをするも、かにをするもありゃしませんよ。なんですか、その恰好は……大方、どこかの女狐に尻の毛まで抜かれて来たんだろう」

近付いたとたんに、馬琴の帯をひき千切るように、ほどいた。

「よせ……これッ」

女房を突きのけようとして、馬琴は見事に着物から襦袢、肌着、下帯とはぎとられて素っ裸にされてしまった。

「あんた、昨夜はどこで遊んで来たんですよ」

きりきりと歯がみをして、汲みおきの手桶の水を、馬琴の頭から、ざんぶとぶっかける。

「畜生ッ、いい年しやがって……」

ひいっと咽喉の奥が鳴って、武者ぶりついたお百は、亭主にのしかかるようにして噛みついた。

「ぎゃあ」

という馬琴の声で、たまたま来ていた娘聟の清右衛門がかけつけて、下女と二人がかりで、お百をひきはなし、馬琴を奥へかつぎ込んだ。

あとは、熱のある宗伯が起き出して、心悸亢進のお百に鎮静の薬を飲ませるやら、父親の手当をするやらで、その夜の滝沢家はてんやわんやで朝を迎えた。

馬琴が起き出したのは、翌日の午すぎである。

昨夜までの雨は上って、陽はあたたかく、居間の中ほどまでさし込んでいるが、頭痛は残っているし、体のふしぶしは痛むし、気分はまことに快くなかった。

薬湯を運んで来た清右衛門の話では、お百は、まだ、寝間から出て来ないという。

なんという女房かと、馬琴は聟の手前、昨夜の自分の醜態がなんとも気まり悪く、亭主に恥をかかせた女房の仕打が殺してやりたいほど腹立たしかった。

たしかに、深川で遊んで来たのは悪かったかも知れないが、いわば、男の遊びは甲斐性で、世間の男のように妾をおくとか、女郎に通いつめて、大金を費い果すというわけではなし、たかが、ひと晩あけたくらいで、仮にも滝沢馬琴といわれる男を、素っ裸にして水をかぶせ、急所に嚙みつく女房が、どこの世界にあるかと思う。

大体が、年齢も、馬琴より三つ上の、出戻りだった女である。すが目で器量は悪いし、無学だし、何をさせても満足に出来ない。もともと下駄屋の娘だが、親の躾がなっていないから行儀作法は知らないし、言葉遣いなど、女郎あがりのように口汚いし、自分では体が弱く、明日には死ぬようなことをいっては不貞寝をするが、馬琴のみるところ、名前のように百歳まで長生きをしそうであった。

外見は老けていて、六十三の老婆なのに、閨房では蛇のようにしつっこく、たくましい女房であった。もっとも、そっちのほうは馬琴にしても、絶倫を自負しているから、それほど苦労はしないまでも、同じ抱くなら、すが目の六十三の古女房より、昨夜の深川の新妓の若くて、可愛気のある肌のほうが、よっぽど張り合いがあるのだが、そういう機会は、年に何度もありはしない。

「御気分のすぐれぬところを、まことに申しわけございませんが」

清右衛門は遠慮がちに帖面を出した。もともとが丁稚あがりの商人で、学問はないが算盤は達者だから、馬琴の前の住いである飯田町の家から通って来て、この明神下の家の経済をみたり、雑用をつとめている。

元来、お百は金銭に細かいところがあって、一文の銭でも、それがなにに使われたのかとしつっこく追及する女なのと、馬琴自身も几帳面な性格で、金銭の収支が合わないと、眠れないほど気になるくせに、算盤のほうは夫婦とも得手ではないから、清右衛門のような聟がいて、金銭の出入を細かく帖面につけ、勘定を合せてくれるのは、全く、重宝なことであった。

この聟は、馬琴の長女のおさきにとって三度目の夫に当るのだが、三年前に養子縁組した時、すでに三十八歳になっていて、四十をすぎた今では、髪にもめっきり白いものが目立ち、いよいよ風采が上らなくなっている。

そんなところが、馬琴にとって、もっとも可愛がっていた娘の聟として、便利ではあるが少々、もの足りない思いにもなっていた。

おさきは、馬琴がお百と夫婦になって最初の子で、十八の時、仲人口にのせられて養子をむかえたものだが、それが大変なくわせ者で、貸本屋をやりたいというので二十七両余りの資本を出してやると、最初は手固く商売をしているようにみえたのが、禁制の古版の洒落本に手を出したため、馬琴が強く忠告すると、そのまま、ぷいととび出してしまった。

二度目は、その翌年、やはり、人の世話で家に入れたが、これは放蕩者で、すぐ破談になった。

幸いなことに、馬琴はこの二度の縁組を二度とも用心して、まず、養子見習として家に入れ、人物をみきわめた上で、おさきと婚姻させる段どりであったから、おさき自身は無疵であったが、心に受けた痛手は決して小さいものではなかった。

すっかり懲りた馬琴は娘の気分転換の意味もあって、伝手を頼って、おさきを立花侯の奥へ行儀見習として奉公させた。以来、八年近く、奥勤めが続いていたのを、たまたま、長男の宗伯が医者として独立し、この神田同朋町に開業する際、男一人では、奥が心もとないという名目で、お百をつけてやり、馬琴はそれまで住んでいた飯田町の家に残ることにしたので、それでは不自由だろうと、おさきが暇をとって帰って来た。

清右衛門を聟にしたのは、それから五年目で、おさきはもう三十一歳になっていたし、なかなか馬琴が注文通りの聟取りというわけには行かなかったものの、まずまず夫婦仲もよく、馬琴が飯田町の家をゆずって、宗伯のほうへ同居するようになった今、それまで馬琴が持っていた家作の管理や家賃の取り立てなどの仕事から、それまで馬琴が家計の足しに作っていた奇応丸、帰脾湯、神女湯、つき虫薬、黒丸子などを売り広める役目も引き受けている。

人間の面白みはないが、正直で克明な性格だから、帳面のつけ方も細かく、点検するだけでも肩が凝った。

「御書見ですかな」

犬塚新吾が枝折戸をあけて入って来た。

珍しく、非番なのか、いつも町廻りの時に供につれている若党の姿はなく、気軽に縁先へ歩み寄って会釈した。

「これは、犬塚さん……」

昨夜のことがあるから、馬琴はいつもより丁重に出迎えた。もともと、あまり人間づきあいの好きではない馬琴にとつて、数少い知己であり、親子ほども年が違うのに話をするのが楽しみな相手でもあった。

「お出でなさいまし」

清右衛門は、もとより顔見知りなので、これは腰を低く挨拶して、すぐ茶の仕度に立って行く。

「昨夜はありがとう存じました。おかげで、助かりましたよ」

まず、尊大な馬琴にしては、せい一杯の礼をいって、早速、膝をすすめた。

「いったい、なんだったんです、昨夜のさわぎは……」

新吾は苦笑した。この野次馬根性旺盛な老人の好奇心に対して、どう答えたものかと思案しているようにもみえる。

「戸板で運ばれた女は、どうしたんです。どうやら町方の女ではないようにみえたが……」

矢つぎ早やの問いを、新吾は手をあげて制した。

「いや、まことのところは、我々にも、しかとはわかって居らぬのですが……御老人は、やはり、女とごらんになりましたか」

「女ではないといわれる……」

「髪形も衣裳も、まさしく女子でございましたが、人はみかけによらぬもの……」

余裕を持って、清右衛門の運んで来た茶碗をとりあげる。

「すると……」

馬琴はせっかちな眼をした。女装の男といえば、まず思いつくのは役者か、蔭間茶屋に出入りする特殊な男達でもあろうか。

「それが、役者のはしくれには違いありませんが、やはり、男というより、女に近い生きざまをして来た奴で……」

いわゆる男色の稚児ではないと新吾は話した。男の道具を持ちながら、女には全く興味がなく、男に抱かれることを願う男の存在であった。

「その中の或る者は、女のように化粧を好み、着るものも、女衣裳を求めます。女の肌着に執心して、盗みを働いても、それらを身につけずには居れぬ習癖を持っているようで……」

「南総里見八犬伝」の中の犬塚信乃のように便宜上ではないといい、新吾は少し笑った。

自分の苗字が、この戯作者に創作の端緒を与えたことは知っている。

「ほう……」

流石に馬琴は息を呑んだ。話には聞いたことがないではないが、昨夜、戸板に乗せられて来た死骸が、その種の人間と知っては、興味もひとしおである。

「八犬伝といえば、昨夜、手前は、とんだものに出逢いました」

新吾の話にひき出されて、馬琴はつい、喋り出した。

「とんだもの……？」

さりげなく、新吾は馬琴をうながすようにした。わざわざ、定廻りの役目を笠松京四郎に交替して、この老人を訪ねた目的が、案外、早く果せそうな気配がある。

「まるで八犬伝なのですよ。これは、人に話しても容易に信じてもらえないと思いますが、嘘や作り話ではございません」

大きな犬を連れた女に出逢ったのだと、馬琴がいったとたん、新吾の眼が光った。

「ちょうど、雨が一度、上りかけの時分でございます。霧が濃く、一寸先も見えないような中に、いきなり女の影が浮びましてね」

声をかけられた時の、心臓が止るほどの驚きを馬琴は思い出した。

「女が、なにか申したのですか」

冷静に新吾が問うた。あんまり熱心すぎては、相手によけいな想像を起させがちだし、といって、きく気がないようでは、〝へんこつ〟と渾名（あだな）のある老人のつむじがまがる。

「道をたずねたのですな」

馬琴は、いくらか得意になっていた。犬をつれた美女というだけで、自分の作中の人物が、仮にこの世へ姿を現わしたような興奮をおぼえる。

「道……」

「四谷へは、どう行くかと申しました」

「四谷……」

「手前もいささか度肝をぬかれまして、それと、その大きな犬が、なんとも不気味でしてな。ともかくも、道を教えますと、女と犬はあっという間に消えてしまいました」

「成程、すると、番屋で呼びとめられたのは、そのあとということになりましょうな」

「左様です」

女と別れて歩き出し、やんだ筈の雨が知らぬ中に降り出していたのは、馬琴が番屋の前で誰何され、呼び込まれて後のことである。

「女に逢ったのは、どの辺りです」

「しかとは、わかりませんが、鶴屋を出てから、橋を渡った付近のように憶えています」

「女の顔は……」

「頭巾をかむっていましたから……」

「番屋で、ごらんになった戸板の上の人物とは、別でござろうか」

用心深く、新吾は訊ねた。

「いや、それが、最初はひょっとしてと思い、こわごわ、のぞいてみたのですが……」

違うように思えたと馬琴は答えた。

「提灯のあかりですが、着ているものも異っていましたし、それに、あれが男なら尚更のこと……手前が聞いた声はやさしい女声でございました」

話していながら、馬琴はもう一つ、想い出していた。犬を連れた女が去った後、夜霧の中に、ほんのりと残っていた香の匂いである。

向う三軒両隣り

馬琴は朝が早かった。

冬でも未明に起き出して、井戸端で冷水をかぶるのが若い時分からの習慣で、そのあと、木刀の素振りをおよそ百回、居間へ戻って梅干しに熱湯を注いだのを一服し、それから朝餉の仕度が出来るまで、新しく買い入れた和漢の書をひもとくか、もしくは前夜までに書き上った草稿に朱筆を入れたりしている。

毎日、降っても照っても、井戸端で水をかぶるかわりに、湯屋へは滅多に行かず、せいぜい一年の中六回とか、十回が普通であった。それでも、潔癖で癇性だから、体に垢をためることはないし、衣服はいつも小ざっぱりとしたものを着たいのに、そっちのほうは妻のお百がだらしのない性格で、亭主の服装には無頓着だから、馬琴自身が、下女に口やかましく指図をしなければ、いつも、袖つけのほころびたものや、汗のにおいのするものを身につける始末になるのが馬琴の悩みの種であった。

この昌平橋外神田明神石坂下、同朋町東新道にある家を買ったのは文政元年の夏で、もともとは、長男、宗伯の医家開業のためであった。

馬琴が、ここへ移り住んだのは文政七年のことで、たまたま、この家の東隣りに住んでいた刀研師が借財のため、その家を売って立退くことになったのを機会に、無理を承知で、金の工面をして買い取り、それまでの家を広げて一つにし、新しく買った刀研師の家を修理して、隠居所としたものであった。

地所は合せて、およそ八十坪、さして広くはないが、樹木は多く、殊に果実のとれるものが揃っていた。梨の木や豊後梅、柘榴、林檎、柿、李、唐梅の他に、葡萄棚もある。

引越してから、特に掘らせた池は長さ四間一尺、幅は広いところで九尺ほどだが、池のむこうには小さな築山があって、狭いなりに、何度も植木屋をいれて丹精してある。

書斎は北東にあって、老人の癖に陽の当る部屋で仕事をすると、頭が濁るといって、冬でも、あまり火鉢に炭を多くしたがらない馬琴には、朝の中だけ、さわやかに陽がさして、あとは一日中むしろ小暗い部屋の状態が筆をとるのに適しているらしい。

その書斎の前にも、猫の額ほどな庭があって、隣家との区切りには建仁寺垣を結ってあるが、隣家は隣家で、別に板塀をもって両家のしきりとしていた。

この北東側の隣家の主は橋本喜八郎といって、西の丸御書院番をつとめ、もとは、馬琴の家の地主でもあった。

今年になって、事情があり、地主は南隣りの杉浦清太郎にかわったが、それまでの地主という関係上、まあまあ馬琴とつき合いがある。主人の喜八郎は、もうかなりの年齢で軍書を読むのが趣味らしく、今朝も庭のむこうから、老人にしては豊かすぎる声量で、独特の節まわしを、さも得意気に張り上げている。

馬琴は、この老人の声が嫌いだった。

年寄のくせに、変に甲高く、息が長く続くのが気に入らない。しかも、冬になると風邪をひきやすいらしく、咽喉をいたわるつもりか、軍書を読む前に、大袈裟な嗽いを何十回となく繰り返す音が、遠慮会釈もなく聞えて来て、それを聞いただけで、馬琴は食欲がなくなってしまい、今しがた飲んだばかりの梅干の湯さえ、むかむかと吐き出したくなってくる。

もう一つ、馬琴にとって不愉快なのは、この喜八郎老人が、月に何回か、馬琴を訪ねて来て、その著書を借りて行くことであった。

「どうも、退屈でしてな。あなたのお書きになるものでも、ひまつぶしに読んでみようかと思いまして……」

書き下したばかりの「椿説弓張月」だの「朝夷巡島記」だの、一々、書名を指定しては借りて行く。

人の苦労して書いたものを、ひまつぶしに読むという言い草も癪にさわるが、相手は地主だし、西の丸御書院番という大して高くもない身分でも、武士は武士であり、

「侍がなんだ。俺などは筆一本で大名から招待を受けても、応じはせんのだ」

と日頃、武士を軽んじるような口吻の馬琴が、実は武士というものに、奇妙な劣等感を持って居り、腹は立てても、喜八郎の申し出をことわり切れず、いやいやながら求められるままに著書を貸し出す始末であった。

貸してやると、この老人、悪い癖があって、きまって袋を破ったり、本に折りめをつけて返してくる。時には、明らかに唾をつけてめくった指の痕がくっきり残っていたりして、そうい

う本は、二度とめぐる気にならない馬琴は、慄えるほど怒りがこみ上げてくるのであった。

南隣りは、この年から新しい地主となった杉浦清太郎の屋敷で、当主の清太郎は馬琴の長男の宗伯とほぼ同じ年輩で、これは大人しい男だが、継母のお貞というのが、妙に色っぽい女で、四十をとっくにすぎているし、未亡人だというのに、平常から白粉も濃く、着るものにも、赤いものが袖口やふりから、ちらちらするような大年増であった。

亭主が生きている間も艶聞が絶えず、馬琴などは、不義の女房は二つに重ねて斬り殺してもかまわないのに、なんと弱気な亭主かと軽蔑し、なまじ、老齢になって、若い女を後妻に迎える愚を、息子やお百に語っていたものであった。

その亭主が病死すると、お貞はおおっぴらに男あさりをしているようで、生さぬ仲の清太郎はみてみぬふり、表むきはあくまでも親として大事に扱っているのが、馬琴には不愍でならない。

あれほどの孝行息子を持ちながら、なんという浅ましい母親かと歯がみをしながらつき合っているのは、清太郎の人柄と、これもやはり地主であるからに他ならない。

お貞には連れ子がいて、これは十九になる、母親にはまるで似ていない、可憐な娘であった。名は比奈といい、いつも、下女と一緒に水仕事をしたり、縫いものをして、決してお嬢さま然としていないところが、馬琴には好もしかった。逢うと寂しい顔に、せい一杯の微笑を浮べて、丁寧に目礼をする。

「あんな娘を、宗伯の嫁に出来たら……」

とひそかに思いもし、妻のお百に打ちあけてみたところ、

「お比奈さんは、どうやら、お貞さんの本当の娘ではなくて、子供の時からの養い子で、いずれは、器量のぞみで仕度金をたっぷりよこす相手に嫁入りさせようという魂胆らしゅうございますよ」

と、きかされて、がっかりしてしまった。

そんな悪口をいうくせに、どういうわけか、お百は、この杉浦清太郎の継母であるお貞と仲がよく、なにかにつけて行ったり来たりしているし、始終、連れだって芝居見物や買い物に出かけたりもする。お貞は、普段、それが女のすることかと、馬琴を苦々しく思わせるほどの朝寝坊で、しかも、それは彼女が早起きすると立ちくらみや頭痛を起しやすいという、甚だ勝手な病気持ちであって、並みの女のように早起きは出来ないのだと釈明しているが、物見遊山や芝居に出かける日は、そんな持病をけろりと忘れたように、朝早くから、比奈や下女を叱りとばし、仕度をいそがせている。

今朝も、ちょうど馬琴が朝の日課を終えて、書斎へ入り、昨日中かかってそれほど筆の進まない八犬伝の続稿を読み直していると、表庭のほうに、どうやら、お貞の派手な声が入って来た様子である。

お百はまだ起きていまいと思われたのに、これは茶の間のほうから、お貞に合せて二言三言、なにか返事をして、陽気に笑っている。

と思う間に、庭伝いで、

「おや、先生、もうお仕事でございますか、いつも御精が出ますこと……」

取次も待たずに、朝っぱらから脂粉の香をただよわせて、お貞が縁側へ腰を下した。

大体が人嫌いで、ごく少数の知己を除いては、滅多なことでは人に逢いたがらない馬琴を、隣りに長年住んでいて、知らぬわけはないのに、自分は隣家の、地主の家の人間だから別格ときめているようなお貞の無神経が、馬琴にはやり切れない。

馬琴が分厚い唇を一文字に結び、それでなくとも無愛想な眼をあらぬ方へむけて知らん顔をしているのに、お貞は無頓着にのび上って机の上をのぞく恰好をした。

「なんです。昨日、お書きになったのは……」

たまたま、お百が部屋へ入って来た。女二人が申し合せ、一人は庭から、一人は廊下伝いに書斎へ押しかけて来た感じである。お百はお貞の問いに応じて、夫の机の上をみた。

「あなた、なんです。この本は……」

馬琴が聞えないふりを装っていると、お百はしつっこく繰り返した。

「杉浦様の奥様がお訊ねなんですよ。なにを書いたんですか」

馬琴が眉をしかめ、それでも頑固に黙っていると、お百は手をのばして草稿をめくった。

「八犬伝」巻六と三枚めくり戻したところに大書してある。

「八犬伝じゃありませんか」

無学な女だが、流石に「八犬伝」の三文字だけは、読めたらしい。

「まあ、正月からかかって、まだこれだけ……昨夜も遅くまで行燈の灯がついていたのに……随分、無駄な油の費えですこと……」

お貞の同意を求めるように、調子よく笑った。

「本当に……私どもが読む時は小半日で終ってしまうのを、こちらの先生は半年もかかってお書きになるんだから……御苦労さまなことでございますね」

なにをいうかと、馬琴は怒髪天を衝く思いであった。

「南総里見八犬伝」は、自分でも終生の大作と心し、その構成も着想も練りに練り、文章は一字一句にまで神経を使っているのに、浅学菲才の女どもが、小半日で読める安直な黄表紙などと一緒にされてたまるか、という気分であった。

といって、女房や愚にもつかない地主の後家を相手に、自分の著作の弁明をしようとは思わないし、話してわかる女どもでもなかった。

「おい、出かけるのか」

苦虫を腹の底に押しつぶして、馬琴はさりげなく、お百に訊いた。

「ええ、あのね……」

自分から、どこそこへ行きたいから、行かせてくれといえばよいものを、こういう時、必ずお百は、隣家のお貞の口を借りて、亭主に事後承諾を強要するのだ。

「いつも、勝手にお誘いしてすみませんねえ」

ねっとりと絡みつくような眼で、お貞がいい出した。

「堺町の芝居が大層、評判なので、今日あたり行ってみようと思いましてね。もう手配はすっかり済んでいるんですよ。お気ばらしに奥方様をお誘い申してもよろしゅうございますか」

お貞は町方に住みながら、武家出の意識を持つ馬琴の心中を知っていて、わざとお百を「お内儀」とも「奥さま」とも呼ばず、「奥方様」なぞと大仰な表現をする。馬琴は虫酸が走った。言葉の上ではお誘い申してよろしゅうございますか、なぞと体裁のよいことをいっているが、これはもう前から二人の間でとりきめて、準備が整った上でのことである。

「いつも、お誘いを下され、ありがたいことでございます。足手まといでもござろうが、何卒、よろしく……」

感情を抑えて、馬琴は尊大に頭を下げた。ともかくも、今日一日、女房が家を留守にするのは有難いことであった。

馬琴の返事に、お貞は満足の表情を浮べた。

「早速、お聞き届け下さいまして、有難う存じます」

尚、重ねてのお願いには、自分が出かけてしまうと留守は若い者ばかり、火の始末など、くれぐれもいいふくめて行くつもりだが、

「時折、お見廻り下さり、お声をかけて下されば、ありがとう存じますが……」

厄介なことを依頼されたものと、馬琴は憂鬱になったが、妻を芝居に誘ってもらった以上、否ともいえない。

「承知致した」

重々しく咳ばらいをすると、お貞はやがて帰って行った。

それから一しきり、出かけて行くお百の仕度で茶の間のほうがさわがしかったが、

「それでは、行って参りますよ」

すが目の仏頂面が、気味の悪い猫撫声とせい一杯の愛敬で挨拶して出かけて行くと、馬琴はすぐ下女を呼んで、植木屋の仙吉に声をかけさせた。

朝っぱらからお百に邪魔をされて、どうも憤懣がおさまらない。こんな日は、気に入りの植

木屋を呼んで、庭木の配置がえや手入れをさせるのがなによりと心得ていた。

植木屋の親父はすぐにやって来た。今年五十四で、腕も確かだが、なにより無口で無駄口を叩かないのが、馬琴の気に入っていた。

以前から、場所を変えたいと思っていた庭木の中、寒の時期でないと動かせないものがあって、そのままにしておいたのを、仙吉は連れて来た息子の仙太郎と一緒に、せっせと掘っている。

築山というには、あまり小さく、きまりが悪くなるほどのものだったが、馬琴が気どって向山と呼んでいる、庭の中の小山のすそには、宗伯が医薬用に栽培している丁子花やさふらんが霜よけをかぶっていた。

植木屋に庭木を移す場所などを一しきり指図をして、馬琴はひっそりしている杉浦家に気がついた。

若い者だけだから、時々、見廻ってやってくれと、お貞から頼まれていたことでもある。

馬琴は庭下駄のまま、裏木戸を出た。その西側は、伊藤常貞という老人の隠居所であった。老妻と二人、別に下女と下僕がいるだけのひっそりとした住いだが、この老夫婦と馬琴はここへ引越して来て、もっとも悶着を起した。

そもそもは、馬琴が今の住居を修理している最中に、出入りの左官が伊藤宅の門前に汚れた水や壁土をこぼしたというのが、はじまりで、それはまあ、こちらの落度と、宗伯があやまりに行った。

それで、ことがすんだと思っていたのに、むこうは毎朝、門の前を掃いたごみを馬琴宅のほうへ押しつけておくのである。

最初は、馬琴も下女から報告をきいて、腹を立てたものの、近所隣りで大人げないと、黙って片づけさせていた。

相手は、いよいよ増長して、落葉の季節になると、山のような枯葉を平気で、馬琴宅の門前へ掃きつける。

たまりかねて、馬琴は早暁から起き出して伊藤老人が下僕と一緒になって、落葉を掃き出す現場へ出て行って文句をいった。

「ごらんのように、ここは手前共の門前です。ごみたまりでも、ごみ捨て場でもござらぬ。そちらの落葉はそちらで処分して頂きたい」

ところが、伊藤老人はひき下らなかった。

そもそも、このごみはあなたのほうのものだというのである。

「ごらん下さい。この落葉は、お宅の門前の柳の葉、松の枯れ枝に欅の葉、どれもこれも、お宅の庭木から風にとんで来たものです。従って、元の持主の門前へお返しするのは当然と思うが……」

冷笑されて、馬琴のへんこつ精神がそのまま、ひっ込むわけはない。

その場は黙って、落葉の山に火をつけたが、翌朝、今度は両家が塀で区切られているところから柿の落葉を竹箒で全部、塀の下側から伊藤家へ掃き込んだ。

果して、伊藤老人が、かんかんになってどなり込んでくると、馬琴は書斎で悠々と茶を喫しながら応じた。

「手前は元、武士。たとい貧なりといえども我が家は一国一城。みだりにふみ込む者あらば、追い退けるのが定法。しかるに貴殿の庭の無礼なる柿の落葉、しばしば断りもなく、塀を越えてわが庭内に乱入せり。よって、くだんの如し……」

以来、両家は犬猿の仲となった。

よく冷え込んだ朝、伊藤老人が故意に馬琴宅の門前に水をまく。うっかり出て来た馬琴が、あっという間に凍りついてしまったその上で、すべってころんで腰を打つ。今度は馬琴のほうが、隣家が裏庭に洗濯物を干したところをねらって、風上へまわって焚火をし、大団扇を作って、煙と灰を洗濯物のほうへあおぎ立てるという始末で、道で逢ってもそっぽをむき、おたがいに名前をきいただけで唾を吐くという有様になってしまった。

そんな間柄だから、馬琴にしても、滅多にこの西側の垣根外の小さな道は通行しないのだが、今日、うっかりそこへ出たのは、それが杉浦家へ行く一番の近道で、そうでないと表からぐりと東を迂回して行かねばならないのが、いささか億劫であったからである。

冬枯れの小道には、思いがけず蕗の薹（とう）がいくつも顔を出している。

馬琴のほうが敬遠すれば、伊藤家のほうでも意識して、あまり、この小道は歩かないらしい。

早い春をみつけたような気がして、馬琴はいい気分で杉浦家の裏の枝折戸をあけた。

庭伝いに母屋へまわる。

杉浦家の内外は、ひっそりしていた。

口うるさいお貞の留守のせいでもあり、のどかな冬の午下りでもあった。

庭に面した障子はどこもしまっていて、そこにも冬の陽があふれていた。

意識して足音を忍ばせたわけではなかったが、白く乾いて、ほかほかしている土の表面が庭下駄を吸い込むようで、音らしい音が立たない。

雀の声だけが、しきりにする。

馬琴はふと奇妙な気分になった。杉浦家の人々は、いったい、どこへ行ってしまったのかと思う。

少くとも、この家の中には、当主の清太郎と、義理の仲の妹である比奈と、下女ぐらいは留守番をしている筈であった。

清太郎は若いに似ず無口な男だから、声のしないのは不思議でないとしても、比奈と下女は若い娘だから、笑い声の一つも立てそうに思える。

そこは清太郎の居間の外であった。

馬琴が足をとめたのは、不思議なものをみたからであった。

下女の、たしかおはるという山出しが、縁側へ庭から中腰になって、障子の破れからなかをのぞき込んでいる。木綿の仕事着を裾短かに着て、赤い板締めのちらついた脚が、不安定に宙へのびていて、おまけに下女はもぞもぞと腰を上下にゆすっていた。

馬琴は暫く、あっけにとられて下女を眺めていた。障子の破れに眼をあてて、腰をゆすぶっている恰好は、馬琴がむかし安房のほうの祭でみた神楽の卑猥な振り事に似ているようであった。

思いついて、馬琴は、今度は足音を忍ばせて裏へまわった。

勝手知った杉浦家である。清太郎の居間が西向きに窓があるのを、馬琴は知っている。

窓の外は中庭で、そこへ行くのは、勝手口を通り抜ければよかった。猫のように近づいてみると、窓はしまっていたが、僅かに隙間がある。背のびをして、馬琴は隙間へ眼を近づけた。

清太郎の居間は暗かった。

明るい冬の陽に馴れた眼が、やがて薄暗い部屋の中で重なり合っている物体を捕えた。

朱色の長いものがのびているようにみえたのが帯であった。蛇がからみつくように紐も落ちている。

かすかな声と、肉体の組み合う音がして、のけぞった比奈の顔がくるりと馬琴のひそむ窓のほうをむいた。眼はしっかりと閉じて、唇が半びらきになっている。

白い大根がぶつかり合うようにみえたのは、男と女の脚であった。

清太郎が、なにかを叫び、比奈がそれに応えるように、男の名を呼んだ。

馬琴は咽喉が乾き、眼が釣り上った。下女が庭の障子越しに覗いて、腰をふっていたものが、これであった。

比奈の眉がぐっと寄り合って、やがて、観音菩薩のような表情を浮べた。男の体から動きがなくなって、死んだように女の上に倒れ伏す。

気がついた時、馬琴は杉浦家の枝折戸をとび出していた。

全身から、どっと汗が吹き出して、血がすべて頭へ上ってしまったようであった。

歩こうとすると、めまいがして小道のふちへすわり込んだ。

今朝、お貞が留守中、何度か見まわりに来てくれといったのを、おくればせながら馬琴は思い出した。

若い者ばかりで、火の用心が悪いからと、お貞はいったが、ひょっとすると、彼女が見まわってもらいたかったのは、このことのためではないかと気がついたものだ。

もともと、老人の後妻に入った女が、四十いくつで未亡人になった。色恋には、犬のような嗅覚を持っているに違いない。

清太郎と比奈は、兄妹とはいっても血の続きはまるでない。若い者同士、一つ屋根の下に住めば、憎からず思い合うようになるのも自然であった。

どちらかというと、清太郎よりも、比奈のほうから持ちかけた恋かも知れないと馬琴は考えた。

清太郎は気がよわく、まじめ一方の男だが、比奈のほうは同じく大人しそうにみえて、芯にたくましいものを持っているように思う。

今しがた、かいまみた情景でも、比奈のほうがより積極的に男を導いているように感じたのは、女の、その時の表情を、あまり間近く眼にしたせいでもあろうか。

なんにせよ、もし、お貞が二人の恋に気がついていて、暗に、馬琴にその見張り役を頼んだと考えるのは、まことに不快であった。

来る時もみかけた蕗の薹が土をもたげて、ほんの少しばかり緑の頭をのぞかせているのが、手をのばせば届くあたりにあった。

可憐な、それさえも、なにか猥雑な感じがして、馬琴は眉をしかめた。

枯れ草を払って立ち上り、普通に歩き出したつもりなのに、酒に酔ったように足許が定まらない。

小道を半分ほど戻って来ると、道のすみに老女が一人、蕗の薹を摘んでいる。後姿で、多分、そうではないかと思ったのだが、馬琴の足音をきいて、ゆっくりふりむいたのは、予想通り、伊藤常貞の老妻のお鉄だった。

これは女相撲のようにでっぷり肥えていて、しゃがんでいると、帯が腹の上へ盛り上ったような恰好になる。おまけに怒り肩で、女にしては背も高く、声は野太くて、ひどく耳障りであった。

「おや、先生、お出ましですか。どちらへ……」

馬琴の通行をさまたげるように、ぬっと中央へ体をねじまげて訊いた。

おや、先生もないもので、おそらく、先刻、この道を馬琴が通ったのを承知の上で出て来たものに違いない。

お鉄の手にしている笊には、その付近を、あらかた取り尽したように、蕗の薹がうずたかく摘みためてあった。

ひょっとすると、この老女は、馬琴の姿を小道にみた時、そこに芽を出した蕗の薹を思い出し、先に摘まれてはならじとばかり、とび出て来たのかも知れなかった。そうでもなければ、あんなほろ苦いものを、笊一杯、摘む馬鹿はないと馬琴は考える。

大体、馬琴はこの老妻が顔をみれば必ず口にする、

「どちらへ……」

という問いが気に入らなかった。赤の他人に一々、これからどこへ行くの、どこへ行って来

たのと答える義務はないと思うのに、何故か、このお鉄という女は、いつ、どこで逢っても、

「先生、どちらへ……なにしに……」

しつっこく問いたがるのが、癖であった。

で、今日も、その問いを、故意に無視して、

「ほう、これは蕗の薹を、馬に食わす程、お摘みですな」

笊の中を覗いて冷笑する。お鉄の亭主の伊藤常貞という老人は、馬のように顔の長い男であった。

果して、お鉄はむっとした表情になったが、

「宗伯さんは、又、おひきこもりのようだが、お風邪気でもございますのか……」

さりげなく、見舞をいう。

「いや、たいしたことでもござらぬが、いささか、このところ熱が出まして、用心のため、臥せて居ります」

宗伯の風邪は毎年のことながら、性質が悪く、一度、かかるとその冬中治らず、いつも微熱や咳のある病人を抱えて、陰気な日を送ることになるのだが、体の弱い息子を抱えた親の見栄で、馬琴も亦、何気なくいい繕う。

「そりゃいけませんね。うちの主人がよく申します。宗伯さんがこちらに越して参られた時、お隣りにはお医者が開業なさる、これで、いつ病気をしようと安心だと胸を撫で下したものですが、肝腎のお医者が年中ご病気では、こちらも、うかと病気にはなれません。もっとも、そう思うせいか、あなた方が越して来られてからも、無病息災、世の中はまことに、よく出来た

ものでございますよ」

歯のない口で笑って、お鉄は笊を抱いて、さっさと自分の家へひきあげて行った。

女房の芝居見物で一日、せいせいする筈のものが、馬琴はとうとう夜まで書斎で唇をへの字に結んで、一行も筆をとれずじまいであった。

お百が、堺町の芝居の匂いをぷんぷん、ふりまきながら帰って来たとき、馬琴は台所へ下りて、宗伯の薬湯を煎じていた。

「おお、いやだ。帰って来たとたんに、煎じ薬の臭いがするのだもの。折角、晴れ晴れした気分が、なんにもなりはしない」

遊んで来たのに、不機嫌に帯をほどき出すのを、馬琴はたしなめた。

「少しは気をつけて、ものをお言い。誰も好きで病気になりたいと思う者はいないのだ。帰って来て、薬の臭いがしたら、倅が又、熱を出したのかと案じるのが、母親というものではないか」

両手を膝へおいて諄々と説ききかせようと思ったのに、

「お隣り、ちゃんと見廻ってあげて下さいましたか」

するりと躱して、長火鉢の前へすわり込む。

馬琴は絶句して、とたんに今日の昼、かいま見た、杉浦清太郎と比奈の相愛図が鮮やかに甦って来た。

「あなたのことだ。又、書斎に籠りっきりで、見廻ってあげもしなかったんでしょう」

お百はさっさときめつけて、湯呑に自分だけ、茶を注いだ。無頓着な女で、うっかりしていると馬琴の湯呑で、平然と湯茶を飲む。夫婦でも茶碗、箸などは絶対に使わせもせず、妻のも使いたがらない馬琴にしてみれば、ぞっとするほど、不快なのに、お百は何度、小言をいっても、何回でも、亭主の椀で味噌汁をすすったり、他人の箸で歯をせせったりしかねない。

「お貞さん、比奈さんをお屋敷奉公に出したいそうですよ」

黙っていると、お百は勝手に喋り出した。

「どこか、いいところがあったら、お世話をしてくれといわれて来たんですけどね……」

「馬鹿なことを……俺にそんな相談を持ちかけるのは、お門違いだ」

「でも、お貞さんは、宗伯は松前様のお抱えだし、おさきが立花様へ奥づとめをしたことも知っていて、どういう手蔓で、奉公したのかと、そりゃあ、しつっこく訊くんですよ」

お百は得意そうに口をすぼめて笑った。もともと、そういうことは、お百がすべて自慢話として、お貞に語ったことばかりなのに、なにを今更、しつっこく訊かれて困ったが聞いてあきれると馬琴はいよいよ苦り切った。

「どういう手蔓もこういう手蔓もありはしない。宗伯にしても、おさきにしても、然るべきわけがあって、お抱えにもなったし、御奉公もした。だからといって、杉浦殿の妹の奉公先をみつけるほど、顔の広い俺でないことぐらい、お前にもわかって居ろうが……」

「いいえ、別に、あたしはあなたにどうこうしてくれというのじゃありませんよ。あちらは、もっと高のぞみで、とても、あなたの手に負えないことぐらい、私でもわかりますからね」

「どこへ奉公に出したいというのだ」

清太郎と比奈の仲を、お貞は気がついているのだろうかと思いながら、馬琴は訊いた。

「それが、あなた……然るべきお大名か、大奥へあげたいというんですよ」

すが目を釣り上げるようにして、お百は笑った。

「なにを考えているのでしょうかね。お貞さんという人は……」

定廻り

犬塚新吾は、このところ犬と女に夢中になっていた。

正確にいうなら、仔牛ほどもある犬を連れた女である。

いつぞやの雨の夜、滝沢馬琴が鶴屋の近くでみかけたという犬連れの女の話が、新吾の心を占めている。

一つには、あの夜、不審な死を遂げた春之助という役者についての探索が、何一つ、埒があかないためでもあった。

犬塚新吾は町方同心であった。

いわゆる、江戸町奉行の配下で親代々、八丁堀に屋敷を貰って住み、三十俵二人扶持を頂戴している。

本来、町方与力、同心というのは一代抱えが、たてまえであったが、実際には子供が一人前になると、与力見習、もしくは同心見習に出し、親が死ねば自然に子が跡を継ぐという世襲であった。子のない者はあらかじめ養子をして家督を継がせるから、まず、江戸町奉行所で与力や同心の新規お抱えということは滅多にない。

当時は町奉行一人に与力二十五騎、同心百二十人が定員とされていたから、南北の奉行所合せて、与力五十騎、同心二百四十人が働いていた。

犬塚新吾は、定廻りであった。

盗賊の逮捕と探索が主な仕事で、事件があろうがなかろうが、三百六十五日、江戸市中を巡回して歩く。

両親は既に他界していて、八丁堀の屋敷には、親の代から奉公している孫六という老僕と、その女房のおいちというのが、犬塚家の家事万端をきりまわしている。夫婦の間には二十三になる市太郎という息子があって、これは、新吾の幼馴染でもあり、定廻りの時の供は、三年前から、孫六にかわって市太郎がつとめるようになっていた。

ぼつぼつ、六十に手の届こうという孫六の体力を気づかって、新吾がきめたことだが、律義で頑固な老僕は、それが気に入らず、今でも、なにかにつけて、息子を退けては定廻りの供に出たがる。ついてくれれば、未だに、二十六になる新吾を子供扱いにするし、なにかにつけて口やかましく、長年、定廻りの供をして得た博識ぶりをふりまわすのが、若い新吾には、いささか鬱陶しくて、つい、親を敬遠しては、息子の市太郎に声をかける。

実際、定廻りの供というのは、紺看板に梵天帯、股引姿に草履ばきで、雨が降ろうと風が吹こうと、日に何里も歩きまわらねばならない仕事だから、老齢の者には、かなりな重労働であった。

従って、新吾が孫六に留守番をさせ、なるべく供をさせないのは、むしろ、育ての親のような彼へのいたわりであった。

今朝も、はやばやと市太郎に声をかけ、奉行所へ出仕するばかりのところへ、孫六が顔を出した。

「上村様がおみえでございます」

上村一角は、隠密廻りの同心であった。

早くいえば、秘密探偵のような役目で、定廻りのように町へ出て顔を知られている者には出来ない探索を行っている。

八丁堀の中でも、隠密廻りになる者は古参の練達者ときまっていた。

どちらかというと、あまり、普段は定廻りと顔の合うことがない。従って、犬塚新吾も、先輩というだけで、とりわけ昵懇ではなかった。

口をきいたのも、先夜の事件以来である。

珍しいことだと、新吾は客間へ出て行きながら考えていた。奉行所でならともかく、屋敷へわざわざ訪ねてくるというのは、親しい間柄でないだけに、少々、異例であった。

火桶を前にして、上村一角はいつもより機嫌のいい顔をしていた。もともと苦み走った男前のほうだが、眼と口許に皮肉なものがあるので、人相としてはむっつりと気難しい感じが強い。

性格も言葉も辛辣で、新吾が知る限り、あまり仲間内でも好かれていない。意固地で、怒らせたら始末に負えないし、一度、感情を害するといつまでも執念深くおぼえているのが、江戸っ子らしくないなどという者があるが、新吾は、案外、この手の人間は、気が弱く、小心なところがあるのではないかと思っていた。

「これは、上村どの……」

先輩だから、新吾は下手へまわって、丁寧に挨拶をした。

老婢のおいちが茶を運んでくる。

「これから、御出仕か」

一角は、ちらと新吾の服装をみていった。

いったん、奉行所へ出仕して、別に用事がなければ、すぐに町廻りに出かけるから、新吾は竜紋裏、三つ紋の黒羽織の着流しで、朱房の十手が帯にはさんである。

「このところ、格別、御精励のようだの」

細い眼が切れ長であった。

当人は柔和に喋っているつもりらしいが、語尾が冷たいから切口上に響く。

「恐れ入ります」

新吾は神妙であった。相手がやって来た思惑がわからぬ中は、迂闊な返事が出来ない。

「先夜の春之助と申す役者の件だが、あれは、犬に嚙み殺されたものと、相わかった。お手前にも、なにかと御足労をかけたこと故、とりあえず、お知らせ申しておこうと存じて参った」

新吾は、相手をみつめた。

「犬に嚙まれたとおっしゃる……」

「左様、咽喉のあたりに、すさまじい嚙み傷があったのを、お手前もみたであろうが……」

「はあ……」

「実は、あの夜、蔵前の札差の別宅から、仔牛ほどもある犬が逃げたことがわかったのだ」

大変、気の荒い犬で、普段はきびしくつないであったのが、召使の結んだ縄をひき千切って町へ出たという。

　翌日の午後になって、犬が帰って来たのをみると、口のまわりにべったりと血糊があり、体のあちこちにも、どす黒く血がこびりついていた。

「最初は、犬同士、嚙み合いをしたのかと思ったらしいが、よくみると口の中に、血に染った布がひっかかって居り、もしやというので、それとなく調べさせると、同じ夜、春之助という役者が、犬に嚙まれたような死に様をしていることがわかったと申す」

　飼主は仰天したが、捨ててもおけず、おそるおそる、出入りの同心に打ちあけたのが、昨日になって、やっと上村一角の耳まで届いたというのであった。

「確かに、その犬が春之助を殺したという証拠は……」

　穏やかに新吾は訊ねた。

「犬のくわえていた布をとりよせてみた。春之助の着衣の破れにぴたりと合う……」

　犬の逃げた夜、帰った日と、時間的にも一致するし、ほぼ間違いはあるまいと一角は断言した。

「飼主の話では、前にも幼児が戯れかかって、危く、嚙み殺されかけたことがあるそうな。このところ、又、気が立っていたこともあり、用心していたというのに、この始末じゃ」

「その犬は、只今、どこに居りましょうか」

　うなずいて、新吾は問いを重ねた。

「あまりの獰猛に、飼主もあきれ果て、不愍ながら、処分した」

「殺したのですな」

「左様……」

「その犬の毛色は……」

「茶褐色……」

「成程……」

上村一角が立ち上った。

「用件はそれだけじゃ。出仕前、お手間をとらせた」

先に立って玄関へ出るのを、新吾は送ってついて行く。

思いがけなかったのは、玄関わきの枝折戸のところに、若い女が立っていて、孫六と立ち話をしていたことである。

娘が出て来た一角をみ、それから新吾へ会釈をした。

一角が、娘をみて、新吾をふりむいた。

「あれは……御身内か」

「いや、笠松京四郎どのの妹御、浪路どのです」

笠松家はすぐ隣りだった。

隣家のよしみで、浪路は女っ気の足りない犬塚の屋敷に始終、出入りをしていた。

「上村一角どのだ」

新吾に教えられて、浪路は深々と頭を下げた。

まだ、春には浅い朝の陽に、浪路の白い衿足がくっきりとのぞける。

「上村どの……」

新吾がさりげなく問うた。

「犬の飼主は蔵前の札差とか。なんと申す者でございましたか」

上村が、新吾をみた。

「それを訊いて、どうなさる……」

おっとりと新吾が苦笑した。

「いや、心おぼえのためでございますが……もし、なにか、おさしさわりがござれば、決して……」

一角が苦い表情になった。

「板倉屋小左衛門だ」

うつむいている浪路を一瞥して、そのまま大股に立ち去った。

「何事でございます、旦那様」

孫六が気づかわしそうに訊ねたが、新吾は大きく笑って、草履をはいた。そのまま、奉行所へ出仕するつもりである。

「なに、札差の家の飼犬が役者を嚙み殺した話さ……」

「犬が人をでございますか」

浪路が目をみはった。新吾より五つ下だから、今年二十一歳、娘としては少し薹が立ちかけているが、小柄で、眼鼻立ちのととのったお俠な女であった。兄の京四郎にいわせると、勝気で手に負えないという娘が、新吾の前へ出ると、しっとりと女らしく、つつましやかな顔をみせる。

「犬にも、いろいろあろうさ。人にもいろいろあるようにな」

浪路が抱えている包は、おそらく、新吾の衣類でもあろうか。このところ、すっかり、眼の弱くなった老婢にかわって、針仕事は浪路が進んで引き受けているらしい。

友人の妹の好意を、新吾はたいして深くも考えず受けていた。

「新吾、来客だったようだな」

新吾の声を待っていたように、笠松京四郎が出て来た。これも中間に御用箱をかつがせ、これから奉行所へ出仕の身仕度だ。

「上村どのだ」

「ほう……」

それだけで通じるものが二人の間にある。

「よし、あとできこう……」

うなずき合って出て行く二人に、浪路が、これも微笑で声をかけた。

「お早く、お帰り遊ばしませ」

霜どけの小道に椿の花が、もう咲いている。

定廻りは、俗に「背中に胼(あかぎれ)をきらせた」という言葉がある。それほど、熱心に町から町を、定められた順にまわって行くのだが、実際、どこの町になにがあって、町役人の名は何某、はては、おもだった家の冠婚葬祭に至るまで、記憶のどこかに留めておかねば、つとまらなかった。

もっとも、八丁堀の旦那が一々、そうしたことを訊いてまわるのではなく、それは同心が手先に使っている、いわゆる岡っ引の役目でもあった。

これは、新吾が供に連れている市太郎らと身分が違い、奉行所には登録されていない人種であった。

それぞれの町を縄張りにしていて、新吾が定廻りにかかると、まず先に立って供をする。

江戸には、大抵、一町に一カ所の割合で自身番が設置されていた。

普通、その町内の大通りにむいた場所で、九尺二間の小さな建物で、表の腰障子に自身番、町名が太く書いてある。

定廻りのパトロールは、自身番から自身番へとたどって行く。

その町に、然るべき事件がなければ、腰障子はしまっていて、定廻りは一々、外から声をかけるだけで素通りして行った。もっとも、町々においてある手先は、ちょっとした情報を小耳にはさむと、まず、自身番で待っていた。そのまま、自身番へ入って、一服し、手先の話をきくこともあるし、それほどでなければ、次の自身番まで供をさせながら、報告をきくこともあった。

こうした町の密偵達を如何にうまく使うか、気のきいた手先をどれくらい持っているかが、いってみれば定廻りの旦那の腕であった。

気のきいた情報を持って来た者には、それ相応に金を握らせてやらねばならないし、屋敷へ出入りする程の馴染みの岡っ引には、折にふれて、身銭を切ってやる。

幸いなことに、犬塚新吾についている手先は、父親の代からの者が多かった。亡父が温厚で太っ腹な男だったし、下の者に情を厚くしておいた余徳が、そのまま、新吾の財産になった。

新吾も、どちらかというと父親似で、寛大で、ものにこだわらない男だから、町方には評判がよく、若いに似ず、もののわかる旦那と、初老の岡っ引達は自分の息子ほどの年齢の彼に心服していた。もっとも、中には、この若造がと、内心、軽くみている者もないわけではない。

実際、定廻りの同心の平均年齢は四十代から五十代がもっとも多く、二十代は、ほんのかけ出しで、奉行所の中でも、大きな顔は出来ない。

その日、新吾は、午をすぎてから蔵前へ入った。

隅田川の西河岸に、いわゆる幕府の米蔵として、一番堀から八番堀まで、蔵がある。

この米蔵は元和六年に新しく出来た二万七千九百坪もあるもので、その大通りを俗に蔵前通りと呼んでいた。

付近には、蔵宿とも呼ばれる札差の店が多い。

本来、札差の仕事は、幕府の士で、俸禄を御蔵から米で受け取る者達のために、いわば御蔵米をかわりに受け取って入用分を渡し、残りを売って銭に替えてやるものであった。

いってみれば、御蔵米受取代理人で、その報酬は米一石につき、いくらと定められた手数料であった。

それが、いつの間にか、江戸でも屈指の分限者となり、大名にも劣らぬ暮し向きをするようになったのは、いわゆる武士相手の公認高利貸であったからである。

つまり、生活に困窮した旗本御家人が、俸禄を受ける切米切符で札差から金を借りた。

札差の利息と手数料は、俗に二割といい、しかも、約束の期限に返却しないと、証文を書き換えて、それ以前の利息と以後の利息を二重に取られる勘定になった。

時代がすすむにつれて物価は値上りしているのに、旗本御家人の俸禄は天下泰平である限り、滅多なことでは変化がない。

武士の体面を保つためには、どうしても札差からの借金がふえ、それが、札差をふとらせる結果になっていた。

実際、蔵前にある札差の店は、どれも表向きは質素な造りだが、一歩、中へ入ると奉公人は活気にあふれ、目立たぬところに、ずしりと金の重みが感じられる。

別宅を数多く、持つ者も多いし、中には、幕閣の大名にもお出入りをして、政治資金を贈るかわりに、商売の取引を有利にするなど、巧妙に世渡りしているのも少くない。

一年を通じて、吉原などの遊廓で、もっとも大きな金を使うのも、この札差商人達であることは、新吾も無論、知ってはいた。

このあたり、店の前の道はどこも、きれいに箒の目が通り、商売の裏には修羅地獄があるというのに、穏やかな町の表情を冬の日ざしの中に浮ばせている。

「おい……板倉屋というのは、どれだ……」

仔犬が二四、道のすみでじゃれていた。

歩きながら、新吾は、ついてくる岡っ引の徳松というのをふりむいた。

厩橋に住んでいて、このあたりが縄張りである。年は四十五、本職は船宿の亭主であった。

商売柄、船頭くずれの若い者を数多く、二階に遊ばせているし、舟の中は、秘密を要する商取引の場に使われることも多いから、思わぬ話を船頭が拾ってくる。

「へい……」

徳松は新吾に話しやすいように、近づいて、ほんの半歩下った姿勢で歩きながら、答えた。

「板倉屋小左衛門でございますか」

「うむ……」

「その角でございます。只今、小僧が水をまいて居ります」

札差にしては小さな店がまえであった。

「これか……」

眼のすみでみて通り抜けながら、新吾がうなずいた。

札差は、もともと、限られた数で、許可を受けた者以外、新規に開業する時は、その株を分けてもらう他はない。

大体が、伊勢屋、板倉屋、大口屋、和泉屋など、同じ屋号の札差が多いのは、そのためであった。

「商売の評判は、どうだ」

角をまがって、問うた。

「悪くはございません」

主人の小左衛門は五十をいくつか越えた、働き盛りで、一人娘の里江というのが、大奥へ上っているという。

「そりゃ、蔵前小町といわれる器量のお嬢さんで、板倉屋の秘蔵娘でございましたが、ちょうど、昨年あたりから、行儀見習ということで……」

「よくあることだな」

気のきいた町人の家の娘が、武家屋敷へ行儀見習の奉公に上るのは、いってみれば、当人に箔をつける意味もあり、嫁入りの時の好条件になった。

ましで、札差というのは、武士を相手の商売だけに、つてをたよって大奥へ奉公させることも、そう難しくはあるまい。

「その娘、いくつだ」

「十八ときいていますが……」

ま、一、二年、見習奉公をさせて、然るべき聟をとる思惑であろうが、

「板倉屋は、どうも、お武家から聟をとりたい意向のようで……」

徳松がつけ加えた。

「武士の養子か」

それも、札差の商売柄、ありそうなことであった。武士を相手の高利貸だけに、一つ間違うと、貸金をとりそこなうし、場合によっては帖面の上だけの算盤勘定ではすまなくなることもある。

武士をむこうへまわして、かけひきするだけの胆力と腕がなくてはならず、なまじの町人では、おさえがきかないこともある。

実際、多くの札差商人は、彼ら自身も腕っぷしの強い者が多く、同時に、店の奉公人達も、下手な侍、顔まけの武芸練達の男がそろっている。

「そりゃ、別に難しくもあるまい」

新吾は苦笑した。

「この節は、旗本の次男坊や、御家人のいい若い者の冷や飯食いがふえる一方だ。町人といっても、金はうなるほど持っている札差で、女房が蔵前小町なら、喜んでとびつく者がいくらでもありそうなもんじゃねえか」

「へえ」

この季節、午後になるときまって出てくる風に足許を吹かれながら、徳松が汗を拭いた。新吾は定廻りの中でも足が早い。足には自信のある岡っ引でも、一緒に歩調を合せていると、冬の最中でも、額に汗を滲ませた。

徳松は、このところ、肥り出して、腹がせり出しているから、尚更であった。

気がついて、新吾は足をゆるめた。すでに蔵前は通りすぎ、大川からの風が冷たかった。

「その……なんでございます。なにせ、里江という娘の器量がよろしいもんですから、かなりな御身分のお武家の御子息から、どうかというお話がございますそうですが、どうも、お嬢さんも旦那も、うんといわないようで……ま、あれだけの札差だと、どうしても高のぞみって奴になるようで……」

この界隈では、板倉屋にどんな聟養子がくるのか、ちょっとしたたのしみになっているという。

「板倉屋に飼犬がいたそうだな」

「へっ、犬でございますか」

「知らぬか。大きな犬だそうだ。気が荒く、子供が嚙み殺されかかったというが……」

「初耳でございます」

徳松はきょとんとした。

「もっとも、あれだけの家でございますし、別宅やら、寮やら、さまざまに家を持って居りますから、店のほうではなく、そういう犬を飼って居りますやも知れず、それでございましたら、手前どもが知らなくとも不思議ではございません」

「それとなく、調べてみてくれないか」

自身番が、みえて来た。

障子がしまっていて、そこにも冬の陽があたたかそうである。

「板倉屋が犬を飼っているかどうか。飼っているとしたら、どんな犬か、毛色、大きさなど、なるべく詳細にわたってわかればよい。その犬が、今、健在かどうかも知りたい。又、ひょっとすると犬は一匹でないかも知れぬ。もし、何匹か飼っているとしたら、その中、最近、殺されたもの、死んだもの、行方知れずになったものはないか」

徳松は少し、妙な顔をしたが、うなずいた。

「へえ、承知しました」

「念には及ぶまいが、なるべく、町方が犬に気をつけていると、相手に知られたくない。その点、うまくやってくれ」

新吾が八丁堀へ戻って来た時は、もう薄い月が空に出ていた。

埃まみれの足をはたいて、奉行所へ入って行くと、一足先に帰っていたらしい笠松京四郎がすぐにいった。

「神山どのが、おぬしを待って居られる。戻ったら、すぐ、逢いたいといわれたが……」

神山左近は年番方与力であった。

新吾の亡父は、殊の外、この神山左近の知遇を受け、新吾も亦、なにかと目をかけてもらっている。

身づくろいして、奥へ行くと、神山左近は年番方詰所に、ぽつんと一人、火桶に手をかざしていた。

新吾の亡父と同い年だから、もう六十一になっている筈である。髪は、ほぼ白くなり、みたところ、鶴のような老人であった。

「遅くなりまして……」

廊下に手を突いて、新吾は頭を下げた。

「おう、帰ったか。お役目ご苦労に存ずる」

柔かな会釈が枯れていて、言葉のすみにいたわりがある。

「お待たせ申し、あいすみませぬ」

新吾も亦、丁重に礼を返した。火桶一つの座敷は夜になって、冷えが強い。

「いやいや、私ごとの用じゃ。気づかうな」

手で目の前をさした。ここへ来いという。

新吾は、障子をしめて、左近の前へすわった。

「その方は、遠山どのを存じて居るか」

先頃、長崎奉行から勘定奉行に進んだ遠山左衛門督景晋（かげくに）のことである。

この遠山景晋は、後に江戸町奉行となった遠山景元の実父に当り、この年、七十五歳、どちらかというと学者肌の人で、寛政六年、幕府の学問吟味を四十四歳で受け、最優秀にえらばれたことのある、役人としては、いささか異色の人であった。

無論、名は犬塚新吾も知っている。が、一方は勘定奉行、一方は町奉行所の一同心にすぎない軽輩だから、まともな対面は思いもよらない。

「実は、遠山様が、八犬伝の作者に逢いたいと仰せられたそうな」

現南町奉行の筒井和泉守は、遠山景晋がやめた後の長崎奉行であった。そんな関係で、長崎奉行から江戸町奉行に就任した今も、遠山景晋とはつきあいがある。

「先だって、さるところでお奉行が遠山様に会われた折、八犬伝の話が出て、滝沢馬琴という者を、一度、屋敷へ招いて、話をききたいといわれた時、お奉行は、たまたま、わしが其方のことをお話し申したのを御記憶でな。その話をされると、遠山様は大変、興がられて、是非その者に滝沢馬琴を伴って、屋敷へまかり出るよう伝えてくれとご依頼があったとか、今日、お奉行よりお話があった」

神山左近は、犬塚新吾が滝沢馬琴と昵懇なことを知っている。おそらく、奉行に話したというのは、犬塚という姓を、馬琴がたまたま、自作の「八犬伝」の中の主人公に用いたことからであろうか。

日は改めて、遠山家のほうから指定があろうが、馬琴を伴って行ってくれるかと左近は問うた。

「お奉行のお指図とあれば、手前はいつにても参りますが、ただ……」

新吾はちょっと困った顔になった。

「申し上げたことがあるかと心得ますが、馬琴と申す者は、我々がへんこつ老人と呼んで居りますように、偏屈と反骨をないまぜにしたような男にて、今までにも、身分の高い大小名家より、再三のお招きがあった由にございますが、その都度、老醜をいい立てて、応じて居りません。他ならぬ、違山様故、よもやとは存じますが、なにせ、並々ならぬへんこつの仁、果して承知致しますかどうか」

甚だ心もとないと、新吾は正直にいった。

「老醜というが、それほどの年か」

左近は穏やかに笑っている。

「いえ。手前の亡父と一つ違いにはございますが、みたところ、五十そこその矍鑠ぶりにて……」

いいよどんだのは、神山も、同い年だということを、思い出したからである。

みかけは、まさしく、対照的であった。神山左近が若白髪の気味で、五十の声をきいた頃から、美しい銀色の髪に変ったのに、馬琴のほうはまだ黒々とした頭がいささか薄くなった程度である。それでも、これ以上薄くなったら見苦しいから、その時は僧体になるといっていた。

髪が禿げるなどということは、馬琴には、我慢がならないらしく、自然に抜け落ちる頭髪を苦労して結い上げるざまを衆目にさらすくらいなら、いっそ、さっぱりと剃りすてて、涼しい顔をしていたいというのが本音と、新吾はみている。

一事が万事で、肉体の老いを、馬琴ほど気に病む男を、新吾は他に知らなかった。

確かに、髪の抜けるのや、白髪の増えるのを、男といえども、全く気にかけないというのは嘘に違いないが、馬琴のは、あまりに正直で、あけっぴろげであった。

つまり、自分の体に老化現象が起ったことを、他人にも自分自身にも、ひたかくしにかくすのであった。

先年、大病をして歯の大方が抜けてしまった時も、彼は総入歯が完全に入るまで、全く、人に逢わなかった。その上、入れ歯になったことを他人から指摘されると、烈火の如く怒って否定した。

「断じて、入れ歯ではござらん」

と、むきになっていいつのる。新吾が逢った時も、

「近頃は目あき千人、めくら千人というが、わしの歯が老いても丈夫すぎるのを、あれは入れ歯だと申す馬鹿者が居って、全く、迷惑いたして居ります」

などと、自分のほうから、まことしやかにいい出して、新吾を絶句させた。

そのくせ、ごく親しい遠方の友人には、

「老病、歯が欠落して、苦しみにたえず」

などと、泣きごとを書いてやったりもしているらしいので、人によっては、

「あの、へんこつの気が知れぬ」

などと悪口をいうが、新吾には、そのどっちの馬琴の心情もわかるような気がするのであった。

他人には、まだ若いと見栄を張り、口癖のように、

「老いては居れませぬわ」

といい続けるのは、馬琴の家庭の事情から来るものが大きいと、新吾は思う。

長女のさきは何度も縁組に失敗して、やっと聟養子をむかえて落着いたようにみえるが、末娘のくわは、まだ縁づいていない。

たよりに思う長男の宗伯が、病身で二十九になるというのに、妻帯も出来ない始末であった。

馬琴の筆一本にかかっている一家の生活が、かなり貧しく、苦しいものであることは、始終、出入りしている新吾にはよくわかった。

「うちのも、もう少し、性根をいれかえて、御贔屓先にお追従の一つもいってくれると助かるんですけどね」

女房のお百が、新吾にまで愚痴をこぼすように、贔屓のお座敷をつとめて、御祝儀を頂いて帰るなどという真似は死んでも出来ない馬琴であってみれば、老いてはならぬ、というのは、いわば自分へのはげましに他ならなかった。

梅一輪

犬塚新吾が、いくらか気の重い顔をして、神田同朋町にある滝沢馬琴の家を訪ねてみると、珍しく、先客があった。

取次に出たのは、いつもの下女ではなく、飯田町にいる馬琴の長女のおさきであった。なにか用事があって実家へ来たのが、そのまま帰りそびれたというふうである。

「申しわけございませんが、少々、とりこんで居ります。父は是非、お待ち頂きたいと申して居りますが、お待ち頂けましょうか」

気の毒そうに挨拶したのは、新吾が職掌柄、多忙なのを知っているし、仮にも定廻りの旦那を待たせるという感覚が、おさきのような町人の女房としては、空怖しいように思えたのかも知れない。

「お取りこみと伺っては、出直して参るのが本当かと思いますが、実は、手前もいささか今日中にお返事をうかがいたい用事を持って来て居ります。御迷惑でも、お言葉に甘えて待たせて頂きましょう」

待つぶんには、いくら待ってもかまわないから、と断って、新吾は縁先で、まぶしすぎるような日の光を浴びていた。

おさきはすまなさそうに、何度も詫びをいい、茶菓を運んで来て、又、慌しく奥へ去った。

以前、屋敷奉公から帰ったばかりの時は、どことなくとりすまして、四角ばった言葉つきだったのが、呉服屋の手代であった今の亭主と一緒になってから、ぐっと腰も低くなったし、町方風にもの柔かな女房になった。

もっとも、それが馬琴にはいくらか、気に入らないらしく、昼日中から味噌こしを下げて、使い走りに出るような意気地のない女になってしまったと、新吾に愚痴をいうことがある。

「子供の頃は、仮名をよう書きまして、古今集なども教えれば教えるだけ、そらんじて、末頼もしい女子と思ったこともございましたが、やはり、母が母故、学問が身につかず、今はもう、話相手にもなり申さぬ。やはり、血は争えぬものです」

などと、馬琴のいうのから察すれば、幼女の時のおさきに文字を教え、末は紫式部や清少納言のような才媛になるかも知れないと期待した親心が、結局、平凡な娘になってしまった我が子への落胆にすりかわったのがよくわかる。母が母故と、下駄屋の娘だった母親の血のせいにしているのも、いかにも、馬琴らしかった。

そのくせ、一方では、

「やはり、女子は並々に育つが、なにより。なまじっか才はじけて生まれても、かえって一生をあやまるかも知れません。おさきほどのところが、まず無難。よい聟をとり、身すぎ世すぎが平らかならば……」

賢女ぶった女が夫を馬鹿にして、世の中にしゃしゃり出るほどみっともないものはないと、変なところで娘の弁護をしてみたりするのも、馬琴の親馬鹿ぶりであった。

庭のすみに、白梅が一本あった。

隣家の茶室のかげになって、あまり陽が当らないらしく、やっと、一輪ほどが、新吾のほうをむいて咲いている。

所在なさに、新吾は立ち上って、梅の近くへ行った。ほんのりと花の香がただよってくる。

「悪い時に、お出でなさいましたよ」

いきなり声をかけられて、そっちをみると垣根の向う側に老女が立っている。

隣家の伊藤常貞の女房のお鉄という女だと、新吾は気がついた。

「もう、今朝から大変なんですよ」

笑って顎をしゃくったところをみると、馬琴のことをいっているらしい。

「なにせ、あなた、取次いではいけないお客を、おかみさんが取次いだものですからねえ。居ないといえ、留守だといえって、先生が大きな声で……」

そんな馬鹿なことがございますか、とお鉄は嬉しそうに眼を細くした。

「おかみさんが、はい、居りますといったものを、今更、居りませんといえるものですか。おまけに、先生の声が大きいから、居ないといえっておっしゃるのが、広くもないお宅の玄関まで筒抜け……あれじゃ、お客もたまりますまいよ」

大体、お百の取次が下手なのだ、と隣家の老妻は得意気に続けた。

「気のきいたおかみさんなら、先生があぁ、気むずかしいお人なのですからね。居るとも居ないとも、お客の手前は胡麻化して、そっと、奥の様子をきいてから、居留守を使うなりすりゃいいものを……あの、おかみさんときたひには、葛西から来る青菜売りにまで、先生を呼び出すのだから、先生が怒るのも当り前ですよ」

新吾がそこへ立っていると、老女の饒舌は果てしがない。いささか当惑しているところへ、庭下駄の音がして、顔の長い老人が、

「これは、犬塚さん……」

垣根越しに挨拶をする。

「いや、家内が、又、どなたかに埒もないことを喋っているのかと、たしなめに参ったのですが……なにか御用の筋で……」

新吾の馬琴宅訪問の用件について訊く。

「いや、お上の御用ではございません。全くの私ごとで参って居ります」

誤解のないよう、新吾は慌てて訂正した。

馬琴宅を中心とした三隣りが、どこもあまりうまく行っていないのは、新吾も承知している。

「左様ですか」

伊藤常貞はいささか物足りない顔をしたが、

「先客は、ちと、長引きますぞ」

お節介につけ加えた。

「御存知ですか、誰が来ているのか」

新吾は苦笑した。

「いや、一向に……」

「土岐村という医者ですよ」

それに、同行しているのが、丁字屋の主人、平兵衛だという。

丁字屋というのは「南総里見八犬伝」の板元だと、新吾にわかったが、土岐村という医者の名は初耳であった。

「どうやら、又、どこぞの物好きが、隣りの先生を招んで、話をききたいという仲介のようですな」

老妻のお喋りをたしなめに来た筈の老人が、いい気になって喋り出した。

「八犬伝などという、他愛もない読み物を、世間が面白がって、はやしたてるので、それを書いた男は、どんな奴か、金持の旦那などというのは芝居や太鼓持をよぶのにあきると、この頃、流行りの文人墨客というのを呼びよせて、小難しい話をしては得意がり、話の種にしたがるそうで……行けば、まず御祝儀が一両は出るといいますから、これは、口では、どうもったいぶっても、結局は垂涎(すいぜん)の話でござろうよ」

常貞は苦々しい表情になった。

仮にも、昔、武士だった者が、座敷へ招ばれて、祝儀を受け取るのはとんだ恥さらしだといいながら、言葉の中には、うらやましさものぞいている。

一両といえば、米にしておよそ九斗二升の価格だから、四、五人の家族なら二、三カ月暮せる金である。

大体、馬琴の原稿料が、読本で一冊二両の相場といわれているから、一夜、招待されての祝儀一両は馬鹿にならない金額であった。

話がとんでもない方角へむいたので、新吾は、さりげなく垣根の傍をはなれようとした。

「これは、これは、つい、女子供の口真似がうつって、つまらぬことを申し上げた。お聞き流しなされ」

流石に、伊藤老人も気がついて、高笑いにまぎらわせながら、老妻をうながして、新吾に背をむけた。

成程、この様子では、馬琴が癇を立てるのも無理はないと新吾はいささか気の毒になった。

それまでは、著作はあっても、黄表紙が主であって、読本を書くようになってからも、流行の敵討物とか、三勝半七とか、お染久松などの歌舞伎浄瑠璃で知られた話を読本らしく書きかえるとか、伝説物とか、他の戯作者が試みることを、馬琴も亦、彼一流のやり方でなぞっていた時代が長かった。

「椿説弓張月」を発表したあたりから、滝沢馬琴の文名が、急に高くなりはじめて「南総里見八犬伝」で爆発的な人気を得ている昨今であった。

従って、発表した作品が多い割合にもてはやされたものがなく、いつまでも先輩である山東京伝のあとを歩いている始末であった。

それが、六十歳の声をきくあたりから、急に流行作家として世間にさわがれはじめたのであってみれば、周囲の眼も、おのずと好奇やらねたみやら屈折したものがついてくる。

まして、隣近所だけに、些細な人の出入りにも、耳をそばだて、噂をふりまいては面白がるところがあるに違いない。

馬琴自身が、もう少し、人づきあいがよいか、せめて女房が如才なければ、いくらかは補いがつくものを、この家には、そうした才覚のある人間は一人もいない。

縁側へ腰をかけると、奥から、馬琴の怒号がきこえた。

それまでにも、言い争いめいた声がちらちら聞えていたのが、これはもう遠慮会釈もない大音声で、

「ああ、へんこつだとも……へんこつ結構、誰が金を積まれて男芸者の真似をするか」

帰れ、とものを叩きつける音が、新吾を途方に暮れさせた。

これは、だいぶ、機嫌が悪いし、第一、新吾の持って来ている話というのも、馬琴の嫌う、いわば、

「お座敷がかかった……」

という奴である。相手は勘定奉行の遠山景晋だが、そんなことに斟酌するへんこつ老人ではなさそうであった。

現に今、どなっているのも、隣家の主人の話では、どこかの金持の招待をことわっての立腹らしい。

お百の声が、くどくどときこえ、やがて、客は帰って行くらしい。と思う間に、いきなり、襖があいて、

「これは、お待たせした。犬塚さん、さあ、奥へお出でなされ、馬鹿者はもう退散しましたから……」

まだ、顔にも体にも興奮を残しながら、つとめて磊落(らいらく)に、馬琴が顔を出した。

通されてみると、書斎は今しがたまで客がいたままで、座布団も煙草盆も片づいていない。

「さき、さき……」

娘を呼びたてながら、客のすわった布団をみるのも腹が立つらしく、馬琴は矢庭に座布団を庭へ蹴とばした。

押入れから、別の座布団を出して、新吾のために席を作る。

「あなた、丁字屋さんは又、出直してくるとおっしゃってお帰りでしたよ」

お百がのっそりと入って来た。

庭へ落ちた座布団を、文句をいいいい拾い上げて、新吾の眼の前で、乱暴に埃をはたく。

「出直しても無駄だといってやれ。今後、取次は一切、無用だ」

「そんなことをおっしゃってよろしいんですか。丁字屋さんは板元で、なにかとお世話になっているのに……八犬伝が、こんなに評判になったのも、丁字屋さんの売り方がよかったからじゃありませんか」

新吾が、あ、まずいことを、と思う間もなく、馬琴の手から茶碗がとんだ。

「馬鹿者……売り方がよかったから、とはなんだ。丁字屋がそういったのか」

お百はひるまなかった。

「だって、そうじゃありませんか。あなた、新しいのをお書きになる度に、今度のはよく出来た、面白い、いいものだときまっておっしゃるけれど、こんなに売れたのは弓張月か八犬伝か、やっぱり、売り方が上手だったからじゃございませんか」

ねえ、犬塚さんと声をかけられて、新吾は居たたまれない気分になった。馬琴の顔が気の毒で正視出来ない。

「そこを片づけて、むこうへ行け……」

重々しく、馬琴がいった。

「板倉屋さんへ、いらして下さいな」

お百が押しつけるようにかぶせた。

「丁字屋さんがおっしゃってましたよ。とにかく、札差の旦那の中でも、大層な羽ぶりのお方だから、知り合っておいて損はないって」

「板倉屋……」

思わず、新吾は向き直った。

「札差の板倉屋ですか」

「そうなんですよ」

お百がここぞと膝をのり出した。

「板倉屋さんへお出入りの土岐村ってお医者が、丁字屋さんと昵懇でしてね。是非、ひと晩、うちの先生の御高説を承りたいって、お招きだったんです。それをまあ、うちの先生はへんこつだから……」

亭主の渾名を、悪い解釈のほうで使った。

新吾達が、敬愛の心をこめて、

「へんこつ老人」

と呼ぶのとは、ニュアンスがまるで違う。

「御祝儀は十両下さるって、そこまで丁字屋さんが話をきめて来てくれたんです。犬塚さんの前だけど、十両は大金ですよ。ひと晩、おいしいものをごちそうになって、つまらない話をしてくれれば十両になるというのに、なんのために、節分に豆まきしたかわかりゃしません。うちの先生ときたら、福の神に塩ぶっかけて、追い討ちをかける人だから……」

「黙れッ、黙れッ、黙れッ」

馬琴がどなった。

「下れッ、馬鹿者ッ」

咽喉の奥が、ぜいぜいと音をたて、こめかみに青筋がふくれ上っている。

「お内儀……」

たまりかねて、新吾は口を出した。

「そのようなお話は、又、後刻……」

「左様ですか」

お百は白い眼で夫をにらみつけた。

「犬塚さんからもおっしゃって下さいまし。本当にお金の有難味のわからない人なんですから……」

煙草盆を汚れたまま、新吾の膝前へ押しつけて、お百は肩をそびやかすようにして出て行った。

あとは、流石に新吾も言葉がない。

静かになった庭に、鶯の声がした。まだ舌足らずに啼いているのが、愛敬である。

「梅が咲いているのを御存知ですか」

ぽつんと新吾がいった。

「あちらの庭の、白梅が一輪、ほころびて居りましたが……」

新吾のいたわりが、馬琴の心に滲みたらしい。

「ほう、それは気がつかぬことで……そうですか、咲きましたか」

我が家の庭で、忘れた頃に咲く梅が、それだと馬琴は微笑した。

「まず、手前の家の梅は、玄関わきを入ったあたりにある紅梅が一番早く、開花いたします。これは、もともと、人の眼に触れやすい場所でございますし、陽もよく当る。犬塚さんが今日、ごらんになった白梅とは、年によっては一カ月も花の咲くのに差が出来ることもございますよ」

しかし、早く咲くかわりには、思いがけず、咲いたあとから雪が降ったりすることもあるという。

「ごらんになった事もおありだろうが、紅梅の花に白く雪の積ったものは、大変、美しいものですが、雪の消えた時には、花も色褪せて散ってしまいます。花の命としては、まことに短く、はかないもの。そこへ行くと、遅く咲く白梅のほうは、まず、雪にも逢わず、香も高く、日蔭ゆえに、花の日保ちもよいようで……ま、花それぞれと申しましょうか」

紅梅は春の先がけだが、白梅が満開になった時は、まごう方なく、春がそこへ来ていると馬琴はいった。

「人にも同じことがいえましょうな。なにを以て幸せといい、なにを称して不幸せというか」

ところで、と馬琴は膝をむけ直した。

「犬と女子は、みつかりましたか」

新吾が、例の雨夜に、馬琴が出逢った犬と娘を探索しているのは、馬琴も知っている。

「いや、相変らず、手がかりはございません」

あの夜の同時刻、神田から四谷へかけての自身番に、犬を連れた娘の通行をみた者はないか、と聞いてみたが、一人として目撃者はなく、その土地の岡っ引を督励して、近所の者で、あの夜、それらしい姿をみた人間はいないかとしらみつぶしに聞き込みをさせているが、そっちのほうも未だに、これはと思える情報はない。

「もっとも、これは当然のことかも知れません。あの雨夜、往来の家は早くから戸を立てて、よくよくの用事でもなければ、外へは出ますまい」

当時の商家は暮六ツで大戸をしめるのがきまりであった。職人の家はもっと早いし、番屋も平素は戸をしめている。

「厄介なさがしものになりました」

たまたま、あの夜、出かけた者が、娘と犬とすれちがったとしても、あの靄の深さでは、しかと見定めることは難しい。

「手前でも、声をかけられなければ、うかとやりすごすところでした」

新吾のことばに馬琴もうなずいた。

暗い夜、提灯のあかりをたよりに歩く者は、自然、自分の足許ばかりをみて進む。まして、ぬかるみの道と、降ったりやんだりの空模様であった。

「ところで、やはり例の事件ですが、あの折、番屋でごらんになった役者、あれを嚙み殺した犬がみつかりました」

新吾の言葉に、自分で茶をいれていた馬琴が眼をあげた。

「ほう……」

「これは、手前どもが探り出したわけではなく、別な筋からの報告で、止むなく納得させられたものですが……蔵前の札差、板倉屋の犬が犯人ということで……」

「板倉屋……」

老人の眼がふっと笑った。

「成程、それで、さっき、犬塚さんは板倉屋にこだわってお出でだったのか」

「板倉屋のほうから届け出があったそうでございます」

犬は前から気が荒く、その夜も袖の破れをくわえて、血に染って帰って来たと板倉屋が申し立てたことを、新吾は語った。

「何度も申すようですが、これは手前が、じかに板倉屋からきいたわけではございません」

「犬は、どうなりました」

「殺した、と……」

「それも、板倉屋の申し立てですな」

へんこつ老人の顔が、若くなった。

「犬塚さん、気にさわったら、お聞き捨て下され。この頃、蔵前の札差は金にものをいわせて、老中の誰彼の屋敷へ出入りもし、町奉行といえども、手出しの出来かねる勢があるとか、いや、町の噂でございますよ」

新吾は苦笑した。

「手出しが出来ぬということはありません。しかし、奴らが尻尾を摑ませないのも、まことの話です」

「板倉屋の娘は、たしか、将軍家、御愛妾のお勝の方様に奉公している由、今しがた、丁字屋が申して居りました」

「その通りです」

「成程、板倉屋の羽ぶりのよいわけですな」

唇をぐいとまげて、へんこつ老人が新吾をみた。

「世の中で、金と女子ほど、腹の立つものはありませんぞ、犬塚さん」

「左様ですか」

「わたしなどは、およそ金の怨み、女への怨みつらみで生きているようなもの……」

自分の筆の先から、ほとばしるものは、すべて、金と女への怨念だと、馬琴は笑った。

「もともと、手前の亡父は、主家の金策に苦しんで短い一生を終えたようなもの、いわば、金に命を縮めたと申してもよい」

珍しく、馬琴の口から、父親の話が出た。

「今更、このようなことを、犬塚どのにお話しするのも面映ゆいが、手前が生まれた頃の家は、まず、小禄なりに格式もあり、下女二、三人、料理番、下僕など、それ相応の奉公人もいて、不如意な暮しむきではござらなんだ」

父の興義は、主君、松平家では家臣の筆頭の地位にあった。

もっとも、筆頭といっても、仕えている松平家が僅か千石にすぎなかったから、決して裕福とはいえなかったにせよ、まず、父が急死するまでの滝沢家は、一応、武士らしい体面を保った生活が過せていた。

亡父は、主家である松平家の財政のやりくりで命を縮めたようなものだと、馬琴はいった。

「父の歿った時、手前は九歳で、くわしいことは知る由もありませんが……」

あとからの人の話を綜合してみると、その頃の松平家は経済的に乱脈を極め、馬琴の父、滝沢興義は、そのたて直しに苦闘したらしい。

「子供心に覚えている父は、自らに厳しい人で、手前などにも、六つ七つの頃から、世に武士といわれる者は、たとい忍び難いことがあろうとも、痛し苦しなどというのは恥だと教えられて育ったもの。そうした父であってみれば、自分の命をすりへらしても、主家のために苦しみ痛みを背負って生涯を終えたに不思議はないが、その父に対して、主家の報いたものはなんだと思われますか」

父が死んで、長兄が十七歳で家督を継ぐと、給禄は半分以下になってしまった。奉公人を抱えるどころではなく、親子六人が食べて行くのが、やっとの有様になった。

なまじ、父親が実力者だっただけに、歿後の家族への風当りはきつい。たまりかねて、長兄は翌年松平家を辞してしまい、そのかわりとして、当時、左七といっていた十歳の馬琴が松平信成の孫に当る八十五郎の遊び相手として召し出され、鼻紙料二両二分、二人扶持を受けることになったが、屋敷はとり上げられ、おまけに主君となった八十五郎というのは病身で低能、とても一生をまかせられる相手ではなかった。

十四歳の冬、馬琴は、自分の住居にあてられていた遠侍の障子に、

木がらしに　思いたちたり　神の供

の句を書いて、松平家を出奔した。

それが、長い流浪の、そもそものはじまりだと馬琴は苦笑した。

「幸か不幸か、長兄はその頃、戸田大学忠諏様に奉公して居り、その手引で、戸田様に徒士として奉公したこともございますが、これとて二年と少し。その頃の手前は俳諧やら狂歌やらに手を染め、又は医者を志してみたり、若気にまかせて、さまざまの試みを致しましたが、いずれも好きというよりは、なんとかして、その道で金を得たい、暮しをたてたいと思ってのこと。が、どれもこれも手前の世渡り下手、持って生まれた鼻っ柱の強さが邪魔をして、今一歩のところで挫折を繰り返して来たようでございますな」

金のことを思うと、亡母を思い出すと、この老人は遠いまなざしをした。

「母は四十八でこの世を去りました。まるで、苦労をするためにうまれて来たような女でございましたな」

脹満の病いで、二カ月余り臥床して歿ったが、臨終の時、この母は二十二両という金を針箱の奥から取り出して、長男に渡し、子供達へ形見として分けるよう言い残して逝った。

それまで、母がそんな大金をどうして貯えていたのか、子供達の誰一人、知りもせず、あてにもしていなかっただけに驚きもし、感謝もしたのだが、

「手前は、今になって、そうした母の気持を不愍でたまらなくなる事がございますよ。それだけの金があったら、何故、好きなものを食べ、欲しいものを買って、せめて、この世に生きた

らしい楽しみの一つも味わって逝ってくれなかったか……」

子として母親に何一つしてやれなかった後悔と共に、むしろ、腹立たしく思われてならないと馬琴はいった。

「家内などが、身分不相応に着たいものを着、食いたいものを食っているのをみると、身ぐるみ剝いで行って、あの世の母に着せてやりたい気がしてなりませんな」

なかば冗談らしく笑った老人の眼のすみに僅かに濡れるものを認めて、新吾は視線を逸らした。

陽が翳って、北向きの部屋は暗さを増した。

どこかで、枯葉を燃す匂いが、薄くただよってくる。

「これはどうも、わたしが話し出すと、つい、長くなる。なんぞ、手前に御用があって、お待ち下さったのではなかったかな」

訊ねられて、新吾は微笑した。

「いや、たしかにお願いがあって、まかり越しましたが、御返事はうかがわなくともわかって居りますので……」

板倉屋が十両出しての招きを断ったという相手に、たとい、招く側が勘定奉行でも、むしろ、身分が高ければ高いだけに、新吾は用件をいい出しにくかった。

このへんこつ老人が金と権力に対して、まことに強く反撥するのを知らない新吾ではない。

「これは、犬塚さんらしくもない。訊ねもしないで返事がわかるとは、鬼神のような言い草ではありませんか。手前も人、あなたも人、人と人とのつき合いに、訊かずともわかるといわれるのは、いささか、解(げ)せませんな」

老人のつむじがまがったようなので、新吾は、あっさり兜をぬいだ。

「なまじ、お耳に入れて御不快を増すばかりかと、さしひかえましたが、神山左近どのより、御老人へ伝言を申しつかって参りました」

馬琴がうなずいた。

「ご用むきは……」

「遠山景晋様よりお招きの件についてです」

「勘定奉行の遠山様が、手前を呼べと仰せられたのでございますな」

じろりと視線がむいたようで、新吾は少し汗をかいた。

「一夕、御老人を招いて、浮世ばなしをと仰せられたそうでございます」

「成程……」

軽い声が戻って来た。

「たしか、遠山様は、只今のお奉行、筒井和泉守様とは、御昵懇と洩れきいて居りましたが、それにしても、手前と犬塚さんの仲を、よう御存知でしたな」

「それは、手前が迂闊に申したことが、神山どののお耳に入り、神山どのよりお奉行に……」

老人が大きく笑った。

「添(かたじけな)いことでございますよ、犬塚さん。勘定奉行の要職にあるお方よりお招き頂いて、一介の戯作者、御辞退申す言葉もございません。お庭先なりと御挨拶を申し上げげに参りますほどに、何卒よろしゅう、お取り計らいを願います」

新吾は、あっけにとられた。

「行って下さるのか」

「もとより、お受け申しましょう。遠山様ほどのお方にじきじきにお目通りするのは、この上もない身の面目、ただ有難くお礼を申し上げて下され」

日時もすべて先方次第といわれて、新吾は深く手を突いた。

「御老人、この通りです」

「なにをなさる。身分違いのお方よりお招きを受けて、手前がお断りするわけがない。御斟酌は御無用」

たしかに一戯作者が勘定奉行に招かれて辞退するのは非常識であった。学問好きの殿様や裕福な大町人が文人墨客のパトロンになるのは当時の流行でもあった。

文名盛んであれば、身分違いの大名の屋敷に出入りも許され、庇護も受けられる。文人にとって、それは出世と考えられていた。

例外が、へんこつ老人であった。

金持はもとより、文学好きの松前侯の招きにも、口実を設けて拒み続けているのは、巷間、有名な話になっている。

そのへんこつが、新吾の立場を察して、気軽く、しかも辞を低くして行こうと答えてくれたものであった。

帰りかける新吾を、馬琴は機嫌よく送って出た。

このあたりにまだ残っている雑木林も冬枯から、漸く春の芽生えの季節へ移りかけている。

「遠山様の件は、すべて犬塚さんのお指図にまかせましょう。決して、お気遣いなく」

柔和な眼を梢へむけて、老人が足を止めた。

「これは、犬塚さんとはなんのかかわりもないことですが……板倉屋へ招かれてみようという気になりましたよ」

再び、新吾は絶句した。

「板倉屋……」

「犬の話を訊いてみたいと思いつきましてね。十両の礼金も考えてみれば、まことに身に過ぎたこと、今夜にも丁字屋へいってやりましょう」

暮れなずんだ空へ、老人は呵々と笑った。

あの娘

馬琴が、蔵前の札差、板倉屋小左衛門の招きに応じたのは、向島の桜が満開ときいた夜で、招ばれた先は、その向島にある板倉屋の寮であった。

迎えに来たのは、仲介の労をとった丁字屋平兵衛と、板倉屋の手代で、

「清十郎と申します」

それこそ堺町の芝居に出しても可笑しくないほどの優男(やさおとこ)であった。物腰もまるで女のように柔かである。

札差というのは武家相手の商売で、番頭、手代もどちらかというと武芸の心得のある、武骨な男をそろえているときいていただけに、馬琴は、その華奢な手代が意外でもあり、印象に残った。

神田同朋町から、駕籠を三梃連ねて浅草まで。

ここでも、馬琴を驚かせたのは、馬琴と丁字屋平兵衛はともかくとして、手代と名乗った清十郎というのまで、駕籠に乗ったことである。

商家の奉公人は主人の使いで出かける場合、まず、よくよくでなければ徒歩である。

りでもない。

神田から浅草まで、決して近い距離ではないが、若い手代なら駕籠脇について走れない道の

もっとも、清十郎という手代の女にしてもよいような体つきでは、一町もいかない中に顎を出しそうでもあった。

「御遠方をご苦労さまでございますねえ」

玄関まで送って出たお百も今日ばかりは大変に機嫌がよく、馬琴も一張羅の結城紬を着せられて、堅苦しく羽織袴。

もっとも、馬琴は袴がよく似合った。いわゆる町人の羽織袴という恰好ではなく、袴腰がぴしっときまって、大小をたばさんでも可笑しくないほどの風格がある。

やはり、生まれは武士という育ちが、そんなところに出るのだろうと人はいうが、馬琴自身は嫌って、年に袴を着用するのは三度とない。

神田を出たのが、まだ明るい中なのに、浅草の船宿から、これもあらかじめ用意されていた舟に乗り移って、大川を漕ぎ上る中に夕暮はゆっくりと夜に変った。

向島の堤の桜は、成程、満開でまだ空のすみに残光の感じられる夜の中で、白く、こんもりと咲いているのがみえる。

風が花片を散らして、舟が土手に近づくにつれて、紙吹雪のように馬琴の上にも吹きこぼれるのが、まことに見事であった。

あとで考えると、その舟着場は板倉屋の寮のためだけに造られたもので、舟を上るとすぐ、だらだらと上る坂道がすでに、寮の庭になっている。

そこも桜樹が多くて、袖にも肩にも、花片が舞った。

舟着場に待っていた、これは骨太な奉公人が左右から差し出す提灯のあかりで、馬琴は一歩一歩、奥深い板倉屋の寮の庭を進む。

枝折戸やら、柴の門やらが、あったが、いずれもすでに開いているので、いくつ通り抜けたかは判然としない。

花の下をかなり歩いて、やがて、黒く建物がみえる。玄関に、いつぞや丁字屋と一緒に馬琴宅を訪ねて来た土岐村元立という医者が待っていた。

「これは、これは、先生、ようこそ……」

そこから先は清十郎という手代が先に立ち、土岐村、馬琴、丁字屋と続いた。

といっても、家はそれほど大きくはなく、庭に面した廊下をすぐにまがると、そこにあかあかと灯をともした十畳ほどの部屋がある。

背が高く、堂々たる偉丈夫が、そこにすわっていた。苦み走った五十がらみの男で、鉄無地の紬が年齢より若々しくみせている。

紹介されるまでもなく、それが板倉屋小左衛門と、馬琴にはすぐわかった。

「著作堂先生、まず、これへ……」

立ち上って自ら席を勧める声は高からず低からず、声量があってよく透る。

向い合って座を占めると、ずしりと人間の厚みが伝ってくるような相手であった。

著作堂という馬琴の号を呼びかけたあたりにも、それ相応の配慮がありそうであった。

挨拶がすみ、膳が運ばれた。

流石に贅沢なもので、酒も吟味してある。

座の取持はもっぱら医者と丁字屋の役目で、馬琴は問われれば答え、あとは自儘に箸と盃を取った。

別にとりたてて四角ばる気もないし、如才なく振舞うつもりは更にない。

小左衛門は、町人には珍しいほど漢籍にくわしかった。儒学にも造詣が深い。

そういう話になると馬琴は独壇場だが、医者や丁字屋は全く、話の圏外にとり残された恰好になった。

話していて、馬琴はふと、板倉屋の前身は武士の出ではないかと思い出した。彼の教養の土台になっているものは、どう考えても武士のものである。

それを口にしてみると、板倉屋は大きく笑った。

「流石に著作堂先生……よう、おわかりになりましたな」

武士といっても、郷士に毛の生えたほどの家に生まれたが、幼少の時、父親をなくして一家は離散となり、諸国を流浪して江戸へ出て、板倉屋へ奉公したという。

三十歳をすぎて、板倉屋の先代の眼鏡にかなって一人娘の聟になり、先代の死後、板倉屋の主人におさまった。

「人間、どこに運が落ちているものか知れませんな。歿った家内が、そもそも、手前に惚れてくれたのが、運のはじめと申しましょうか」

磊落に笑って語るのから察すると、先代の一人娘だったという妻女も数年前に病死して今は独り身らしい。

「羨しい御運ですな」

馬琴は正直にいった。

「私の生い立ちも、いささか、ご主人に相似たところがございます」

下級武士の家に生まれて、父親の死によって一家が離散し、流浪の歳月を持ったことは同じでも、

「手前の運は、ご主人の運にくらべて、まことに悪運……」

二十七歳で、飯田町中坂下の下駄屋、伊勢屋へ入聟したのは、食うに困ってのあげくだと、馬琴は淡々と語った。

「おまけに三つ年上の出戻りの家内にて、病身のくせに、百歳まで生きるほどの強情者でござれば、その点だけでも、ご主人がまことに羨しく存じます」

「いやいや、そうでもござるまい。聞き及ぶところでは、著作堂先生には、医者の御子息をはじめ、多くの子女に恵まれて居られるとか、手前には娘只一人、女子は連れ添う男次第の運と申します故、さきゆきを思うと甚だ心もとなく存じましてな」

「ああ、いや……」

しきりに膳の上のものを突ついていた医者が、幇間のような声をあげた。

「はばかりながら、ご当家の御身代、ましてご主人のお元気ぶりからしても、お子をお望みとあれば、後添えをおむかえなさるなり、他の花に、腹をお借りなさるなり、なんとでも、ことは相済みましょうに……」

板倉屋小左衛門が、軽く笑い捨てた。

「なんの、その元気はもうない。もう、ない」

廊下を、ちりりと鈴の音が走った。

まっ白な仔猫が、障子のかげからのぞき込むような顔をみせた。

頸に鹿の子絞りの布で作った紐を結び、金色の鈴を下げている。

「おお、ゆきか、ここへ来い」

小左衛門が手招きすると、仔猫は客達を意識しながら、主人の膝へ上った。成程、名の通り、雪のように白い毛並が手入れのよさもあって、つやつやと光っている。

馬琴は猫があまり好きではない。それが、美しい仔猫であっても、三尺とはなれない所に青白い眼をむけていられると、あまりいい気持のものではなかった。

動物というのは、不思議なもので、嫌いな人間がよくわかり、敵意をあからさまにする。

馬琴は、つとめてさりげなく装っていたのに、なにかのはずみで仔猫と視線がぶつかった。とたんに、仔猫はふうと毛を逆立てて、背を丸める。

「どうした、ゆき……」

小左衛門が飼猫をなだめ、気がついたように、馬琴をみた。

「お嫌いでござったか」

「あまり、昵懇ではございません」

流石に、怖いとも、嫌いともいいかねた。

「気のつかぬことを……」

手を叩いて、女中を呼び、小左衛門は猫を連れ去らせた。

「猫を好まぬのは、どうも亡父ゆずりとみえます。犬は好きで、よく飼いましたが」

そろりと板倉屋をみた。

「ご主人は犬よりも猫をお好みで……」

「左様、この寮だけでも二十四は居りましょうかな」

「二十四……」

板倉屋が、又、笑った。

「著作堂先生、蔵前の店には、商売柄、多く猫を飼って居りますよ」

広大な米蔵に鼠はつきものであった。鼠退治に猫が飼われている。

「つき合ってみると、猫もなかなか可愛いもので、人によっては、犬は三日飼っても恩を知り、猫は三年飼っても、恩を知らぬなどと申しますが、手前などには、畜生が恩を知ることのほうが、むしろ不気味、なまじ、人の言葉をききわけて、或る日、商売敵の首をとって来た、娘をくれろとでもいわれては、ほとほと困惑致しますよ」

　小左衛門がいったのは、無論、馬琴の書いた「南総里見八犬伝」の巻之五に、里見義実が、愛犬八房(やつふさ)に、敵将安西景連の首でも食い殺して来い、しからば、人間のように聟として伏姫を与えると戯言を吐いたのを、八房が信じて、命令通り安西景連の首を嚙み取って来て、里見軍は勝利をおさめたものの、その約束に従って、伏姫は八房と共に富山に籠るという、いわゆる八犬士誕生の発端の部分を諷してのことである。

　小左衛門はなにげなく、むしろ、この愛想っけのない戯作者の意をむかえるためにいった言葉だったが、思いがけず、八房、伏姫という連想が、へんこつ老人の勘を飛躍させた。

「それでは、ご当家には犬は一匹もお飼いではございませんか。それでは、この頃、巷の噂に、板倉屋どのの飼犬が人を嚙み殺したなど、つまらぬ風説をたてるものがございましたが、あれは、やはり虚言でございましたな」

小左衛門は動じなかった。

「やはり、あのことが噂になって居りましたか。いや、著作堂先生の前だが、犬にはほとほと困り果てて居ります」

用心のために二、三匹飼い馴らしておいた犬の一匹が、たまたま発情期で大変に気が荒く、召使ももて余していたのが、綱を切って逃亡し、どうやら、人を嚙み殺したらしいと、小左衛門は眉をひそめて語った。

「飼犬をかばうわけではござらぬが、犬というものは、知らぬ顔をして通りすぎるものに、いきなり襲いかかることはなく、おそらくは、犬を怖れて石を投げるとか、逃げるとかして災難に遇ったものとみえますが、なんにしても、いいようのない不祥事……」

殺された相手には出来る限りの詫びと償いをし、町方にもよくよく頼んで、噂にならぬよう始末をつけたつもりだったが、

「さてさて、世間の口に戸はたてられませぬ。いやもう、犬には懲り懲り致しましたよ」

問題の犬は勿論、殺したと小左衛門はいった。

同じ時刻、犬塚新吾は四谷から神田へ道をとろうとしていた。

たまたま、所用があって大木戸の近くまで出かけた帰りで、そこから八丁堀の役宅へ帰らず、

神田へ寄り道をしようとしたのは、ひょっとして、馬琴が板倉屋の招宴から、もう帰る時刻かと思案してのことであった。

招待嫌いの馬琴が、何故、板倉屋の招きに応じてくれたかは、新吾にわかっている。例の雨夜の殺人事件に老人は老人なりの好奇心を持っているのだろうが、なにより、新吾の探索に力を貸そうという馬琴の侠気が、金持に招かれてお座敷をつとめるのは幇間の真似で、文人たる者のすることではないという自らの主張をあっさり撤回して、出かけて行ったものに違いない。

その老人の好意に対しても、板倉屋での首尾は一刻も早くききたいし、疲れて帰って来るに違いない馬琴に礼の一つもいいたい気持もあった。

が、寺の石垣について左に折れようとして、新吾は、思わず足を止めた。

月光が満開の桜樹に遮られて、そこだけ蔭になっている向う側の道を女が走り抜けて行ったものである。

夜更け、女子供が一人歩きをするにはあまりに寂しいこの辺りであった。野原や空き地が多く、空き屋敷もあって、狐やむじなが棲むと土地の人々がおそれている付近でもある。

（まさか、狐……）

ふっと苦笑が湧くほど、それは時刻にも場所にもふさわしくない女の後影であった。

意識して、暗い物蔭ばかりをえらんで歩いて行くのが、こっちからみていると、よくわかる。

このなまあたたかい夜に頭巾をかむり、帯を大きく熨斗に結んだ後姿は町家の女とも、武家の女とも、見わけがつかない。

すれちがいざまに、頭巾のかげからのぞいた女の横顔が、まるで花の天女のように美しかったことも、新吾の足を止めさせるに充分だったのだが、その女の影法師が、かなり遠くなった時、新吾は見た。

一匹の、まるで仔牛ほどあろうかというけものが月光の中を、ついと横切って女のあとさきになり走って行く。

気がついた時、新吾の足は地を駈けていた。

用心深く、女と犬と反対側の道のふちを、或る程度の距離を持ちながら尾行する。

尾行はお手のものだったし、月夜でもこのあたりは暗いから、新吾の目的はそう困難ではなかった。

厄介なのは犬である。

それはもう、新吾の眼にも、はっきり犬と鑑別出来た。

全身が白く、耳がぴんと立っている。娘の前後を走りながら、時々、立ち止って、後方をふりむくのは、新吾の尾行を覚っているのではないかと、それがひどく気になった。

紀伊国坂を下って、赤坂御門を遥か左にみるあたりから、娘は道を細かく幾まがりにもまがった。

このあたりは寺と武家屋敷が入り組んでいて、暗さも暗いし、坂は多いし、新吾はいささか、焦りはじめた。

赤坂一ツ木町と思われるところまで来て、女の姿がふっと消える。

両側が寺であった。浄土寺から、はじまって西教寺、大安寺、当深寺と続く。

もはや、相手に尾行を気づかれても仕方がないときめて、新吾は走った。これと思う道を抜けて左右を見廻したが、月光の中に浮んでみえるのは坂と武家屋敷の塀ばかり。犬も女も全く居ない。

松平安芸守の中屋敷を背にして、又、寺が並んでいる。

種徳寺、松泉寺、専修寺、円通寺が坂の左にあって、小さな武家屋敷が二つ、三つ、道は、そこで左右にわかれる。

番屋があった。

不寝番の灯が障子に影を落しているのをみて、新吾は入口をあけた。

六十になろうかと思われる老爺が炉端にすわっていた。

入って来た新吾をみて慌てて口のあたりを拭いたのは、案外、居ねむりでもして涎をたらしていたのかも知れない。

「番人……」

戸をしめて、新吾は声をかけた。いわゆる町廻りの帰りではないので、彼は珍しく薩摩絣の着流しで、羽織の下に十手は持っていない。

それでも番屋の老人は、新吾の声のかけ方で、相手を八丁堀の旦那と気がついたものらしかった。

慌てて小腰をかがめる。

「今しがた、この前を人が通りはしなかったか」

障子はしまっている。居ねむりをしていたらしい老人に、足音だけで人の通行を訊ねるのは無理と承知していても、その時の新吾は藁にもすがりたい思いであった。

足音を聞いたかと訊ねられて、老人は曖昧に首をふった。いくらか耳も遠そうな感じである。

新吾は番屋の戸を当分、開けはなしておくようにいいつけた。

「女と大きな犬が通るかもしれぬ。通ったら、どっちへ行ったかを見定めて、拍子木を打て」

番屋を出る時、気がついて念のため訊いた。

「お前の名は……」

「亀吉と申します」

右か、左かと迷いながら、結局、新吾は左へ行った。

再び、寺で、専福寺、光永寺、法安寺、報土寺と一かたまりになっている。

そこからが三分坂で突当りに、もう一つ番屋があった。

今度は入口が開いていて、若い男が二人、外へ出ている。

近づいた新吾をみて、一人が声をかけた。

「こりゃあ、犬塚の旦那……」

自分は赤坂新町の岡っ引、九造のところの若い者で、

「平吉と申します」

うっかりしていたが、このあたりは笠松京四郎の持場で、京四郎とは昵懇の新吾の顔を下っ引が見おぼえていても不思議はない。

「どうした。なにかあったのか」

夜更けに番屋があいていて、岡っ引の若い者が姿をみせているのは事件が起ったと、まず思われる。

「いえ、それが……」

犬をみた、と平吉がいった。

「犬……」

「へえ、大の男ほどもあるでっかい犬をみましたもので……」

犬と女の探索について、新吾は京四郎にも事情を話して協力を求めていた。

「笠松の旦那から、仔牛ほどもある犬をみたら、届けるように申しつかって居りましたので……」

みかけたのは、今しがた新吾が通って来た番屋の前で、

「あっしは、頼まれて不寝番に行っていたものですが……」

小便をしようと外へ出て、

「いきなり、眼の前を、でっかい奴が走って行ったものですから……」

ひょっとして、これがその犬かと追いかけて、ここまできたのだが、見失ってしまったという。

「女はみなかったか。まだ若い……頭巾をかむった女だが……」

「いえ、あっしがみたのは犬だけでございます……」

女のほうは用心して暗がりを歩いて行ったのかも知れないと新吾は思った。新吾がその女をみつけた時も、犬はつかず離れず、前後になってついて行った。

「実は、俺もその犬を追って来たのだ」

新吾にいわれて、平吉は勇み立った。

「あっしもお供致します」

もう一人の番屋にいた若い者は早速、駈け出して行って、九造親分のところの若い者を次々に呼び出した。

九造自身も提灯を下げ、若い者を先に立てて、ちょうど新吾が清水谷をぬけ、三軒屋と呼ばれるあたりにさしかかった時、追いついた。

赤坂中町の番屋の前で、犬をみたという知らせが入ったというのである。

その頃には鳶の若い者まで加わっての犬さがしがはじまっていて、道のあちこちに慌しく、提灯がとびかい、かなりなさわぎになっていた。

有難くもあり、新吾は困惑もしていた。こんな状況で、もし、さっきの娘をつかまえると、いささか面倒であった。

今のところ、犬を連れた娘というのは、たまたま、例の事件の起った夜に、馬琴に四谷へ行く道を問うただけである。

役者殺しの下手人と思われる犬は、板倉屋小左衛門の飼犬とわかっていて、すでに処分されたときいている。

まして、世の中に犬を連れて歩く女は一人きりとは限らない。

が、そんな新吾の思惑は別として、犬さがしの規模はあっという間に広がった。

赤坂中町の番屋からは足に自慢の若い連中が追跡し、水野日向守の屋敷の前から、南部坂へ抜け、松平美濃守の屋敷を迂回して桐畑と呼ばれる溜池沿いへ追いつめて行ったらしい。

「なにしろ、すばしっこい奴で、赤坂田町を五丁目から一丁目へ追いこみまして、もう一息というところで……」

赤坂御門のほうから廻って来た別の若い連中と出逢い、はさみうちと思ったのに、どういうわけか、犬は消えてしまっていたという。

「随分、あっちこっち、かけまわってみましたが……」

もはや、ふっつり、犬は行方を絶っている。

「すまなかった。たかが犬畜生のことに、走りまわらせて気の毒をした……」

持ち合せを、九造に包んでやって、若い連中に酒を買ってやってくれとたのみ、新吾は早々に八丁堀へ帰って来た。

どうも、犬にしてやられたような気がしきりにする。

若い連中が赤坂一帯を追いまわした時、犬は走って逃げ、そのくせ、ところどころで追跡の者に姿をみせている。しかも、最後の犬の姿の消えたのは、最初、四谷から新吾が女と犬を尾行して通った紀伊国坂の近くなのである。

犬が、もし、すぐれて賢いとしたら、女主人を逃がすために、自分は囮りになって人間を翻弄したとも思えなくもない。

「どうやら、犬に一杯食ったとしか思えないのだが……」

翌朝早く、新吾は笠松京四郎を訪ねて頭をかいた。

「だいぶ、派手にやったらしいな」

ここには、もう報告が入っている。流石に自分の持場のことだけに、消息は早い。

「お前にだいぶ散財をかけたと、九造がかえって恐縮していたよ」

「夜更けに犬を追っかけて、汗をかかせたんだ。酒代ぐらいはずまなけりゃ、ひっこみがつきゃあしねえ」

つい、八丁堀独特の巻き舌になって、どうにも新吾は忌々しい。

京四郎の妹の浪路がいそいそと茶を運んで来た。新吾が来たと知って、いそいで化粧をしたらしい。紅の色が朝の中で鮮やかに匂っている。

「どのあたりなんだ。最初に犬と女を見失ったのは」

あらためて京四郎が訊いた。彼にしても友人が、自分の持場で苦汁をなめたとあっては捨てておけない気がする。

「寺の多い坂の上の番屋だ。一ツ木から上ったところの……」

「あの辺は寺が多いが……」

「亀吉という年寄のいる番屋だ」

ふと、腹が立ったのは、あの老人がもう少し気転のきく不寝番なら、これほど犬にふりまわされずに済んだという気がしたからである。

「亀吉……」

ふっと京四郎が小首をかしげた。

「道教寺という寺の近くの番屋だ。六十がらみの年寄で、おまけに耳が遠い」

「はて……」

京四郎がいきなり立った。

「おい、お前、今日は非番か」

「そうだ」

新吾がちらと浪路をみて、浪路は赤くなった。

今度の非番の日が来たら、日本橋へ連れて行って帯を買ってやるという約束が、新吾と浪路の間で出来ていた。

いつも屋敷内のことで、なにかと浪路の厄介になっているから、新吾にしてみれば礼心のつもりだが、浪路はそれを恋と結びつけて考えている。

もともと、八丁堀育ちの幼馴染で、兄弟のない新吾にしてみれば、妹のような存在であった。それが、いつの頃からか、浪路の心には恋が育っていた。新吾にしても浪路の気持がわからないわけではない。口に出して約束したことはないが、いつか、時が来て自然にそうなるなら、浪路を妻にしてもよいとは思っていた。

いわゆる恋人同士ではないから、新吾のほうも妹に対するような気易さで、帯を買ってやるなどと約束も出来るし、浪路は子供のように、その日を待ちかねていた。

が、笠松京四郎は、そんなことは知らない。

「非番なら、ちょうどいい。これから俺と一緒に赤坂まで行こう。ちょっと気になることがある」

そういわれると、新吾にしても浪路と先約があるとはいい難い。

間もなく男二人は浪路のいささか怨めしそうな瞳に見送られて屋敷を出た。

夜明けになって降った雨が、すっかり上っていて、大地は程よくしめっているし、空も明るい。

「一雨ごとに春たけなわだな」

この季節になると、冬の間と違って、雨は短い時間に降っても、たっぷりと量が多い。梢を濡らし、大地に滲みこむ雨を受けて、自然はいっせいに芽生えの時を迎えるようであった。

二人とも足は早い。どちらも定廻りの日ではないから供を連れず、着流しだが羽織なしだ。ちょっとみには八丁堀とわからぬ風体の武士がすこぶる早足で通りすぎるのを、ふりむいてみる通行人もある。

溜池から入って、やがて松平安芸守の中屋敷の裏へ出る。

「このあたりだ」

夜と昼の違いはあるが、新吾に見憶えのある寺の塀が続いていた。

月あかりで登って行った寺の前の道の石段に、今日は子供がしゃがんで三、四人、地面に棒で悪戯書きをしている。

かなり肥っているくせに、京四郎はさして息も切らさずに坂と石段を上って、番屋の前へ出た。新吾が最初に女と犬の消息を訊いた、例の番屋であった。

「これは笠松の旦那……」

番屋にいたのは、意外にも昨夜、新吾も逢った平吉という下っ引で、あの居ねむりをしていた老爺の姿はない。

「昨夜は手間をかけた……」

新吾が昨夜、見失った犬をこの男がみつけて三分坂の番屋まで行ったところで、新吾と出逢ったものである。

「おい、ここの番人はどうしたんだ」

京四郎が早速、きいた。

「へえ、申しわけございません。四日ほど前から風邪をひきこみまして、どうやら熱はひきましたが、まだ、ものの役には立ちませんので、九造親分のところから、手前が交替で番人をつとめて居ります」

「昨夜、亀吉という老爺が番をしていたそうだが……」

「へっ?」

平吉が不思議そうな顔をした。

「亀吉と申しますと……」

「犬塚が昨夜、ここを通った時、居た番人だ」

「そいつは、なにかのお間違いじゃございませんか」

平吉はぼんのくぼに手をやって、新吾をみた。

「昨夜は手前が不寝番で……例の犬をみつけたものですから、三分坂まで追いかけて、そこで犬塚の旦那にお目にかかりました」

「すると、お前の留守の間、ここの番屋には、誰もいなかったのか」

「へい、僅かの間でございましたから……」

新吾はあっけにとられた。

「いや、たしかにここにいたんだ。六十すぎの老人で、名を訊いたら、亀吉と答えた……」

新吾を迎えた物腰も、応答も、番屋の番人らしい落ついたものであった。

「いってえ、どこのどいつが番屋にへえり込みやがったんで……」

流石に平吉は蒼くなっている。

その時、ちょうど番屋から見下せる寺の庭で女の声がした。寺には不似合いの女駕籠が止っていて、それに若い女が乗るところであった。

庭に木蓮が咲いている。送って出たのは尼僧であった。白い頭巾が春の光の中で鮮やかである。花を仰ぐように、若い女が顔をむけた。新吾は瞬間、呼吸を呑んだ。まぎれもない。昨夜、犬と夜道を走って行った、あの娘の横顔であった。

梅の寺

「おい、どうした……」

新吾の視線をたどって、笠松京四郎も平吉も、崖下の寺の庭を眺めた。

あの娘が、駕籠に乗り、女中らしいのが戸をしめた。

駕籠をかついで行くのは、武家の中間という風体である。お供は女中と、そのあとからやや小柄な商家の手代らしいのが、見送っている尼僧達に丁寧に挨拶をして、女駕籠を追って行った。

「あの女、知っているか」

思いがけず、京四郎のほうから、新吾に訊いた。彼のほうは、その名を知っている口ぶりである。

「知らぬ」

「板倉屋の娘だ。里江という……」

「なに……」

「いや、俺も知ったのは、ついこの頃だ」

男の声に気がついたのか、尼僧がこっちをむいた。三人立っている中心の尼で、すらりと姿がよく、尼僧のことで化粧もしてないのに、はっとするような美貌である。左右の尼をうながして、さっさと方丈へ消えた。

「今のが、庵主だ。香雪尼という」

「美しい女だな」

「もう四十になるそうだ。とても、そうは見えぬと、こいつらはさわいでいるが……」

京四郎が平吉をみて笑った。

「あの寺については、いろいろ話があるのだ」

番屋へ入り、平吉が出す渋茶を飲んだ。この近所に亀吉という名の老人がいないか、昨夜、番屋で新吾が逢ったという男に該当する者はないか、至急、調べることを委託して、京四郎は先に立って番屋を出た。

外はうららかな日和になっている。

坂を下って、ぐるっと廻ると、そこが番屋の裏から見下せた寺の門の前である。

痩梅庵と額がかかっている。

「町の者は、梅の寺と呼んでいる。なにしろ梅が多い」

方丈は狭いし、本堂もこぢんまりしたものだが、敷地は広い。そこに数種類の梅がところ狭しと植えてある。

「古い寺なのか」

「いや、出来て二十年余りときいている」

「ほう」

それだけの歳月で、これほどの梅樹を移植するのは容易なことではない。

「板倉屋とは、なにか、ひっかかりがあるのか」

塀に沿って歩きながら、新吾が訊いた。

話しながら、耳をすましているのは、この寺の中に犬の声がしないかと思ってのことである。

女駕籠の供に、犬はついて行かなかった。

「庵主が、板倉屋小左衛門の妹に当るそうだ」

「成程……」

そうきけば、板倉屋の娘が、ここを訪ねて来ても不思議はない。

「この寺の中に、犬を飼っていないだろうかな」

「犬……」

京四郎が足を止めた。

「そうだ。犬だ。仔牛ほどもある、白い、たくましい犬だ。さっきの女駕籠にはついて行かなかったが……」

「それじゃ、昨夜、逢った女か」

「そうだ」

「見間違いではないのか」

「あれだけの美女だ。間違えてたまるものか」

紫の頭巾のかげから、匂うようにのぞいた女の顔を、新吾は思い出していた。眼鼻立ちがくっきりして、派手な美貌であった。ここの庵主も美しかったが、里江というのは、更に水ぎわ立ったあでやかさである。

笠松京四郎がうなった。

「そいつは驚いたな」

「昨夜、こんなところに逃げ込みやがったのか」

瘦梅庵の隣りに空地があった。その先は俗に黒鍬屋敷と呼ばれている。

黒鍬者、お庭番などと呼ばれる者の住みかであった。黒鍬者というのは、江戸城内の城番、作事、防火などに従事する軽輩で、苗字帯刀も許されない身分だが、大奥の庭先近くまで自由に出入りが出来るのと、例外ながら将軍、直々の密偵の役目をつとめることがあるので、これは親代々、特殊なグループとされていた。変った技能を持つ者も珍しくない。

犬の声がして、新吾は眉をあげた。

「おい……」

京四郎が苦笑した。

「よっぽど、犬が気になるらしいが、ここはお庭番の家だ。犬はいくらもいるさ」

お庭番の或る者は犬を伴って江戸城内の警固や見廻りに歩く。黒鍬屋敷では、当然、犬の訓練をしている。

黒鍬屋敷の者は捨て犬を拾って来て飼い馴らし、利口なものはお役に立てるため餌をやって育てるが、駄目なのは殺して食ってしまうと、町の者は本気で信じている。

たしかに、今、聞えてくる犬の声は一匹ではなく、犬を訓練するらしい鞭の音も叱責も、とぎれとぎれに響いていた。

同じ、幕府の禄を食む身ながら、なにか不快な気がして、新吾も京四郎も道を逸れた。

このあたりは、町家の者もあまり近づかない。

溜池へ出たところで、蕎麦屋へ入った。

「新吾の追い込んだ女が、梅の寺へ逃げ込んだとすると……亀吉というのは、やはり曲者だな」

おそらく、新吾の追跡から里江を逃がすために、犬がまず囮りになって走り、たまたま、留守になった番屋へ、里江の供かなんぞの男が入って、小細工をし、新吾の眼を痩梅庵から逸らしたと考えられる。

「そう旨く行くものかな」

たまたま、番屋にいた平吉が小便をしに出て、犬をみつけ追いかけて行った。それをみて、里江の側の人間が番人に化けて番屋へ入る。

「心きいた奴なら、それくらいはやるだろう」

「そいつはどこにいたんだ」

里江には供はなかったと新吾はいった。

「犬が前後してついて行くのはみた。しかし、他には誰もついていない」

先刻、みかけた女駕籠の供にも、それらしい老人はいなかった。

「案外、梅の寺の奉公人かも知れんな」

寺には庭掃除などの用を足す寺男というのがいる。

「尼寺なら、若い男はおけまい。おそらく、六十すぎの……」

瘦梅庵を当ってみようと、京四郎はいった。

寺は町方にとって、支配違いだが、それとなく、寺の出入りを見張ることは出来る。出入りの商人から、寺の奉公人についてきき出すことも、そう難しくはない。

「どっちにしても、これはちょっと面白くなりそうだぞ」

童顔に汗をかいて、蕎麦を食べ終ると、京四郎は嬉しそうに笑った。

役者が犬に嚙み殺された夜、滝沢馬琴は犬を連れた女に、現場近くで逢った。しかも、その捜査は、或る筋から、いきなり中断され、捜査にかかわり合っていた新吾や京四郎には、隠密廻りの同心、上村一角から一方的に犯人は板倉屋の犬で、処分されたと通告されたものである。

新吾にしても、京四郎にしても、これはすっきりした解決とはいえなかった。

それが今、おそらく、あの雨の夜、滝沢馬琴が出逢ったと同じ女と犬を、新吾が尾行して、赤坂まで追いつめた、その女のほうが、板倉屋の娘、里江と判明したのである。

もし、あの犬が役者を嚙み殺したものならば、その犬は生きている。

「京四郎……」

新吾が訊いた。

「板倉屋小左衛門の娘、里江というのは、たしか、大奥へ奉公していたな」

「そうだ。お勝の方さま付きの奥女中だ」

お勝の方というのは、現将軍家斉の数多い妻妾の中では、新参ながら、若く美しく才走った女で、将軍の寵愛深い愛妾の一人ときいている。

「どういうつながりかは知らぬが、どうやらお勝の方には、板倉屋がかなり後押しをしているらしい。なにせ、大奥といえども、底を割ってみれば、金がものいう世界だからな」

新吾は、溜池で京四郎と別れた。

のんびりした風貌にしては、せっかちなこの友人は早速、九造の家へ行って、痩梅庵の探索の打ち合せをはじめるという。

せかせかと丸い背中を更に丸めて遠ざかった京四郎を見送って、新吾はちょっと迷った。これから八丁堀へ帰って、浪路を連れて日本橋へ出かけるか、それとも、このまま神田へまわって、へんこつ老人、滝沢馬琴を訪ねるか。

「浪路、許せよ」

新吾は苦笑して、足を神田へ向けた。

同朋町の通い馴れた道を得意の早足で歩いて、馬琴の家の門の前まで来ると、珍しく町駕籠が一つ待っている。

玄関まで入ってみると、奥からこの家には不似合いな若い女の明るい笑い声がきこえて来たので、いよいよ、新吾はあっけにとられた。

昨年の暮までは、馬琴の末娘、といっても、すでに二十七歳にもなっているのが同居していたものの、生来、陰気な女で、いわゆる若い女らしい笑い声などというのは、まず立てなかったし、その娘も、暮が押しつまってから、飯田町の姉の家へ行っていて、時折、帰って来ているらしいが、あまり姿もみたことがない。

新吾が訪うと、取次に出て来たのは宗伯であった。

馬琴の長男で、医者である。もうすぐ三十歳になろうというのに無妻なのは、生来の病身がわざわいしているらしい。

新吾がたまさか逢った感じでは、温厚で真面目な青年のようだが、噂ではかなり神経質で、病的なほど潔癖な男だともいう。

寡黙な性質で、愛想がないのは、父親ゆずりかも知れなかった。

律義すぎるといえば、父親とかなり昵懇な新吾にまでいちいち、くどくどと用件をきき、やがて取次に奥へ入った。

待っている間にも、しきりに若い女の笑い声がきこえている。それにまじって馬琴の機嫌のよい声も時折、洩れてくる。

客は何者だろう、と、つい、新吾は職業意識を出した。

宗伯が戻ってくる。

「どうぞ、お上り下さい」

案内されたのは、南側の客間で、この家では一番、明るく、風通しのよい部屋であった。

縁側に近く馬琴がすわっていて、そのななめ向い側に若い女が、入ってくる新吾へ眼を向けている。

「これは、新吾さん、よいところへ……」

へんこつ老人は、まことに好々爺の表情をしていた。新吾にしても、これだけ、いい人相をしている馬琴をみるのは稀であった。

「お引合せ致そうかな」

ちらと、若い女をみた。

「これは八丁堀の定廻りをおつとめの、犬塚新吾どの、手前とは昵懇の間柄でな。客嫌いの手前が、喜んで逢うのは、さしずめ、この仁ぐらいのもの」

新吾に、娘を紹介した。

「六本木で医家をいとなむ土岐村元立どのの娘御で、おてつどのじゃ」

土岐村元立の名を新吾がきくのは二度目であった。この前、馬琴の許へ来た時に、たしか、板倉屋小左衛門の招きの仲介人として、丁字屋の主人と共に、ここへ訪ねて来ていた医者ではなかったか。

「はじめまして、てつと申します」

張りのある、まろやかな声でいって、おてつは手を突いた。

結いたての高島田に銀の平打ちが光っている。二十歳を一つ二つ出たと思われる年頃だろう、しっとりと落ついていて、きかなそうな眼許に愛敬がある。

肌はやや浅黒く、弾力があってどちらかというと男心をそそりそうな体つきだが、娘の態度がしっかりしていて、隙がないから、下品にはならない。

「実は、例の、板倉屋さんの招きで、向島の寮に呼ばれましてね」

馬琴は、新吾の用件を察して、さりげなく話し出した。

「こちらの、土岐村どのが橋わたしのお役をして下されて、いやもう、けっこうなお花見をして来ました」

向島の寮の有様、出来事を馬琴は鮮やかに語った。流石に観察が行き届いていて、新吾は体中を耳にしてきいている。

札差は分限者と知っていたが、馬琴の話をきいていると、板倉屋の向島の寮が、想像以上に豪勢なものだということがよくわかる。

「そういえば、犬の噂は本当でしたよ」

馬琴が眼にものをいわせた。

「やはり、板倉屋の犬でしたか」

「ご主人の話では、店のほうの用心に二、三匹、飼っていたものの一匹だそうで……」

おてつという娘は、馬琴と新吾の会話を、自然な表情できいていた。よけいな口をはさむこともなく、話の中にとけ込んでいる。

宗伯がかしこまってすわっていた。これも、新吾にしては意外なことで、この息子は、来客があっても、まず同じ座敷に顔を出して、話の仲間入りをすることはなかった。

それが今日は部屋のすみに、置き忘れられた飼猫のように、つくねんとしている。

「犬は処分したと、板倉屋は申しましたのですな」

念を押して、新吾はへんこつ老人をみつめた。

「板倉屋の犬のことは、さておいて、手前は昨夜、ご老人が御覧になったのではないかと思われる女と犬に出逢いました」

「ほう……」

馬琴も、これは意外だったらしい。

「どこで……」

「四谷です……」

「四谷……」

馬琴の反応が大きかったのは、雨の夜に、その犬を連れた娘が、馬琴に訊ねたのが、四谷へ行く道だったからである。

「新吾さん、それで……」

うながされて、新吾は犬と娘を尾けて赤坂から一ツ木へ行ったことを話した。

番屋の一件も、但し、土岐村の娘の耳を考えて、尼寺でその娘に出逢ったことまでは、さしひかえた。

「そりゃあ、おどろきましたな」

馬琴が腕を組んだ。

彼にしても、あの雨夜の娘の連れていた犬が、役者殺しに関係していて、それが板倉屋の飼犬ではないかとまでは考えていた。

「犬が二匹、出て来ましたな」

「二匹でしょうか」

新吾がいい、馬琴もうなずいた。板倉屋が役者を嚙み殺した犬を処分したというのは、今のところ、話の上だけである。

「あの……私はこれで……」

話の邪魔をしないように、ひかえていたおてつという娘が、間をみて、そっと手を突いた。

「おかえりか、それはそれは、遠いところを御丁寧に……」

おてつを送って、宗伯も立って行く。

見送って、馬琴は違い棚から手文庫を下した。中から袱紗包を取り出す。中身はみたところ、金のようである。馬琴の手つきがずしりと重い。

「ちょっと、出ましょう」

新吾はあっけにとられた。

「ご用がおありかな」

「いや、一向に……」

「待っていたのですよ。いささか、厄払いをしたいと思いましてね」

玄関ですれ違った宗伯には、どこへ行くともいわず、さっさと草履をはいた。

同朋町の辻で町駕籠を拾い、行った先が深川である。

海へ向って並んでいる妓楼の一つへ馬琴が駕籠をつけたので、新吾はいささか困った。もっとも、今日はもともと非番で、着るものも八丁堀の役人らしくなく、十手も持って来てはいないが、どうも日の暮れる前から、こうした家へ駕籠を乗りつけるのは、若い新吾としては、まことに照れくさかった。

馬琴は、さも物馴れたように、出迎えた遣手のような婆にこまごまといいつけている。その様子では、ともかくも何度か来たことのある店と思われた。

案内されたのは、海のみえる部屋で、すぐ酒が出る。

「実は、先刻、申しそびれましたが……」

女が去ったので、新吾は早速、いい出した。

「例の、犬と一緒に手前が尾けました女の正体がわかりました」

「ほう、何者です」

尼寺で、板倉屋の娘、里江というのを発見した話をすると、馬琴は眼を細くした。

「やはり、板倉屋が絡(から)んでいますな」

それにしても、よく仕込んだ犬だと馬琴は感心した。夜の赤坂を、主人をかくすために大の男を、あちこちひきまわして、姿を消すというのは忍者のような手ぎわのよさである。

「犬を処分したというのは、嘘でしょうな」

それほどの名犬を殺すわけがないと、馬琴はいう。

「もう一つ、わからぬことがございます。役者をかみ殺した犬と、板倉屋の娘の連れていた犬が、果して同一のものかどうか」

これは証拠がなかった。

「成程……」

廊下側の襖があいた。妓が二人、挨拶をして入って来る。

新吾が驚いたのは、その若くて、きれいな妓のほうが、馬琴の馴染だったことである。

いそいそと馬琴のわきにすわって挨拶をする。名は浜萩といって、本当に磯の匂いのしそうな素朴な娘だった。

父親は房州の漁夫で、海で死んだという。売られて来たのは、母親が再婚して、邪魔にされたためらしい。

「どうだ、かわりはなかったか」

へんこつ老人がへんこつを忘れたような夜が、はじまった。

馬琴の飲みっぷりはいい。酔うほどに歌い、もう一人の妓の初菊というのが三味線をひき、浜萩が踊ると、馬琴も共に立って踊り出した。

松の葉越しの月みれば
しばし曇りて亦冴ゆる

新吾は盃を持ったまま、見惚れていた。不器用な手ぶり身ぶりが天衣無縫で、桃源に遊んでいるような馬琴の表情である。

舟の中には　なににおよろうぞ
とまを敷寝の仮枕
さても酔うたり　酔うて候

踊っては飲み、酔っては又、歌う。到底、六十の老人のようではなかった。

「さあ、犬塚さん、なにをして居る。もそっとお過しなされ。しるしなき、ものを思わずば、一杯の濁れる酒を飲むべくあるらし、その通り、その通り……」

ほどほどにと心がけながら盃をあけていたのに、途中から新吾は馬琴老人のペースに巻き込まれた。

気がついた時は、妓の部屋で、夜具の中である。傍に妓が寝ていて、枕許には水差があった。

咽喉が焼けつくようで、上半身を起して、水を飲んでいると、妓が眼をさました。

「著作堂先生はどうなされた……」

気になっていることを、早速、訊ねてみると、

「浜萩さんの部屋でしっぽりとお静まりです」

妓は面白そうに笑った。起き出して、新吾のために煙草を吸いつけて渡す。腹這いのまま、一服吸って、

「先生は、ちょいちょい、ここへおみえになるのか」

「さほどには、お出でになりませんが……」

土地ではもてるほうらしい。年寄だと思って、そのつもりで相手をした妓は、朝までに腰が立たないほど、五彩の夢をみさせられ、老人のほうは一夜明けるといい顔色で帰って行くという。

「馬琴先生が忘れられなくて、もう一度、お手合せ願いたいって妓も随分、いるんですけれど……」

困るのは、このお客、妓の閨房中の行儀作法にやかましい。

この世界では、普通、男が夜具に横になってから、妓が添い寝をする。

「その、布団のめくり方からして、うるさいんですからね」

初菊というのは、名前に似合わぬお喋り好きで、器量は悪くないが、女としてはがさつなほうである。

「めくり方とは、どういうことだ……」

眠気がさめて、新吾は面白がった。

客の隣りに妓が体を入れるためには、どうしても掛け布団をめくらなければならない。

「風が立つって、とっても叱られた妓(ひと)があるんですよ」

布団のめくり方が荒っぽいと、確かに風が立つ。

「それから、なるべく少しめくって、音のしないように、体をすべり込ませるようにっておっしゃるんです」

「成程……」

そのために、妓はぐっと体を沈めて、小さくなって布団に入り込まねばならない。

「おまけに、布団へ入った時、裾がめくれてるといけないんです」

「裾がめくれる……」

思わず、新吾は苦笑した。

「どうやって入るんだ」

妓は立ち上って、着物の裾を両膝に、はさんだ。

「これだけじゃ、やっぱり、めくれるんですよ。どうやったって……」

文句をいうと、へんこつ老人は自分でやってみせたという。

裾を足首のところへくるりと巻き込んで、両方の足首を固く交差させたまま、体を半転させて夜具に入ると、裾は全く乱れない。

「先生が、そいつをやったのか」

「ええ、浜萩さんが先生から教えてもらって……男の俺が出来るものが、女のお前達にどうして出来ないって、そりゃあ叱られたんですよ」

へんこつ老人は、やはり色里へ来てもへんこつ老人であった。

どっちみち、間もなく乱れ放題にする妓の寝衣の裾である。夜具に入るまでの行儀作法をやかましくいうお客は、この土地でも前代未聞というところらしい。

「そういうことは女のたしなみですって。いくら、こういうところで働いていても、それくらいは心得ていないと、落ちるところまで落ちてしまうからって……」

初菊はすっかり興に乗って、洗いざらい喋り出した。

「それだけじゃないんですよ」

事後はなるべく体を動かさないようにして後始末をすませ、やはり風をたてないように夜具を出てから、きちんと手を突いて、

「御無礼を致しました」

と挨拶をさせる。

「そのかわり、その最中は、どんな気違いになってもかまわないんですって……」

妓の話は微に入り、細にわたって、とうとう夜があけてしまった。

いくらかの金を別に包んでやって、新吾は早く床をぬけ出して、身仕度をする。

廊下を静かな足音がして、障子の外から馬琴が呼んだ。

「起きましたかな」

廊下にはさわやかな朝陽がさし込んでいて、へんこつ老人は艶々したいい表情で立っている。

宿酔の表情もなく、女に精根を使い果した跡もない。

「帰りますか」

勘定は、新吾を制して、馬琴が払った。

駕籠はわざとことわって、肩を並べるようにして永代のほうへ歩き出した。

橋をいくつか渡る。

葛西あたりから青物を積んでくる舟が、掘割へ入って来ていた。

馬琴の手が、ひょいと懐中に入ると、金包をとり出した。昨日、家から持って出て、深川の家で支払いをすませた残りがそっくりそこにある。

なんでもなく、馬琴は金包を橋の下を漕いで行く青物の舟へ投げた。金包は青菜の間へ落ち、竿をあやつっている百姓の老爺はまるで気づかず、遠ざかった。

馬琴は、ふりむきもせず、すたすたと橋を渡り切る。

やがて、大川へ出る。

それをさかのぼれば、蔵前の米蔵がみえる筈であった。

あの金が、板倉屋からの祝儀にもらって来たものだと、やっと新吾は気がついた。

「厄払いにつき合ってくれ」

といった馬琴の言葉の意味が、それで氷解する。一夜、色里に遊んで、使いのこりを見知らぬ青物舟へ投げ捨てて、へんこつ老人はさっぱりと、しかも昂然と胸をはって歩いて行く。

八丁堀へ出る手前で、馬琴は町駕籠へ乗った。送ろうという新吾をことわって、ゆらゆらと揺られて神田へ帰った。

見送って、ふと、あの金の使い道について、女房のお百に問いただされたら、なんと返事をするものかと新吾はいささか不安になった。馬琴から直接、きいたわけではないが、へんこつ老人の女房が相当の悪婦だというのは、仲間中の評判である。

八丁堀の屋敷へ戻ってくると、老婢がすぐにいった。

「お隣りのお嬢さまが、それは御心配なさいまして、今朝も、何度か……」

いわれるまでもなく、昨日、浪路と日本橋へ出かける約束を、とうとう果せなかったことも、深川へ泊ったことも、少からず新吾の良心を痛めている。

浪路に、なんといったものかと思案しながら、老婢に手伝わせて着がえをしていると、笠松京四郎が勝手に入って来た。

子供の時からの友達で、亡父同士もそうだったが、どっちの屋敷へ行っても、取次なしの我が家同然である。

「帰ったな」

京四郎に笑われて、新吾はいわずもがなの弁解をした。馬琴老人に誘われて深川で泊ったとは、浪路の兄の手前、どうもいい難い。

が、それといわなくとも、およそ、察しがつくのも幼友達の親友なればこそで、京四郎は苦笑しながら手をふった。

「気にするな。浪路の奴があまりおろおろするから、神田同朋町の馬琴先生のお宅でとっつかまって、夜を徹して話し込んでいるのだといってある。俺達のような役目の者は一度、敷居をまたいだら、切れた凧のようにどこへとんで行くかわかったものではない。お前も犬塚の女房になりたければ、今の中に、つまらぬ悋気や焼餅の角ははずしておくことだといってやった。おぬしもそのつもりでいてくれ」

口で荒っぽいことをいっても、京四郎という男の優しさは、新吾にもよくわかっていた。この家も両親が割合、早くに歿って、殊に母親のほうは浪路がまだ子供の中に病死したので、京四郎がなにかにつけて妹をかばう気持の中には、親に早く別れた妹への不愍さが大きな比重を占めている。

「すまん」

新吾も正直に頭を下げた。

「ちょっと、顔をみてくる」

「馬鹿、今から甘やかすな」

わざわざ出て来たのは、妹のためではないといい、京四郎はすわり直した。

老婢が、朝粥の膳を運んでくる。

「俺にはかまわねえから、やってくれ」

京四郎にいわれて、朝帰りの空きっ腹に、粥を流し込んでいると、庭では鶯がいい声で啼きはじめた。

「例の梅の寺だがな」

京四郎が話し出した。

町は桜の季節だから、あの寺の梅樹も大方は散っていて、すでに若葉になっていた寺の境内を、新吾は鮮やかに思い出した。

「香雪尼のむかしが少しわかって来た」

美貌の庵主のことである。

「先代の板倉屋の手がついていたそうだ」

まだ、今の板倉屋小左衛門が、先代の娘の聟となる以前の話らしい。板倉屋の先代が歿った

のが今から二十二、三年前で、

「死んだ時、七十に近かったというから、香雪尼は十七、八、とんだ狒々爺だな」

香雪尼が出家したのは、先代の歿後一年ほどしてからで、

「その一年は、鎌倉の寺で修行をしていたのだそうだ」

あたら、花の盛りを、先代の供養に髪を下した妹へ、その時はもう板倉屋を継いでいた兄、小左衛門が寄進したのが梅の寺だという。

狭い庭で陽炎が揺れている。

たいこ医者

六本木に住む土岐村元立は、なにかにつけて、馬琴の家へやってくるようになった。

板倉屋小左衛門の馬琴招待の仲介役をつとめて以来のことである。

自分が訪ねてくることもあるし、娘のおてつを使によこして、珍しい菓子などを届けさせることもある。

元立がやって来た場合馬琴は、滅多に逢わなかったが、娘のおてつの時は、気軽に招じ入れた。

逢えば逢うほど、はきはきした利発な娘で、決して学問があるわけではないが、文学への関心が充分で、馬琴の話を熱心に聞く。心がけのよい娘で、一度、訊いた話は家へ帰って何度も反芻してみるらしく、次にくる時はいくつかの疑義を持ってくるが、それが適確に話のつぼを押えた問いなので、馬琴は又、嬉々として答えることになった。

逆に、彼女が話す世の中の、他愛もない話が結構、馬琴には楽しくもある。

おてつが住む六本木のあたりは江戸のはずれに近く、人家もまだ少いし、付近には田畑や林も多い。

それだけに狐や狸に化かされた話が始終あるという。

婚礼に招かれた帰りに狐に化かされて、用水池で裸になって湯あみをしているのを、朝になって探しに出た家人に発見されたとか、馬の草鞋を頭にのせて、ひと晩中、あっちこっちを狸にひきまわされたとか、狸が人間に化けて酒を買いに来たとか、

「せんだっても、こんな話がございます」

おてつの家に出入りしている植木屋で、五平というのが語った話だそうだが、たまたま、その夜、五平は青山のほうの百姓に嫁いでいた娘の家に子がうまれ、その祝いに招かれていて、かなり更けてから六本木へ帰って来た。

「ちょうど、麻布から坂を上ってくる途中に、さいかちの木の多い雑木林がございます」

片側は堀田備中守の広大な下屋敷で、周囲は百姓地で田も畑もある。昼間はのどかな風景の場所だが、夜になると殆んど人通りのない寂しいところであった。

五平は年寄の事でもあり、金を持っているわけでもないので、別に怖れもせず、勝手知った田圃道を戻ってくると、折柄、やんでいた雨が又、降り出して、提灯の灯を消してしまった。

たまたま、近くにこのあたりの百姓が農具をおいておく掘立小屋があったので、そこで雨宿りをしていると、俄かに犬の啼き声がする。

掘立小屋の窓から、のぞいてみたが、なにせ暗くて、よくわからないが、林の中を女のような人影が逃げまわっていて、それを数匹の犬が追いまわしてでもいるような気配である。

もし、人が野犬にでも襲われているのなら、助けてやりたいと思うが、暗くて足許もおぼつかないし、うっかり出て行ったら、自分も野犬の餌食になる。おろおろしていると、林のむこ

うに灯がみえた。

やれ、よかった。誰ぞ救いの者が来たかと、ほっとしていると、その灯を持った男が、鋭く声をかけた。

とたんに一匹の犬が跳躍して女の影にぶつかった。すさまじい悲鳴がきこえて、五平は腰が抜けそうになった。小屋の中に突伏して、暫くは身動きも出来なかったが、気がついてみると雨はやんでいる。再び、窓からのぞいて林のあたりをつくづくと眺めたが、犬の姿も人影もない。

おっかなびっくり小屋を出て、無我夢中、如法闇夜の中を、泥まみれになって、逃げてくると、血の匂いがする。ぎょっとして立ちすくむと、林から道へ出る小溝のふちに女らしい人影が倒れていた。思わずさわってみると、かすかなぬくもりは残っているが、もはや命があるようにも思えない。落葉のまつわりついた濡れた袂に手が触れて、五平はもう一目散、死にもの狂いで六本木の我が家へ逃げ帰った。

五平は一人暮しだったから、一夜あけて、仕事にやって来た若い者に、その話をし、二人で、昨夜の現場まで行ってみた。

驚いたのは、狸が死んでいたことである。

昨夜、五平が女が倒れていたと思ったそのあたりに大きな狸が、首を犬に嚙みさかれて死んでいた。

「すると、五平と申す者がみたのは、狸の化けた人間だったわけですか」

部屋のすみで、同じくおてつの話をきいていた宗伯が驚いた声を出した。

「五平は、そう申して居ります。林の中を随分、探してみたけれど、別に人も死んでいませんし……なにより、そこに狸が死んでいたのですから……」

おてつはちょっと眉をひそめた。五平のように、実際の場面に出逢わしたわけではないので、恐怖はそれほど感じていないらしいが、若い娘らしく、不気味な話は苦手のようである。

「その……犬をけしかけた男というのは、どこの誰か、わかったのかね」

馬琴が、はじめて口をひらいた。彼自身、創作には動物の怪奇物語を好んで書くが、現実に、狸や狐が化けるとは全く信じていない。

「さあ、それは、五平さんにもわからないようですが……」

大方、そのあたりの百姓かなんぞではなかったかと、おてつはあまり自信のない言い方で答えた。

「お百姓は犬を飼っていますし、猟師の飼犬が、狸を殺したということは、よくあるそうですから……」

狐や狸に限らず、田畑を荒らしにくるけものに備えて、大方の百姓はよく馴らした犬を飼っている。

一度、六本木へ行ってみたいと馬琴は思った。「八犬伝」の筆も、このところ、思うように進んでいない。

六本木へ行ってみたいという馬琴の申し出を、おてつは別な意味に受け取って、非常に喜んだ。

「是非、一度、お出かけ下さるよう、父もいつも申して居ります」

つまらぬ狸の化けもの話をしてしまったが、今頃は百姓地に菜の花がまっ盛りで、それはのんびりした土地だとおてつは話した。

「きっと、お気晴らしになると思います」

おてつが帰る時、馬琴はさりげなく、その五平が狸の怪に遇ったのは、いつ頃のことか問うてみた。

「さあ、よくは存じません。たしか、まだ寒い時で……」

無論、今年に入ってからのことだという。

「いつ、六本木へお出かけになりますか」

おてつに訊かれて、馬琴は答えた。

「二、三日中の好い天気の日にでも……」

明日にでも行くつもりであった。馬琴の胸の中で、或る想像が躍り上っている。

が、翌日はどしゃ降りであった。

花時によく降る雨だが、夏の夕立を思わせる激しさで、雷鳴も伴った。

「春雷だな」

空を眺めて、馬琴は一日中、落つかない顔をしていた。

「あなた、お暇なら、薬でも練ったら如何ですか。お気が変ってようございましょう」

お百が皮肉たっぷりにいう。

馬琴の著作だけでは不如意な家計を、売薬で補っている。もとより利得は知れたものだが、なにせ、長男が病気がちで、折角、医者の修業もし、医家の看板をあげても、自分が床についている時間のほうが長いのだから、この先、一家を背負って行くことは思いもよらない。

その宗伯は今朝から、こんな雨の日というのに、狭い自分の部屋に閉じこもって整理をしている。気がむくと四畳半ほどの部屋を三日もかかって掃除をするという性格で、そのかわり、どこも舌で嘗めたようにきれいになった。大体が、病的なほど神経質で、食事中に蠅がとんだといって、もはや膳のものを何一つ、食べず、捨てさせることがある。洗濯も、家人のしたのだと気に入らず、下帯などは必ずといってよいほど、自分で洗い直していた。

女房にいわれたものの、いや、むしろ、いわれると尚更、薬を練るなどとは思いもよらない気分で、馬琴は終日、書斎で本を読んでいた。

夕方になって、雨の中を隣家のお貞が駕籠で帰ってくると、入れかわりのように、義理の息子の清太郎が傘をさして出かけて行った。

馬琴の書斎からは、垣根越しに隣家への道がよく見渡せる。

清太郎が出かけて間もなく、娘の泣き声がした。

お貞の激しく叱る声と、もので打つような音が重なってきこえている。泣き声は、間もなく悲鳴に変った。

「あなた……」

そろっとした身なりで、お百が入って来た。

亭主がしない限り、自分一人で仕事をするということの絶対に出来ない女で、無論、今も、薬を練っていたふうでもない。

「杉浦さんのところで、又、お貞さんがお比奈さんを折檻しているらしいんですよ」

お百が、又、といったところをみると、馬琴はうっかりしていたが、お貞が連れ子を仕置するのは、このところ、度々のようであった。

「いったい、なんなのだ」

苦々しく、馬琴は眉をしかめた。隣家のお比奈の名をきいただけで、この冬、彼女が義理の兄に当る杉浦清太郎と睦み合っていた姿が、眼先にちらついて、しかめっ面でもしないと、どうも恰好がつかない。

「お貞さんが、お比奈さんを奥づとめに出したいらしいんですよ」

そのことは、以前から馬琴も耳にしていた。

しかるべき武家屋敷へ行儀見習に出したいから、いいところを世話してくれないかと、お貞がしつっこくいって来たが、よくよくきいてみると、よほど大身の大名家でなければ気がすまないという高のぞみなので、馬琴はお百にもきびしく相手になるなといましめていた。

もっとも、お貞という女は、最初から馬琴の口ききをあてにしていたようではなく、いってみれば、世間話のつもりでお喋りの材料にしたにすぎず、実際はあらゆるところへ手をまわして奉公先を物色していたらしい。

「当人は行きたくないのだろう」

母親の眼を盗んで、清太郎とああいう仲であってみれば、お比奈としては武家奉公など思いもよらないに違いない。

一度、奉公に上れば、年に二度のきまりの宿下りしか、清太郎に逢う機会はなくなってしまう。恋をしているお比奈が、母親の勧めに、うなずくわけがなかった。

「お貞さんは、なだめすかしているようですけれどね。お比奈さんのほうが、いっかな承知する気配もなくて……普段、大人しいお比奈さんにしては珍しいことですよ。よくよく武家奉公がいやなんでしょうかね」

お百は、この女にしては間がぬけていて、お比奈と清太郎の仲を知らないようだ。大体が人の噂を真偽もたしかめずに鵜呑みにし、好んでさわぎ立てるだけで、観察とか判断にそれほど才覚のある女ではない。

「本人がいやがるものを、どうして出さねばならんのだ。なにも武家奉公だけが、行儀見習の道ではあるまいに……」

お百は、ここぞと膝をすすめた。

「お貞さんは心配してるんですよ。なんていっても、同じ屋根の下に、若い男がいるんですから……」

清太郎のことだとわかったが、馬琴はそ知らぬ顔をした。

少し遠くなった雷が、又、頭上で鳴った。

雷鳴と共に、雨も激しくなりはじめた。この分だと、今日は一日中、降り続くつもりらしい。

「清太郎さんは、どうやら、お比奈さんを好いているらしいんですよ」

春雷もお喋りには一向に苦にならぬらしく、お百は平然とまくし立てる。

「いいではないか。兄妹といっても血の続きがあるわけではなし、好きなら、添わせてやるのも、かえって都合がよかろうに……」

お貞は後妻で、清太郎とは生さぬ仲である。連れ子のお比奈を清太郎に妻(めあ)わせて老後の安泰をはかるのが、常識というものである。

「そんなこと、お貞さんに通用するものですか。あの人はお比奈さんがちょっとばかり器量がいいのを鼻にかけて、あわよくば玉の輿をねらっているんですからね」

御勘定御普請役の軽輩である杉浦清太郎の嫁にするつもりは、さらさらないという。

「可笑しいじゃないか。玉の輿をねらうなら、なにも武家奉公に出すことはないだろう。屋敷奉公にそんなうまい話がころがっているものか」

「他に方法がないっていってましたよ。一番、近道なんですと、……早い話が、今の将軍様には幾人もの御愛妾がいらっしゃる。その中には氏素性のよくない者もいるし、御台所さまに御奉公していたのが、お目に止ってお手がついたって話もあるそうじゃありませんか。お貞さんがねらっているのは、なんでも今、一番、大奥で権力のあるお勝の方さまへ奉公することだそうでございますよ」

「お勝の方さま……」

もう、それ相当のつてを頼んで、話はかなり進められているのだとお百はいった。

「随分、お金も使ったらしいし……骨も折ったのに……」

いよいよ、お目見得という段になって、どうしてもお比奈がうんといわず、このところ、お貞は狂気のように、ぶったり叩いたりして、お比奈を責めている。

「清太郎さんは、なんといっているんだ」

お比奈と他人ではなくなっている清太郎であってみれば、いくら義母でも、そんな無体な折檻を恋人に加えているのを、黙ってみている法はないと馬琴は思う。

「あの人は、気が小さいし、なにかというと親孝行を重んじる人ですからね。こないだも、孝は百行のもとといって、お比奈さんをなだめていたって、宗伯もいっていましたよ」

宗伯までが、隣家の事件には興味をもっているらしい。

ひいィッと鋭い悲鳴がきこえて、馬琴も思わず、中腰になった。

「あなた、ちょっとみて来て下さいよ」

「お前、行け……」

「あたしじゃおさまるわけがありませんよ。ここんとこ、お貞さん、追いつめられて気違いじみた眼つきをしてますからね。悪くして、お比奈さん、殺されでもしたら……」

「まさか……」

お百のいい方はいつも大袈裟なので、馬琴は、たしなめ、苦笑したが、考えてみると、遊里で女郎を折檻しすぎて殺したという話はしばしばきいている。

殊にお貞は前身はなにをしていたのかよく知らないが、一度、癇癪を起すと、眼が釣り上って、手足に慄えが起るほどの女なので、感情が激するとなにをやるかわからない。

又、後家の女には、あまりよくない気候でもあった。中途半ぱにもやもやと暖かく、湿気の多いこの季節、お百のような亭主のある女でも、こめかみに頭痛膏をはっている。

ものの倒れるような音がした。清太郎の家の方角である。続いて、壁にぶつかる音と悲鳴がきこえて、宗伯が顔を出した。

「えらいことです。早くとめてやらないと……」

自分は行く気がないらしい。もっとも、こういう場合のお貞はみかけによらず力があって、猛り狂っている時は、とてもひょろひょろした宗伯では押えられない。

むっとした顔で、馬琴は立って出て行った。

夫婦喧嘩の仲裁も馬鹿らしいが、親子喧嘩というのも扱いが難しい。

雨の中を番傘をさし、玄関からまわって、杉浦家へ行った。

隣接して建物は近いのに、双方の入口はぐるっと廻らなければならない。

ぬかるみを急ぎ足で行くと、小道の左側が伊藤常貞の家である。

茶の木を植え込んだ低い垣のむこうに傘をさして、常貞とその女房のお鉄が立っていた。

馬琴の足音をきいて、ふりむき、間の悪そうな顔をした。

馬琴のほうは、何故、この老夫婦が雨の中に傘をさして立っていたのか、咄嗟にはわからなかった。

杉浦家のほうで、お比奈の悲鳴がした。馬琴が自分の家できいたのより遥かに大きく、お貞の怒声まできこえる。

「だいぶ、派手ですな」

常貞がいった。夫婦は杉浦家の親子喧嘩の様子をきくために、わざわざ雨の中まで出て来ていたのだ。

「仲裁に行くんですか」

お鉄がいった。

「あんまり、お節介はなさらぬほうがよろしい。あの家は、いささか、面倒なようで、かかわり合いになると、なにかと厄介ですぞ」

常貞が、勿体らしくいう。それで、自分達は静観しているとでもいいたげな様子であった。一言も口をきかず、馬琴はまっしぐらに杉浦家へとび込んだ。常貞夫婦に話しかけられている間にも、お比奈の絶叫と逃げまわるらしい物音が続いている。

玄関で声をかけたが、返事はない。

召使はどこかへかくれて息をひそめてでもいるのか、使いに出されたか。

五、六ぺん、訪って、馬琴はずかずか上り込んだ。

手当り次第に障子をあけて、廊下へ出たとたんに、むこうからお貞が出て来た。衣紋が乱れ、髷の根ががっくり落ちている。肩で息を切っているのは、今までお比奈を折檻していたためだろう。

「なにか、ご用ですか、先生……」

切り口上でいい、衿をぐいとかき合せた。

「いくら、なんでも、お取次もなしにお上りになっちゃ、困ります。あいにく清太郎も留守でございますから、どうぞ、おひきとり下さいまし」

まくし立てるのに、馬琴は冷笑した。

「なにも、あんたをくどきに来たわけじゃない。あんまり、お比奈さんの泣き声が激しいから、心配してみに来たんだ」

「おやまあ、先生のお目あてはお比奈でしたか。お年の割に、お気の若いこと……」

馬琴はかまわず、お貞を押しのけた。

「どこへ行くんですよ」

背中へとびかかってくるのを、手荒く突きとばし、馬琴は奥の襖をあけた。

息をのんだのは、殆んど素裸に近い恰好で、お比奈がぶっ倒れていたことである。

成程、この恰好では家の外へ逃げ出せない。

「なんてことをするのだ」

あとから入って来たお貞に馬琴は怒りの眼をむけた。

「なにがあったか知らないが、仮にも娘にこんな折檻をするとは……あんたは鬼か」

お比奈が、かすかに身動きした。気を失った状態から、僅かに醒めつつある様子である。

「大きなお世話さ。馬琴先生……」

お貞が鼻の先で笑った。

「親が、娘の躾をするのに、他人様がとやかくいう筋はないだろう。悪いことをすりゃ、どこの親もわが子を叩く。別に変ったことをやってるわけじゃありませんよ」

「なにをしたんです。お比奈が、いったい、なにをしたっていうんです」

別の襖があいて、清太郎がとび込んで来た。馬琴より一足おくれて帰宅したものらしい。

「あんまりじゃありませんか。なにも、こんなことまでしなくたって……」

眼を怒らせて、母親につめよっている暇に馬琴はあり合せた着物を拾って、お比奈の上にかけてやった。

「なにをしたかっていうんですか。清太郎」

お貞が、いやな眼つきで笑った。義理の息子が、はっと眼をそらす。

「お比奈が、どうして折檻されているか、それは、お前が一番、思い当るんじゃないのかえ」

お比奈がうめき声をあげ、清太郎がそっちをみた。

「あんたにどんな言い分があるか知りませんがね。親の眼を盗んで、男に肌を許すようなふしだらを折檻するのは当り前じゃないか」

折よくというのは、こういうことを指すのだろうか、玄関に声がして、やがて女中が取次いで来た。

「浜田屋さんから、お使いでございます」

障子のむこうから、おっかなびっくりの取次に、お貞の顔が急に変った。

「おやまあ、浜田屋さんが……」

慌てて身づくろいをして出て行ったかと思うと、すぐに戻って来て、

「もし、馬琴先生、まことに申しかねますが、私はこれから、ちょっと出かけて来なければならぬ用事が出来まして、私が戻って参ります間、この二人をどうか、おあずかり下さいまし。なにせ、御聞きのような仕儀でございますから、くれぐれも二人が不心得を起しませんよう、御監督のほど、お願い致しますよ」

馬琴があきれて返事もしない中に、女中を呼び立てて、仕度をし、

「それじゃ、先生、隣家のよしみで、よろしく、どうぞ」

変に女っぽい流し眼を残して、さっさと出て行った。

「先生……」

清太郎がくずれるように坐り、両手を突いた。

「なんともお恥かしいところをお目にかけ、面目次第もございません」

仮にも式士の身で、義理の妹との不義を義母にすっぱ抜かれ、馬琴を前にして顔もあげ得ない。

「まあまあ、そんなことより、とにかく、お比奈さんを介抱してあげることだ」

女中を呼んで、水を持って来させ、馬琴は懐中から薬の入っている袱紗包を出して、その中の一服をお比奈に飲ませるように清太郎へ命じた。

若い時分に、一度は医者になろうと志して、町医の家に住み込み、一通りの医学の知識は持っている馬琴は、いつも、何種かの常備薬を袱紗包にしては所持している。

意識は戻ったものの、腰も立たないほどに打擲されたお比奈を女中と二人して、別室へ運び、布団を敷いて寝かせてから、清太郎は馬琴の前へ戻って来た。

「先生、なんとか、先生より母にお口添えが願えませんでしょうか」

思い余った表情で訴えた。

「お恥かしい次第ですが、手前は比奈と母の眼を盗んで、将来を誓い合って居ります。それを、母はなんとしても比奈を奥奉公に出すといい、手前がなんとか申してもききません。いっそ、侍でなければ、家を捨て、比奈を連れて、江戸を立ちのくことも出来ましょうが、父祖代々の家名を思えば、それもならず、まして、義母とはいっても、母は母、子として親にそむく不孝の罪を思うと……」

日夜、悩み切っているという。

そこへ、寝た筈のお比奈が身じまいを直し、蒼白い顔で入って来た。

「先程は見苦しいところをお目にかけまして……」

消えも入りたい風情なのは、半裸に近い姿を馬琴にみられたことを恥じているのだが、馬琴は、彼女が清太郎と抱き合っているところを覗き見した時の記憶が甦って、なんとも落つかない。

「お貞どのは、お比奈さんをたしか大奥へ御奉公に出そうとして居られるようだが」

馬琴の問いに、お比奈はうつむいた。

「はい、浜田屋さんのお世話で、お勝の方さまのおはしたにと……」

「浜田屋……？」

どこかできいた名前だと馬琴は思った。

「日本橋本石町に住いがございます」

芝居茶屋を持っている他に、出逢い茶屋とでもいうような、女と男がひそかに逢引するような特殊の家を数軒、妾を使ってやらせているという評判だという。

「そんな男が、どうして、お勝の方さまと昵懇なのだ」

馬琴は一応、訊いたが、およそ見当はついていた。大奥に奉公する女達の最大のたのしみは芝居見物といわれている。

お宿下りの折や、御代参などの帰りに、堺町の芝居に寄ることは、よくある例だし、そんな時、彼女達の便宜をはかるのは芝居茶屋である。

「お勝の方さま付きのお中﨟で久仁江さまとおっしゃるお方が、大層な芝居好きで、そちらとの関係とか、きいて居りますが……」

成程と合点しながら、馬琴は呟いた。

「それにしても、お貞どのは、どういうおつもりか。なにも、お比奈さんをそうまでして奥づとめに出すこともあるまいに……」

お百は、お貞が金や出世をめあてにお比奈を奉公に出すといっていたが、金持の妾に出すわけではなし、なにもお勝の方のおはしたになったところで、それほど多くの給金がもらえるわけでもないし、まして、大奥での出世が、そうたやすくころがっているとも思えない。お比奈は確かに肉感的な娘だが、彼女ぐらいの器量の女は、大奥ではざらであろうし、おはしたの身分で、将軍様の眼に止るという幸運は、まず夢物語と思ったほうがいい。

「お母さまは、私をお兄さまのお傍におきたくないのでございます」

お比奈が思い切ったようにいった。

「比奈……」

慌てて清太郎が制し、二人はそれぞれにうなだれた。

いくらか赤くなっている清太郎をみて、馬琴は気がついた。

お貞は、ひょっとして、義理の仲の清太郎に不倫の恋をしかけているのではないか。

親子といっても年の差は、それほどはなれているわけではない。夫を失くし、充分に色っぽいお貞の態度から察しても、あり得ることであった。お貞の求愛を清太郎が拒み、退けたとしても、それでひっこむお貞ではなさそうである。

お貞にとって、娘のお比奈は恋敵であった。

そう考えると、お貞が邪魔なお比奈を奥奉公に出そうとするわけも、お比奈が死にもの狂いで、それを拒む理由も、よくわかる。

ともあれ、馬琴にしても、この仲裁には途方に暮れた。条理を尽して、人道を説いたところで果して、お貞のような女に通じるかどうか。といって、こうして顔を出した以上、いい加減でひっこむのは、へんこつ老人の気がすまない。

「よろしい。お貞どのには、わたしから様子をみて、とくとお話し申そう。それまでは、あなた方も軽はずみはなさらぬことだ。殊に男女の仲は、一度、垣根を越えると、なかなか自制がきかなくなるものだ。くれぐれも自重なさるよう……」

声もなくうなだれている二人を残して、馬琴はやっと腰を上げた。

いつの間にか、雨はやんでいる。

ひどく疲れた気分で、家へ帰ってくると、六本木の土岐村元立から使いが来ていた。

書状は二通で、一通は元立の筆跡、これはまあ、なんといおうか、四角四面のひどくつまらない文章を、変に気どっているから、読むほどに気分がしらける手紙であった。要するに、六本木へ遊びに来いという内容である。

もう一通は、おてつからのもので、これは稚拙ながら、心のこもったものであった。特に学問をしたわけではないから、女らしい仮名書きの文字も秀れてうまいというのではないが、それなりに彼女らしさが滲み出ていて好感が持てる。

可笑しなもので、元立の手紙を読んでいる時は、誰が六本木くんだりまで出かけて行くものかと思っていたのに、おてつの文をみていると、いつぞや、彼女が話した狸の怪のことなども思い合わされて、これは、やはり出かけてみようかという気になっている。

元立のほうの手紙では、招待の日を、今月の二十日か、二十三日と指定して来ていた。

二十日といえば、もう幾日もない。

二十日に行くと、馬琴は返書をしたためた。

どちらかというと、せっかちな老人である。

思い立ったことを、先へひきのばすつもりはなかった。

「父上……」

珍しく、宗伯がいい出した。

「その節は、手前もお供をさせて頂きとう存じます」

「大丈夫か」

ちょっと外出しただけで、翌日、熱を出したり、苦痛を訴える宗伯である。

「気候もようございますし、久しぶりに父上のお供をしてみとうございますから……」

宗伯は晴れやかな顔をして繰り返した。そういわれると、馬琴にしても、拒む理由はなかった。板倉屋の寮でみかけた時の印象では、医者というより太鼓持ちのような土岐村元立の相手には、一人よりも息子がいてくれたほうが、ましのような気もする。

折をみて、お貞と話をしようと思い、馬琴は何度もお百を使にして、お貞の都合をきかせた。あの日、清太郎に頼まれたことでもあるし、乗りかかった舟である。相手に話が通じるか否かは別として、少くとも、人間としての道について、お貞を説得せねばならないと、馬琴は律義に古今の例を引用するために、古文書を確認したりして待っていた。が、いくら、使を出しても、お貞は言を左右にして、やって来なかった。今日は体の具合が悪いとか、出かける用事がある。果ては、日が悪いからとまでいわれて、お百が腹を立てた。

「あなた、いい加減になさいまし。赤の他人さまの家のことで、どうして、あなたがそんなに熱心になる必要がございますか」

ほどほどで、捨てておけというのに、馬琴は怒った。

「それなら、どうして、最初から放っておかなかったのだ。なんで、あの時、わしに行って仲裁をしろと、申したのだ」

「だって、そりゃあ、あんまりお比奈さんがかわいそうだし……折檻で殺されでもしたら大変だと思って……」

「かわいそうだという憐愍の情をもったなら、最後まで、あわれみをかけねばならないものなのだよ。たとえば、捨て犬をみかけて、かわいそうだと頭を撫でてやって、それで犬がなついてついてくると、迷惑だとふり捨てて去ってしまったのでは、あわれみを、かけたことにはなりはしない。お前のいっていることは、本末転倒しているのだ。そういうのを同情の安売りという。以後、気をつけなさい」

お百が蒼くなった。

「あなた、なにも、そんなことをおっしゃらなくたってようございますよ。ひとさまのことで、女房が叱られるなんて、ましゃくに合いはしませんよ」

「どうして、そう、口答えをするのかね、なぜ、俺のいうことを、まっすぐにきけないか、それでは、いつまで経っても、人間、進歩はしない。叱言が身につかないというのは、お前のことだ」

「あなたこそ、可笑しなことをおっしゃるじゃありませんか。人と犬を一緒にしてお説教をなさるなんて……」

「それは、譬話(たとえばなし)だよ」

「馬鹿々々しい。人の家のことで夫婦喧嘩をするなんて……以後、お隣りへのお使いはおことわり申しますよ」

あとは、いつものように、あんたはお節介だの、一文にもならないことに血道をあげるだの、油紙に火がついたように、まくし立てる。

馬琴は、遂に黙った。

ならぬ堪忍、するが堪忍で、こうなったら女房の気がすむまで、言いたい放題にさせておくより仕方がない。

止むなく、今度は宗伯を使いに出したが、帰って来ての返事では、

「お貞どのは、二、三日、お比奈どのを連れて、知人の許へ行かれたそうです」

それが本当かどうかはとにかく、耳をすませていても、成程、お貞の声も、お比奈の姿もみえはしない。

そうこうする中に、土岐村元立と約束の二十日になってしまった。

五月晴れのいい天気で、馬琴は早く起き、宗伯をせかして足ごしらえをした。

「六本木まで、お出かけでございましたら、駕籠の用意を致しましょうか」

たまたま、昨夜から来ていた娘聟の清右衛門が気をきかしたが、馬琴はその必要はないといった。

足腰には自信があったし、それでなくとも、駕籠を頼むというのは、滝沢家にとって、無駄な費えであった。

滝沢家の収入の主なものは、勿論、馬琴の原稿料だったが、これは著述をしなければ入って来ない金であり、極めて不安定なものであった。ちなみに、この時代、馬琴以外の戯作者で、筆一本で生活を支えたものは、先輩の山東京伝を含めて、一人もいない。

馬琴にしても、筆一本の生活には不安を持っていて、長女のおさきに聟をむかえ、家職一切をゆずった時も、それまでやっていた十五間口の家主の収入が一年でざっと二十両ある中から、

五両を親の養い料として同朋町へ届けさせることにきめていた。無論、家主の仕事は清右衛門にまかせてある。

その他の、大きな収入源は売薬であった。馬琴が、お百と夫婦になって、伊勢屋という下駄屋を継いだのは二十七歳の時だったが、いってみれば、お百に惚れたわけでも、下駄屋をやろうと思ったわけでもなく、生活の方便の気持が強かった。或る程度、暮しの安定を得て、好きな著述に、はげみたいというのが、当時の馬琴の本心である。

従って、養子に入ったのに、お百のほうの姓の会田を名乗ることもせず、相変らず滝沢姓で押し通したし、下駄屋という職業も、小禄でも武士の家に生まれた馬琴には、人が足にはくようなものを商うのは、商売の中でも最も卑しいものとして、間もなくやめてしまった。その中に、手習師匠をしたこともあるが、それもわずらわしいとして長続きはせず、間もなくはじめたのが、売薬であった。

どういうわけか、この時代、戯作者と売薬は関係が深く、馬琴の師でもあり、厄介をかけた山東京伝も、大きく売薬業をしていて、読書丸などというのは大層、有名でもあった。

馬琴も亦、幾種類かの薬を売り出していて、奇応丸とか神女湯、黒丸子などを製造しては、飯田町の清右衛門や、大坂の河内屋吉助などの手によって売らせていた。

他には、宗伯が松前侯の出入医師として三人扶持をもらっているのと、盆暮に同じく、松前侯より宗伯と馬琴に金百疋の下されものがある。

又、屋敷内に多い果樹が実ると、それを近所の青物商へ払い下げて収入を得ることもあるし、堅炭の粉で、炭団(たどん)を作って売ることもある。

決して、豊かな暮しではなかった。

といって、馬琴の性格では、つきあいの義理を欠くことは絶対にしたくないし、好きな友人がくれば、食事も酒も、充分に出したいほうである。

人には良くするかわりに、家族の生活費はきりつめるのが、滝沢家の方針であった。

馬琴自身も口におごりはないし、着るものは、普段は木綿ものときめている。

まして、駕籠などは、格別の場合でもない限り、自分で金を払って乗ることはなかった。

歩くには、決して悪い季節ではない。

馬琴自身は健脚だが、宗伯の足をいたわって、呉服橋から江戸城の内堀沿いに虎の御門、溜池と迂回して、六本木まではおよそ一里半、土岐村の家へ着いたのが正午に近かった。

土岐村元立の家は、思ったより広かった。とりたてて、見事な造作ではないが、あちこちに金をかけたことが、よくわかる。

早くいえば、みてくれのいい家の様子であった。趣味は決してよくないし、奥床しさのかけらもない。如何にも、金持の患家を数軒持っていて、それを誇りにしている町医者の住いらしかった。

取次がひっこむと、すぐにおてつが走り出て来た。

「これは、ようこそ。おまち申して居りました」

下女の手を借りずに、自分で手桶に水を汲み、草鞋をぬいだ馬琴の足を洗ってくれる。

小ざっぱりした木綿のきものに、これだけは結いたてらしい髪が、清潔で、馬琴には、なんとも好もしくみえる。馬琴のすすぎを終ると、宗伯の手伝いをしようとしたが、これは、宗伯がまっ赤になって固辞した。

そこへ、土岐村元立が、出てくる。

「お早いお着きで……さ、どうぞ……」

通されたのは、元立の自慢らしい客間で、庭は広く、心の字池を掘って、庭石も高価なものを並べたてている。

池のほとりに八重桜があって、これはもう満開をすぎていた。

「粗茶でございますが……」

おてつが茶を運び、続いて、元立の女房が顔を出した。

「家内でござる」

元立は瘦せて、小柄で、どちらかというと貧相な男だが、女房のほうは大柄でみるからに骨太な女である。色が黒く、眼も鼻も鈍重な印象であった。

こんな夫婦に、どうしておてつのような利口そうな娘が出来たのかと、馬琴はいささか憮然として、元立夫婦に、宗伯をひき合せた。

「まず、まず、おくつろぎ下さい」

一度、奥へ入ったおてつが、膳を運んでくる。てきぱきと、気のきいた身ごなしであった。

午食を共にして一刻ばかりの間に、馬琴には、およそ、この家の様子がわかった。元立は、やはり、馬琴の思った通り、外面（そとづら）のいい商売上手の医者で、家族にはかなり、口やかましい。

女房の松乃は人みしりをする女だが、猫をかぶって馬鹿丁寧な応答をしている中に、だんだん、地金が出て来たのをみると、無神経で無遠慮なところが多い女のようである。どちらかというと、家事の才覚もなくて、この家をきりもりしているのは、娘のおてつのようであった。馬琴親子のもてなしも、おてつ一人が気をつかい、采配を振っている。

「あの、もし、お疲れでございませんでしたら、この近くを御案内申し上げましょうか」

食事もすみ、話にも馬琴が飽きて来たとみて、おてつが声をかけた。

愚にもつかない元立の、出入り先の金持の家の話を自慢らしく喋るのをきいているより、おてつの案内で、神田あたりではみられない田園風景の中を散策するほうが、どれくらいありがたいか知れないし、馬琴としては是非ともみて来たいのが、例の狸に化かされたという雑木林のあたりである。

これ幸いと馬琴は腰をあげた。疲れているのなら、ついてくるには及ばないといったのに、宗伯はおてつが同行するといったとたん、自分も行ってみるといってきかない。

六本木は、まだ町家が少かった。ちょっと歩くと、そこは高台になっていて、麻布の一部が眼の下に眺められる。

田はちょうど田植えのはじまったばかりであった。

水をひいたばかりの田のあぜに、これから植える苗が一かたまりになっておいてあったりする。

笠をつけた百姓が、どの田にも忙しげに働いていて、馬琴は、ふと、のんびりと風景を眺めている自分を、彼らに対し、すまないという心になっていた。

百姓達は、おてつをみて、腰をかがめ、或いは声を出して挨拶をした。

医者の娘ということで、世話になっている者が多いらしい。

「もっと、父が、地元の人たちに親切にしてくれるとよろしいのですけれど……」

それらに丁寧に小腰をかがめながら、おてつが、さりげなく愚痴をこぼした。

どちらかというと元立は金持の患家を大事にして、身分の低い者、貧乏人の治療は、息子や弟子にまかせっぱなしのようである。そのことに、おてつは不満を持っているらしい。

田がすぎると林があった。

林について、道が坂になっている。林の部分が道を下るに従って崖になり、そこに山吹が黄色く咲いている。

なんという名の鳥か、馬琴にはわからないが、頭上でよく啼いた。

「あそこに小屋がみえますでしょう。あそこなんです。狸の怪をみたというのは……」

このあたりに田畑を持っている百姓が、農具などをおいたり、収穫物の置き場にしたり、結構、重宝に使っているという。

この冬の夜、五平という植木屋が逃げ込んで、そこから、奇妙な風景を覗きみた場所であった。

「その、五平というのに逢ってみたいが……」

馬琴にいわれて、おてつはうなずいた。

「こちらでございます」

今、下りて来た道とは別に、さいかち林に沿って別な坂がある。

林のふちを迂回する感じで、南側の斜面を上って行くと土塀の中に、白壁の蔵が三つもみえる家があった。

母屋は藁葺きの百姓家で、正面へまわってみると黒木の質素な門から母屋の庭が広がってい
て、作男らしい屈強のが、三、四人、働いている。
穀類を干してでもいるのか、蓆が何枚も土に広げられていて、そこに初夏の陽が当っている
のが、如何にものどかであった。
「あれは」
「この辺の大百姓で、秋元左母二郎というお人の家なんです」
馬琴の問いに、おてつは答え、足早やに通りすぎた。それでも、庭で働いていた男達が一せ
いに、こっちをみる。おてつは顔をそむけるようにし、自然、馬琴と宗伯が彼女をかばうよう
な恰好で、男達の視線の中をくぐり抜ける。
「なにか、あるのですか」
かなり過ぎてから、宗伯が息を切らしながら訊ねた。あまり、口数の多いとはいえないこの
男が訊いたのは、よくよく、おてつの態度が不審だったせいである。
「いえ……ちょっと……」
おてつは、それに対して、女性独特の曖昧な言葉でまぎらわしてしまった。
そこから、又、暫くは畑地である。
麦畑が続いていた。空高く囀っている鳥がいると思っていたら、麦畑の中から、ぱっと飛び
立った。雲雀のようである。
麦畑の先に、庭木を植え込んだ畑があって、そのむこうが五平の家であった。
いい枝ぶりの松や、椿、海棠、百日紅、木蓮、唐梅、藤などが、畑のそこここに育っていて、

買い手がつき次第、どこの屋敷の庭にでも移し植えられるようになっている。

その畑で、五平はせっせと木鋏を使っていた。

近づいたおてつをみて、手拭をとって挨拶をした。五十をいくつかすぎているのだろう。商売柄、よく陽に焼けて、人のよさそうな眼が柔和であった。

「神田からおみえになったお客さまが、この辺の話をおききになりたいとおっしゃって、御案内しているんですよ」

ちょっと休ませてくれといい、おてつは自分で五平の家から、茶道具を出して来た。

「おいでなさいまし」

馬琴へ、五平は丁寧に小腰をかがめた。

馬琴は植木畑を見廻した。満更のお愛想ではなく、生来、植木は好きである。

藤棚の下へ縁台のようなものを出して、そこで一服するようにすすめる。

「なかなかの御丹精ですな」

五平の畑には躑躅のいいものがあるようであった。種類も多い。ひとしきり、五平から話をきいている中に、馬琴は数種の躑躅を買うことになってしまった。

六本木から神田までは、かなりの距離だが、五平は、ついでもあるから届けるという。

馬琴が薄が好きだというと、それも、この付近はいいものがあるから、運んで行って植えようともいった。

「さあ、お茶が入りました。ちょっと、おかけ下さいまし」

おてつが我が家のような調子で誘い、藤棚の下へ茶を出した。

別に彼女が抱えて来たのをほどくと草団子の竹皮包が出て来た。あらかじめ、ここへ来ることを予想して、用意して来たらしい。

おてつの勘のいいのに、馬琴は感心した。

「さあ、五平さんも……」

草団子を勧めて、おてつは自分も縁台に腰を下す。

「薄といえば、五平さん、いつか、狸の殺された夜のお話ね。今、お客さまを、あのさいかち林のところまで、御案内して来たのですけれど……」

馬琴の訊きたいことを、先にまわって五平をうながすような言い方をした。

「いや、あの晩のことは、今でも気味が悪くて……」

五平は柄にもなく、怯えた表情になった。

「いつのことですかな。その、狸が犬に殺されたとかいう夜は……」

おてつがきっかけを作ってくれたので、馬琴は早速、質問の火蓋を切った。

「へえ……」

律義に五平は手を膝へおき、その手をみつめるようにして答え出した。

「二月の……二十日でございます。娘の片づいた先へ、孫が生まれた祝いに行ったときのことでございますから、間違いはございません」

「二月二十日……」

やはり、そうだったのかと、馬琴は胸が躍った。深川へ泊っての翌日、雨の中を神田へ帰る途中、犬に嚙み殺された役者が、番屋へ運び込まれたのをみたのが、同じ二月二十日の夜更けである。

「娘さんの嫁ぎ先は、たしか、青山辺ときいたが……」

「へえ、左様でございます」

青山の梅窓院という寺の近くだという。

「しつこく、ものをお訊ねするようだが、そちらを出られたのは、何刻頃か、六本木へ帰り着いた刻限など、おわかりだろうか」

五平はうなずいた。

「青山を出ましたのが、五ツ前、あの晩は雨が降ったりやんだりで、暮れるのも早うございましたし、足許も悪く、遅くなっては難儀なことになると思いまして……」

二月のことなので、夜五ツというと、今の時間でいって午後八時前後になる。

この時代、民間で行われた時刻法というのは、夜明けと日の暮れを境にして、夜と昼を各々、六等分したのであって、四季によって、同じ、夜五ツといっても多少の差が出てくる。つまり、夏至の頃には暮六ツというのが今でいう午後八時近くなのに、同じ、暮六ツが冬至だと午後六時前に当る。春分、秋分の頃が、ちょうど午後七時前後となるわけである。

要するに、大ざっぱな言い方をすれば、この時代は日の出、日の入りに合せて時刻を便宜上、明六ツ、暮六ツというように呼び馴らしていた。

五平は、およそ、午後八時前に青山の娘の嫁ぎ先を出た。

青山から六本木まで、男の足ならざっと三十分、雨の夜道としても、四、五十分。まず一時間はかからない。

五平が、さいかち林のあたりで、犬に追われて逃げまわっている女の姿をみたのは、そこから推定すると、午後九時前となる。

馬琴が、神田の番屋へかつぎ込まれた役者の死骸をみたのが、同じ夜の亥の刻すぎ、夜四ツと呼ばれる刻限である。およそ、午後十時から十一時の間になる。

「その……犬に追われていた女というのは、どのような服装をしていたか、わかりませんかな」

訊かれて、五平は頭を掻いた。

「さあ、なにせ、狸の化けたものでございますから……それに、暗い夜のことで」

ただ、感じとしては、そこらの百姓娘のような姿ではなく、

「もっと、いいなりをしていたような気が致します」

袂が長かったような感じがある、と五平がいった。いわゆる筒袖で裾の短い、という恰好ではなかったように思われる。

「もし、そういう恰好の者が、犬に追われていたのでしたら、近くのあまっ子だと思って、石を投げるとか、なんとか助けることを考えたに相違ねえです」

どちらかというと、現実ばなれをした姿の女だったので、最初から五平は変化にでも遇ったような恐怖を感じて、逃げ出してしまったらしい。

「ひょっとすると、狸の奴、俺を欺そうとして待っていたところを、犬にやられたのかも知れねえです」

むしろ、犬に感謝しているような、五平の口ぶりであった。

「狸の死んでいるのをみつけたのは、翌朝だといったね」

「へえ、劫を経た奴でございましたよ。あんな奴に化かされたら、ひとたまりもねえ」

「その狸は、どうしました……」

あくまでも、おだやかに馬琴は追及した。

「狸汁にでもしたのかね」

「いや……」

五平はぼんのくぼへ手をやった。

「俺は食わなかったが……」

正直いって、五平はその狸の処理に困ったという。

「畑に出て、罠にでもかかったのなら、狸汁にするなり、売るなりしますが、なにせ、女に化けたところを犬に嚙み殺されるのを見ちまったもので、どうにも気味が悪くて……」

結局、一緒にいった近所の百姓と相談して、

「秋元さまへお届け申しましたよ」

「秋元……？」

おてつが眼をあげた。

「あの……来る時、通りました大百姓の……」

そういわれて、馬琴も思い出した。三つも蔵のある、この辺の大百姓の家である。

「まあ、この辺で起ったことは、なんでも秋元さまへお届け申せば間違いがございませんので……」

もともと、江戸初期において、町奉行の管轄地は、江戸城の前面、隅田川までの二里四方を府内と呼び、そこを支配するだけでよかった。府外の支配は代官である。

が、明暦の大火以後、江戸の町作りはどんどん広がって、今まで、府外と呼ばれていた田園地帯にも人家が密集して行った。人口も増える一方である。

元来、代官所というのは、田畑の年貢の取立が、主な仕事であった。警察力がないわけではないが、極めて弱体である。

人家が少く、おだやかな農村であった時代は、代官所の支配でなんとかなったものが、町作りが進むにつれて、犯罪も増えるし、面倒な事件も多くなる。とても、代官所では処理が出来なくなって、否応なしに町奉行の管轄地を広げねばならなくなった。

こうして、最初に、南は高輪、北は坂本、東は今戸橋までを町奉行支配に改めた。それでも人家人口の急増には追いつかない。

やがて、深川、本所、浅草、小石川、牛込、市ヶ谷、四谷、赤坂、麻布の二百五十九町が、町奉行所の管轄地になり、更に天明八年になると品川、板橋、千住、本所、深川、四谷、大木戸内を府内と呼ぶように改められ、続いて、文化十三年になると、東は砂村、亀戸、木下川、須田村、西は代々木、角筈、戸塚、上落合、南は上大崎、南品川、北は千住、尾久村、滝野川、板橋までが、府内になってしまった。

管轄地は広がったが、町奉行の人数がそれに比例して増えたわけではない。

いつの時代でも同じことだが、人手不足と不馴れのために中央から遠い土地は、なにかにつけて敬遠されて、町奉行の支配地にはなりながら、代官所とも縁が切れず、どっちつかずの状態で放置されている。となると、案外、幅をきかすのが、土地のボスである。

秋元家というこの土地の大百姓が、それで、土地も金もあるし、代官所では顔がきく。このあたりの水呑百姓にとっては、お奉行さまより怖くもあり、又、頼りにもなる存在らしかった。府内中の府内ともいうべき神田界隈に住んでいては、考えられないことで、それだけ六本木あたりは江戸といっても田舎の風が濃く残っている。

狸の怪に肝を冷やした五平が、その正体をあらわして死んでいた狸の処分に困って、秋元家へ持ち込んだというのも、無理からぬことであった。

「それで、狸はどうなりました……」

おてつが訊いた。秋元家の名をきいて、なんとなく、彼女の口ぶりに敵意がこもっている。

「へえ、あそこの作男の八兵衛というのに、よろしく頼んで帰ったですが……」

あとできくと、やはり狸汁にして食べてしまったという話であった。

「どうも、今でもあまりいい気持のものじゃございません。夜なんぞは、さいかち林のあたりをあまり通らないようにしているくらいで……とんだ、いやなものをみてしまいました……」

五平は思い出すのも不快そうに、汗を拭いた。

帰りは、別な道もあるとおてつがいうのに、馬琴は強いて、秋元家の前を通るといい、来た道を戻った。

黒木造りの門のところから、それとなく覗くと、庭で仕事をしていた人々の姿はみえなくて、生まれて間もないような仔犬が五、六匹、欅の大木の下でじゃれている。

深閑とした母屋のむこうは、かなり広そうで、家の北側には雑木林がある。

両側に畑の続く中の一本道を歩いて、やがて、例の、五平が化け狸をみたさいかち林の近くまで来ると、背の高い男が片手に犬ほどのけものをぶち下げて来るのに出逢った。

「こりゃあ、おてつさま……」

丁寧に頭を下げて、手に持っていたけものを前に突き出した。

「罠にかかって居りましてね。狸ですよ」

おてつは眉をひそめて、慌てて、眼を逸らした。

「あれが、秋元家の作男で、八兵衛という男でございます」

かなり行きすぎてから、おてつがそっと教えた。

五平が狸の処分を頼んだ男である。

「よくよく、狸の多い土地でございますね」

黙ってついて来た宗伯が、これも気味悪そうに呟いた。

六本木から帰って来た夜から、宗伯は疲労のためか、又、熱を出してしまったが、馬琴のほうは、けろりとしている。

はるばる出かけて行った甲斐があったと思った。

翌日、馬琴は自分から早朝に八丁堀へ出かけて行った。

無論、訪ねた相手は犬塚新吾である。

馬琴の話を、新吾は一言も発しないできいていた。

「著作堂先生……」

きき終えて、新吾は深く頭を下げた。

「なにか、お役に立ちますかな」

「立つどころの段ではございません」

おそらく、六本木で五平がみた女というのが、例の殺された役者くずれの蔭間に違いない、と新吾もいった。

「春之助と申す男です。手前は存じませんでしたが、男色の道にくわしい者なら、およそ名の知れている者だったそうで……」

殺された蔭間のことであった。

「上野の蔭間茶屋の話では、近頃、よい客がついて、金ばなれがよく、運がむいて来たと同輩にも語っていたようです」

「成程……」

ちょっと考えて馬琴は訊いた。

「あの夜、犬塚さんはどうして、あの番屋へ来られたのですかな」

町廻りの仕事は、夕方までである。馬琴がみたところ、たまたま通り合せて事件にぶつかったようではなかった。

「実は……」

少し、ためらって、新吾は声を低めた。

「あの折、番屋に居りました上村殿が、それ以前から、事情があって春之助なる男を探索して居ったそうでございます」

あの日、たまたま、或る筋から指令があって、新吾の他、数人が協力を求められたという。

「春之助の行方がわからなくなり、しかも、身に危険がせまっているというような……」

情報が入ったらしいが、それについては、役目の秘密なので、口外は出来ないのだと新吾はいう。

「実際、手前にしても詳細については、わかりかねます」

ただ、或る大きな探索の一部に、春之助がかかわり合っているらしい。

新吾が、同じく協力を求められて出動した笠松京四郎と九段坂方面へ向っていると、半蔵門の西の御用地に女が死んでいると通報があって、かけつけてみると、それが春之助の死体であったという。

「半蔵門の西の御用地……」

すると、六本木で犬に殺された春之助を、そこまで運んで捨てた者があるということになるのか。

「なんのために……」

「無論、春之助の殺された場所を、六本木と知られぬためでしょう」

ただ、犬に襲われて不慮の死を遂げたのか、それとも犬をけしかけた者がいるのか。

衣ずれの音がして、浪路が茶を運んで来た。

甘い女の匂いが、馬琴の鼻孔をくすぐって、へんこつ老人は眩しい眼で、いささか照れくさそうな新吾を眺めた。

宗伯の恋

六本木から帰って来て、宗伯は十日あまり患いついた。

もともとが、ひよわい生まれつきで、子供の時には、ありとあらゆる子供のかかりそうな病気をし尽し、親に厄介をかけ続けたのに、一人前の医者になってからも、脚気を病み、眼病にかかり、咽喉を弱くした。

殊に咽喉は、治っても治っても再発し、風邪をひいたり、疲れると必ず、高熱を持って、十日から半月くらいは枕が上らなくなる。

今度もやはり、それで、食欲は衰え、熱にうなされて、晩春から初夏へ移るいい気候の日々を、薬くさい一間にとじこもってすごしてしまった。

息子が病むと、馬琴は著作に手がつかなくなる。

母親のお百がもう少し、神経の行き届く女なら、看病をまかせておけるのだが、これは、病人がなにを食べたいといい出すまで、自分からは、なにを作ってやるという配慮のない女であった。

熱があれば、口がまずいのだから、咽喉の通りのよい果汁を作ってやるとか、粥を煮てやる気持もなくて、馬琴が黙っていると、下女の作る飯に汁物、こってりと塩味の濃い煮物などを盆にのせて、病間へ運んで行く。

病人が手を触れなければ、そのまま下げて来て、

「あなた、宗伯にも困ったものでございますね。なにも食べませんし、あれでは、治る病気も治りが悪くなりましょう」

不服そうにいいつける。

「もう少し、なにか工夫してやることは出来ないのか。宗伯の好物がなんなのか、母親のお前が知らぬわけはあるまい」

長患いの病人が家にいると、それだけで気が滅入るものである。

「あの子のは、半分以上、気からくる病でございますよ。もっと気持をしゃんとすれば、なんということはございませんのに……」

自分が少々、体の調子が悪いと、今にも死ぬようなことをいってさわぐくせに、根は頑強な体質のお百は、息子の病気にまるで同情がない。

結局、馬琴は自分で下女に命じて粥を作らせ、町へ出て、あれこれと息子の好みそうなものを吟味して来る始末であった。

今度も、その通りで、いくらか熱もおさまったところで、馬琴は、まだ値の高い鰹を買わせ、刺身にして白粥に添え、自分で息子の病間へ運んで行った。

下女に運ばせなかったのは、変なところに神経質な宗伯は、下女の顔をみただけで食欲がなくなったりするからであった。

「父上、お手ずから申しわけございません」

夜具の上に起きて、宗伯は父親に深く手をついた。

「初鰹だ。お前の好物だろう。少しでも箸をつけてごらん。食べることが、なによりの薬餌になる」

馬琴が見守っていると、宗伯は押し頂いて箸をとった。

その手がぶるぶる慄えている。癇癪の病の所為だと眺めていると、俄かに嗚咽しはじめた。

「このような高値のものを、手前のために……」

たしかに、初鰹はこの家の経済にとって贅りではあった。

いつもの年なら、もう一カ月もしないと、滝沢家の食膳には上らない。その頃になると値段も半分以下になるのに、争って初物を食う人々を、馬琴は、

「見栄を食う馬鹿な奴ら……」

と平素は笑い捨てていたのだ。

「よいではないか。たまには初物を食って、七十五日、寿命を延ばすのも……案ずることはない。この頃は、わしも、著述のほうから金が入る。男が初鰹の一匹ぐらいに、涙をこぼすでない」

その気の弱さが、病気の因だと、馬琴はおだやかに叱った。

宗伯は涙を拭き、再び、箸をとり上げる。

子供の時から、馬琴が行儀をやかましくいったせいで、病臥中も、よくよくでないと寝たまま、ものを食べない。

ひょっとすると、この子の育て方をあやまったのではないか、と馬琴は考えていた。

あくまでも、祖先は武士の心得を忘れさせないためにも、子供の頃、馬琴は宗伯が近所の商家の子と遊ぶのを好まなかった。

一日中、家の奥で本を読んでいるか、ひっそりと音をたてないで暮している。

たまに外へ出て行っても、悪童に忽ち、いじめられるのがおちだったから、宗伯自身も滅多に出て行かない。

従って、友達らしい友達は、彼の場合、一人もいなかった。

少年時代、子供らしい楽しみはなに一つ知らずに成長したといってよかった。

青年になってからも、ひたすら父親の命ずるままに、医者の修業をし、酒も飲まず、遊里も知らないらしい。

男として、これでよいのかと、自分が厳しく躾たことを棚にあげて、馬琴は不安になって来た。

考えてみると、宗伯も今年二十九歳になっている。

人並みなら、とっくに嫁を迎え、子も生まれていてよい年齢であった。

といって、この病身では嫁を迎えて、果して満足な夫婦の生活が営めるのか、甚だ心もとない。

「あなた、六本木から、お見舞がみえましたよ」

お百が、立ったまま襖をあけて、甲高い調子で取次いだ。

「医者の娘ですよ。おてつとかいう……」

とたんに、宗伯の頬に血が上った。

「お膳をさげて下され」

馬琴は苦笑した。

「慌てなくともよい。ここへはお通しも出来まい」

若い女を、若い病人の寝ているところへは通せまいと思案して、馬琴はお百にいいつけて、客を自分の書斎へ招じ入れた。

自分で台所へ出て行って、下女に茶菓の指図をし、ついでに手桶の水で鬢を直した。

身づくろいして、書斎へ行ってみると、おてつは縁側に近いところにすわって、すっかり青葉の濃くなった庭を眺めている。

初夏は女を美しくさせるものかと、馬琴は思った。

薄い単衣は軽やかで、おてつの瑞々しい肉体を鮮やかに包んでいる。

「宗伯さまが、ご病気と承りまして、遅ればせながら、お見舞にうかがいました」

挨拶のあとで、おてつはいった。

「お具合は如何でございますか」

見舞に持って来たのは、多摩川の鮎であった。

「まだ少し、ちいそうございますけれど……」

「これは珍しいものを……」

鮎は馬琴の好物の一つだったが、宗伯は川魚は泥くさいといって食べない。

が、まさか、そうともいえず、馬琴はいそいそと自分でその竹籠を水屋へ運んでいった。

戻って来てみると、なんと、すっかり着がえた宗伯が、書斎へ出て来て、おてつに挨拶をしている。

「よろしいのでございましょうか。お起きになっても……」

おてつは心配そうだったが、宗伯は固くなって、しどろもどろに返事をしている。

馬琴は、これは、と思い、ひそかに宗伯の様子に注目した。

人嫌い、客嫌いは、馬琴以上の宗伯が、おてつが来るときまって、自分も座敷へ出てくる。

この前の六本木行きも、あとで又、寝つくとまずいからと、馬琴が口を酸っぱくして制したのに、強情を張ってついて来た。

そのあたりから、うすうす可笑しいとは思っていたものである。

よくよく思えば、宗伯が好意を持っていた隣家の、杉浦家の比奈に、おてつは体つきも顔かたちも、どことなく似ている。

いわば、宗伯の好みの女であった。

父と息子は女の好みが似るというが、馬琴も、こういうタイプの女は嫌いではない。

が、それにしては、宗伯は、だらしがなかった。好きな女を眼前にして気のきいた話も出来なければ、話題をさがすふうもない。

ただ、ひたすら冷汗をかき、遂には茶碗を口へ運ぼうとして、手許が慄えて、とり落す始末であった。

こうなると、おてつのほうも、居心地が悪い。

「長居を致しまして、お体にさわるといけませんので……」

早々に辞去した。

可笑しな人だ、と、帰り道、おてつは駕籠の中で、宗伯にいささか腹を立てていた。

神田の滝沢家へ行くおてつの楽しみは、馬琴から、本の話をきくことにあった。

文学と名のつくような難しい話でも、馬琴の口から出ると、おてつの耳に、なんの抵抗もなく吸い込まれる。

そうでない世間話も、この老人と話し合っていると、おてつは時刻を忘れ、心が充ち足りるのを感じる。

家族には、早くから失望していた。

金のある患家だけを大事にして、その機嫌とりに汲々（きゅうきゅう）としているだけの父親と、それにそっくりの性格の兄。世間の噂話と愚痴にだけ情熱を傾け尽したような母親。そうした家の中で、おてつだけが宙に浮いた存在であった。

父親も母親も、どちらかというと、この娘をけむったく思っているらしい。

縁談もいくつかないわけではないが、おてつも気が進まないし、今までのものは、両親も乗り気でなく、すべて断ってしまった。

が、今、起っている縁談には、父も母もかなりの執着をみせている。

おてつは、好む相手とは思えなかった。

六本木の大百姓、秋元家の当主、左母二郎が、その相手であった。

男のほうは二度目である。前に迎えた妻は蔵前の札差の口ききということだったが、嫁いで来て二年目あたりから気がふれて、或る夜、井戸に身を投げて死んでしまった。

「百姓といっても、苗字帯刀を許された家柄だし、二度目といっても、子があるわけでもない。おてつには、過ぎた縁ではないか」

父の土岐村元立が相好をくずして喜ぶのは、秋元家の富と権力に垂涎してのことである。

左母二郎を、おてつは好かなかった。

近くに住んでいるし、なにかにつけて、おてつの家にもやってくるから、よく知っているが、苦み走ったいい男前で、体つきのがっしりした侍のような男である。

そのくせ、唇が赤く、声が女のように甲高い。

眼つきに険しいものがあることも、身分の下の者にひどい扱いをすることも、おてつは気に入らなかった。

あんな男の女房になるくらいなら、一生、独りでいたほうが、ましだとさえ考えている。

しかし、女が縁談に自分の意志を通しにくい時代であった。

今までは、両親も気が進まなかった。今度は、父も母も兄も、積極的なのである。

いつまで、自分の意志が守れるかと、おてつは不安であった。

彼女にしても、二十一歳、当時としては嫁き遅れに属しそうな年頃である。

今日、馬琴宅を訪ねたのも、宗伯を見舞うという目的の他に、そんな心の悩みを、へんこつ老人に訴えたい気持が大きかったのに、宗伯が同座したため、とうとう、話せずに終ってしまった。

駕籠が六本木に近づいた時、おてつは五平の家へ寄ってみようと思いついた。

この前、馬琴が六本木に来た時、五平のところで何本か植木を買った。ついでがあるから早速、届けると約束した五平が、あれからもう半月になるのに、まだ神田へ来ていない。

「別に急ぐわけではござらぬので……」

その話をした馬琴は、おてつを心配させまいとして、そういったが、植木好きの老人が、植木の届くのを楽しみにしているのは、おてつにもよくわかる。

律義な五平にしては珍しいことだと思い、もしや、体でも悪くして寝ついているのではないかと、気がついたからであった。

六本木の駕籠宿で、駕籠を下り、おてつは歩いて、五平の家にむかった。

こっちからだと、否応なしにさいかち林のふちを通り、秋元家の前を抜けねばならない。

肩を落し、早足で、おてつは秋元家の門を走りすぎようとした。

運悪く、左母二郎が帰って来たところであった。どこへ行っていたのか、馬を下りたところで、片手に鞭を持ち、腰には一本だけ刀をたばさんでいる。

「おてつどのではないか」

果して、左母二郎が、おてつに気づいた。

「そのように急いで、どこへ行かれる」

止むなく、おてつは足を止めて、小腰をかがめた。

「五平のところへ参ります」

「五平……」

ちらと、左母二郎の眼が、いやな光り方をした。

「そなたには、ちと話したいことがある。手間はとらせぬが、寄って行かれぬか」

左母二郎が近づいて来たので、おてつは無意識に二、三歩退いた。

「折角でございますが、ちと、急いで居ります。お話は、又の折に……」

会釈をして歩き出すと、流石に左母二郎はそれ以上、追っては来なかった。

額に汗をかき、呼吸を乱して、おてつは道を急いだ。

やがて、夕暮の中に五平の家の藤棚がみえた。

ぼつぼつ、花の季節で、五平の丹精した大きな花房がいくつも重たげに垂れている。

おてつはあたりを見廻したが、いつもなら、そのあたりの植木畑で、鋏の音をさせている筈の五平の姿はなかった。

家は戸口がしまっている。

「五平さん……」

声をかけたが、返事はなかった。

どこかへ出かけたものかと思う。戸口に手をかけて開けた。

土間から、すぐの囲炉裏のある居間まで、一眼で見渡せる。

男一人の住いで、家の中はがらんとしていた。五平の仕事着が土間の壁にかかっていて、外から吹き込む風に僅かに揺れている。

炉の火は埋めてあったが、火種はあるらしく、おてつが手をかざしてみると、ほのかに温かい。

自在鉤には大きな湯わかしが下っているし、炉のふちに五平の煙草入れがおいてある。

今しがたまで、ここにいて、ふと、なにか用事を思い出して出て行ったような感じである。

外に物音がした。五平が帰って来たのかと、おてつはふりむいた。

ぎょっとしたのは、そこに左母二郎が立っていて、後手に戸をしめたからである。いつの間に、おてつのあとを追って来たものか、薄く笑いを浮べて、漸く夕闇の立ちこめて来た土間の中のおてつをみつめる。

なにかいおうとして、おてつは声が咽喉に絡んだ。

無言で、左母二郎が迫ってくる。おてつはじりじりと逃げた。叫びをあげても、野中の一軒家である。無駄なことはわかっていた。

土間から居間へ上った。そこが一段、高くなっていて、おてつは足をとられてよろけた。はっと視線が裾へ落ちて、とたんに左母二郎がとびかかった。

おてつの手が左母二郎の頬を力まかせに打った。

女に頬を打たせたまま、左母二郎は、おてつをねじ伏せようとする。そういうことに馴れている態度だった。

必死でもがき、おてつは男の胸を突きのけようとした。がっしりした男の体が岩のようで、手ごたえがない。

あばれれば、あばれるほど、男の腕の中で自由にされるのがわかっていて、おてつは諦めなかった。

左母二郎の手が、すべっておてつの咽喉を押した。息が苦しくなり、おてつは死の影をみたように思った。

戸があいた音を、おてつは聞いていなかったが、左母二郎の動きが止った。すかさず、おてつは反転して逃げる。左母二郎が追わなかったのは、男の声が誰何したからであった。

「何者だ……」

若い声だが、鋭いものがあって、左母二郎はひるんだ。

おてつをあきらめて、相手へふりむく。

「俺は秋元家の左母二郎だが、お前は……」

秋元家とふてぶてしく名乗ったのは、このあたりの代官所の者なら、それだけでみてみぬふりで、ひき下るのを承知しているからである。

相手は、左母二郎の期待に反して驚かなかった。

「八丁堀同心、犬塚新吾……」

その声で、おてつは、はねおきた。

「犬塚さま……」

恥も外聞もなく叫んだ。

「私でございます。土岐村元立の娘、てつでございます。いつぞや、神田の著作堂先生のお宅でお目にかかりました……」

犬塚新吾はおてつをおぼえていた。

「おてつどのでしたか……」

相手が悪いと、左母二郎はみたらしい。無言で、土間を出て行った。

新吾は心得て、別に声はかけない。

「おてつどの、手前は外に居ります。御心配なく、身づくろいをなされ」

おてつの姿をみないようにして、外へ出て行った。

体中に恥かしさがかけ上って来て、おてつは慌てて、乱れた衣紋をつくろい、髪に手をやった。

土間に落ちていた櫛を拾い、そわそわとかき上げた。

やっとの思いで、家の外へ出てみると、新吾は藤棚の下に立っていた。

「見苦しい体をお目にかけまして……」

赤くなって、おてつは五平を訪ねて来て、突然、左母二郎に襲われたことを説明した。

「犬塚さまは、どうして、こちらに……」

新吾が来合せなかったら、今頃、どうなっていたことかと、おてつは、その頃になって膝頭が、がくがくしはじめた。

「実は、手前も著作堂先生の話をうかがいまして、五平に話をききたいと思い、六本木まで出て参ったのですが……」

なんでも、自分の足と耳で確かめなければ、気のすまない男でもある。

「おてつどのも、五平をお訪ねでしたか」

その五平は、今になっても帰ってくる気配もない。

「大抵は、植木いじりをしていて、滅多には遠くへ行かない人ですから……」

おてつにいわれて、新吾は家の中へ入った。

やはり、つい、ひょっと近くへ出て行ったような家の中の印象だと新吾もいう。

「少し、待たせてもらうことにしましょう」

新吾が炉の近くにすわり、おてつは気がついて、行燈に灯を入れた。

随分、日が長くなっているが、流石に暮れるとなると早い。

小半刻、待ったが、五平は帰って来なかった。

「お送りしましょう。あまり遅くなると……」

おてつの立場を考えたように、新吾は腰をあげた。

炉の火の始末は、おてつがしたが、灰をさぐってみても、もう火種は殆んどない。それでも、おてつは丁寧に灰をかけ、その上に、最初してあったように湯わかしをかけた。

部屋をみまわして、おてつを先に出し、新吾があとから出て戸をしめた。

外はもう夜になっている。

秋元家の前は、どうしてもおてつが通りたくないというので、麻布を迂回した。

一度、坂を下って、又、上る。

おてつの家までは、かなり手間どった。

「申しわけございません。お手数をかけまして……」

道々、ろくに話も出来なかったのに、いざ別れの挨拶をすると、おてつは急に胸が苦しくなった。

左母二郎のことも怖しかったし、今、新吾に別れてしまうのが心細い。

といって、家へ上ってくれとはいいにくかった。父も母も、八丁堀の役人などというと、それだけで嫌悪する傾向があった。

もっとも、上れといっても、新吾のほうも上る気は全くないとわかっている。

「では……」

新吾が一礼して踵をめぐらそうとした時、どこかで、火事だ、という叫び声がきこえた。

流石に、はっとして、おてつも声の方角へ眼をやった。

火事だ、火事だという声がどんどん増えて、その人々の走るほうへ新吾もおてつも走った。

六本木の高台から、崖下の町と畑を広く俯瞰する場所がある。

そこに、もう五、六人が集って、口々に叫びながら、麻布のほうを指している。

新吾と並んで、おてつもそっちをみた。暗い中に火の手が上っていた。夜のせいか、かなり近くみえるが、火の粉はとんで来ない。

「ありゃあ、五平の家のあたりじゃないのか」

誰かがいい、おてつはぎょっとして新吾をみた。

身をひるがえすようにして、新吾は走り出していた。

「犬塚さま……」

思わず呼んだが、新吾はもう、その声の届かない道を駈けていた。

火事は、やはり、五平の家であった。

近所に人家がなく、人のかけつけるのが遅かったので、火のまわりが早く、村の者が来た時には、火は屋根を吹き抜けていて、手のほどこしようもない。

すっかり焼け落ちるのを、野次馬が遠巻きにして、眺めている始末であった。

夜のことで、六本木の自身番から人が来たが、すぐどうこうするわけにも行かない。

新吾は、土地の岡っ引を使って、焼跡に不寝番をさせ、夜のあけるのを待った。

待つといっても、焼跡のくすぶりがややおさまった時には、空のすみが白く明けかけていたのだ。

夜があけても、五平は帰って来なかった。

自分の家が焼けたのである。近くへ出かけていたものなら、とっくにとんで帰って来なければならないところである。

新吾には、或る予感があった。

やっと明るくなるのを待ちかねるように、提灯の光りをふやし、焼跡あらためをはじめた。

まだ、地は熱く、煙が立ちこめている。

火事場特有のきなくさい臭いの中で、新吾は、下っ引に指図して用心深く、焼けくずれた瓦礫や柱などを取りのぞいて行った。

五平の死体は、その中から出た。

全身、黒こげの焼死体のようであったが、うつ伏せになっていた下の部分が焼けのこって、五平であることがわかった。

「えらいことになったな」

すっかり、夜があけてから、八丁堀からかけつけて来た笠松京四郎が、いささか憔悴している新吾の肩を叩いた。

彼も一応、番屋へ運ばれていた五平の死骸を、あらためてみる。

番屋には青山へ嫁いでいた五平の娘というのが、知らせをきいてかけつけて来て、変り果てた父親の亡骸にとりすがって泣いていた。

つい、この二月に赤ん坊を産み、その祝いに五平が青山をたずねて以来の対面だという。その娘をなにかと力づけ、はげまして、五平の葬式の手配などをしている男が、秋元家の作男で八兵衛というのだと、これは下っ引から、新吾がきいた。

「どうも、合点が行かねえんだ」

一通り、あとの始末を地元の者にまかせて、新吾は京四郎と八丁堀へ帰って来た。

「ともかくも、さっぱりしようじゃないか」

ざっと着がえて、近所の湯屋の暖簾をくぐった。

八丁堀の七不思議と世間がはやすことの一つに、女湯の刀掛というのがある。

湯屋には、町人だけではなく武士と名のつく階級もやってくるから、当然、刀掛の必要はわかるが、八丁堀の場合、その刀掛が女湯にも用意されているというのである。

八丁堀の役人達は職掌柄、気軽く、町の湯屋を利用した。で、朝湯の場合、男湯は早くから混んでいるが、女湯のほうは夕方になるまで、殆んど客はない。

湯屋としては、日頃、お世話になる八丁堀の旦那方に気を遣って、すいている女湯のほうをどうぞとサービスにつとめたのが、この女湯の刀掛の由来であった。

実際、八丁堀の役人に限り、女湯へ入るのが特権のようになっているところもある。

しかし、これも人によりけりで、喜んで女湯を使う役人もいるかわりには、いくら勧められても、笑って男湯しか入らない同心もいる。

新吾は後者のほうで、いまだかつて、女湯を利用したことはなかった。

湯屋のほうも心得ていて、もう決して勧めないし、そうした新吾のさわやかさに敬意を払う

ものもあれば、

「あの旦那は、さばけない」

と、けむったく思う奴もいる。

ともかくも、割合、すいていた男湯で火事場の汚れを落して帰ってくると、浪路が食膳をととのえて、京四郎と共に待っている。

「どうみた。五平の死骸だ……」

飯がはじまったところだというのに、おかまいなく、京四郎が訊く。

「刀傷はなかったようだ」

首はこげていたが、しめ殺されたようでもない。

「どっちにしても、火事で逃げ遅れて焼け死んだのではないな」

新吾はいった。

「俺が、おてつどのと五平の家を出た時、五平は留守だったんだ。そのあとで帰って来たとしても、火事になるまでに小半刻とかかっていない。まさか、帰って来て、すぐ寝てしまって、火事に気づかず焼け死んだというのは、平仄が合うまい」

深夜ではない。

若い者ならともかく、年寄が三十分足らずの間に眼がさめないほど、熟睡してしまうとは思えなかった。

「酒に酔って帰って来たとしたら、どうだ」

五平は酒を好むという証言を、京四郎はきいて来ていた。

「深酒をして酔っぱらって帰って来て、そのまま、ねむり込んでしまったあとで、火が出たとする……」

「火が出るわけがない」

新吾はいい切った。

「俺達が家を出る時、囲炉裏には火種は残っていなかったし、おてつどのが、更に丁寧に灰をかけていたのを、俺もみている」

行燈は消して来たし、他に火事になるようなものもなかった。

「そいつはわからねえ。五平が帰って来て、酔ったまま、行燈に火をつけようとして、うっかり手許が狂って、火事になった……」

新吾は少し黙った。

「五平は、どこで酔って来たんだ。あの夜、五平に酒を飲ませた者があれば、そういうことも考えられなくはないが……俺はどうも五平が火事で死んだとは思えねえ」

どこかで殺されて、あの家へ運ばれて来て、そこで犯人は家ごと五平を焼いた。

「なんで、殺されたんだ」

と京四郎。

「狸の化けたのをみたからじゃないのか」

新吾の眼は、最初からそこへ集中していた。

青山からの帰り、五平は犬に女が殺されるのをみた。

「おそらく、そいつは誰かが犬をけしかけて殺させたものだろう。よく仕込んだ犬なら、人間一人を殺すなんざ、わけもねえことだろう。その現場を五平にみられた。気がついた犯人は、狸を使って、殺された女は狸が化けたと五平を欺したんだ」

素朴な土地の百姓なら欺されもする。が、それを、別の人間がきき込んで、疑問を持ったとしたら。

「五平を生かしておいちゃ、危ねえだろう」

結果的にいうと、馬琴が六本木へ行って、五平に逢ったのが、五平の死を早めたのではないかと新吾は考えていた。

六本木から、おてつが逃げるようにして、馬琴の許へとび込んで来たのは、その月の終りであった。

「どうぞ、かくまって下さいまし。私、六本木にいたら、死ぬより他はございません」

蒼白になって、すがりつくおてつに、馬琴は驚いた。

ざっと話をきいてみると、秋元家からどうしても、おてつを嫁に欲しいと矢の催促で、土岐村家では、父の元立がことわり切れず、とうとう、正式に結納を入れる約束になってしまったという。

「私、どうしても、秋元家には片づきたくございません。それに怖しくて……」

なにが、おてつをそう恐怖させるのかわからないままに、馬琴は使をやって、八丁堀から犬塚新吾を呼んだ。

「犬塚さま……」

新吾の顔をみるなり、おてつは涙ぐんだ。秋元左母二郎との縁談を拒否する気持の中に、新吾に対する恋心が芽ばえているのを、おてつは、まだ、はっきりと自覚していない。

馬琴に、新吾は止むなく、五平の死を語った。

「あの植木屋が死んだ……」

そこで、おてつが思いがけないことをいい出した。

「五平さんは、あの日、酔って家へ帰り、行燈に火をつけようとして、火事をおこして焼け死んだという話でございます」

それは、新吾にしても初耳であった。

八丁堀へは、そんな届けは、まだ出ていない。

「誰が、そんなことをいっているのだ」

「秋元家の八兵衛でございます」

あの日、五平は八兵衛にさそわれて、秋元家の台所でふるまい酒に酔っぱらった。八兵衛が送って行こうというのを、ふり切って帰ったが、

「五平さんが家へ帰りついて間もなくという頃に火事が出たそうでございます」

代官所でも、そう信じているし、地元の岡っ引も、それで納得している様子だという。

「待って下さい。そうすると、おてつどのとの縁組を、急に秋元家がいそぎ出したのは、五平の家の火事のあとということになりましょうか」

おてつがうなずいた。

「その前から、おはなしはございましたが、こんな、やいのやいのといい出したのは、あの翌日からで……」

新吾は、ちょっと考えて、馬琴に向き直った。

「思うところがございますので、おてつどのは、当分、手前がおあずかり申します。又、先生にも、町方の者を当分、用心のため、つけておきたいと存じます」

「なるほど、いよいよ、面白くなって来ましたな、犬塚さん……」

面白い、といってしまってから、へんこつ老人は、五平の死に気がついたようであった。

「それにしても、五平どのには気の毒なことを致した。今にして思えば、なまじ、手前が六本木を訪ねたのが、仇となったような……」

新吾が、よくよく気をくばって五平の死を話し、又、おてつが五平の死因を酒に酔ったまぎれの過失と六本木では取り沙汰されていると語ったにもかかわらず、へんこつ老人はやはり、その死の真相を別なところに考えているようであった。

「著作堂先生、差し出たことを申し上げるようではございますが、当分、この事件にはお近づきになりませぬよう、もし、先生の身に何事かございましては、手前にしてもとりかえしのつかぬことと相成ります故、くれぐれも御自重下さいますよう……」

へんこつ老人が唇をへの字にまげた。

「それは、威しですかな。それとも、お上のお指図かな」

「滅相もない。手前は、ただ、先生の……」

ははは、と馬琴は入れ歯の口で笑った。

「御心配、御無用……犬塚どののお邪魔になるようなことは、かまえて致さぬ。市井の老人になにが出来よう。力なき蛙、骨なき蚯蚓……」

当分の間、六本木の土岐村家からおてつのことを問い合せて来ても、知らぬ存ぜぬで突っぱねようと、これは、おてつも同意見であった。

そうときまれば、六本木からの追手を考えても、ここに長居は無用であった。

新吾は、おてつを伴って早々に、馬琴宅を出た。

夏が近づいて、日の暮れが、かなり遅くなっている。

玄関の近くに植えてある梨の木に白い花が満開であった。

「それでは……」

見送った馬琴に新吾が会釈し、おてつも深く小腰をかがめた。

花の下でみると、新吾とおてつはまことに似合いの男女に映る。

ふと、馬琴は宗伯の気持を思いやった。大事な用談だからと、新吾が来た時から、宗伯を部屋から遠ざけている。律義な彼のことだから、おてつが新吾に伴われて行くのも知らず、自分の居間でひっそりと父に呼ばれるのを待っているに違いない。

だが、馬琴は我が子不愍の気持を押し伏せた。役者殺しに端を発したらしい今度の一件が、思いの外、根が深いようなのは、馬琴にもおよそ、察しられる。それにつけても、おてつの行く先は、我が子にも口外しないほうがよいと思われた。

そんなことを考えながら、もう遠くなった二人の後姿を見送っていた馬琴は、いきなり背後から声をかけられた。

「馬琴先生……」

猫のように足音を立てず、杉浦家のお貞が立っている。

「今、お帰りになったお二人連れは、たしか八丁堀の犬塚さんじゃありませんか」

いやな奴にみられたと、馬琴は苦い顔になった。

「女連れとは、お珍しいじゃありませんか。一体、お連れの方は、どういうお人なんですか」

大きなお世話だと、へんこつ老人はそっぽをむいた。

「よいではないか。誰が誰を連れて歩こうと……お手前の知ったことか」

「おや、おかくしにならなけりゃいけないような代物なんですか」

「馬鹿な……あれは、犬塚どのの許嫁……左様、いずれ女夫(めおと)になる娘御じゃよ」

しまった、と思ったが追いつかない、へんこつ老人は早々に、門の内へひっこんだ。その玄関に、宗伯が蒼ざめて立っている。

「父上……」

慌てて草履を脱いだ馬琴へ追いかけるようにいった。

「おてつどのは、どこへ行ったのですか。おてつどのは、いったい……」

「これ……」

制して、それとなく外を窺った。門の外に、まだ、杉浦のお貞が耳をすませているような気がする。

慌てて書斎へ入った。

「大きな声を出すな」

「おてつどのは、どこへ行ったのですか」

まるで子供だ、と馬琴は三十にもなる息子をもて余した。

「おてつどのは、犬塚どのが引受けて、或る所へ当分、かくまって下さることになったのだ」

「或る所とは、どこですか」

普段、大人しい宗伯が父親にくってかかる調子であった。

「それをきいて、どうする」

反問されて、宗伯は赤くなった。

「いい加減にしなさい。おてつどのの事情はそちもきいていたことではないか」

「しかし、父上、おてつどのは手前どもを頼ってみえられたのです。なぜ、手前どもでかくまって差上げないのか……」

「馬鹿者、ここでかくまい切れるか」

おてつが家出をしたとわかれば、まず、おてつの実家が眼をつけるのが、神田の馬琴宅に違いない。狭い家の、どこにおてつをかくまい切れるか、と馬琴は息子を説いた。

「よいか、誰に訊ねられても、おてつどののことは知らぬ存ぜぬで押し通すのだ。迂闊にお前達が口をきくと、とんだことになる……」

馬琴は宗伯だけではなく、女房のお百にも、きびしくいいきかせた。

六本木の土岐村家から、おてつの兄の元祐が神田へやって来たのは、翌日の早朝であった。

馬琴は、お百や宗伯に決して顔を出すなといい含め、自分で応対に出た。

「おてつどのは確かにここへ見えましたよ」

敷台に立ちはだかるようにして、へんこつ老人は相手をみた。

「しかし、すぐ又、ここを出て行かれました」

「出て行った……」

元祐は血走った眼をして、奥をのぞくようにした。

「左様……」

「妹は縁談を嫌って、家出したのです」

「そのようにきき申した。秋元左母二郎とやらいう仁と縁組がおきまりとか」

「父も母も昨夜は一睡も致して居りません。もし、妹の行方が知れぬ時は、秋元家に対し、なんと申しわけをしてよいやら……」

「さもあろうと存じて、手前もおてつどのに不心得をさとし、家へ帰ることを勧め申したが、それでは、家へはお帰りにならなかったのですな」

大袈裟に嘆息をついてみせる。

「妹は何刻頃、ここへ参りましたか」

「午すぎでしたか……一刻ほども話しこんで帰られたように記憶して居りますよ」

「妹は、先生にどのような話を致しましたか」

「まあ、手早くいえば、嫁入りの気が進まぬというだけのことを、とかく、女子の話は廻りくどうて手間がかかりますでな。その他のことは別になにも……」

「ここを出て、妹の行く先にお心当りはございませんか」

「さあ、一向に……」

所詮、元祐は、馬琴の敵ではなかった。へんこつ老人の舌先三寸に丸められて、早々に帰って行った。

が、六本木からの問い合せが、これで済むとは、馬琴も思っていない。

八丁堀の犬塚新吾に、六本木から元祐の来たことを知らせてやりたいとは思いながら、馬琴は遠慮した。下手に動くことは危いし、新吾のことだから、おそらくはこの家に見張りをおいているに違いない。素人がわざわざ知らせなくとも、案外、むこうにはわかっているとも考えられた。

こういう時は、じっとしているのに限ると、馬琴は連日、書斎にひきこもっていた。もともと、外出嫌いなだけに、家に居るのは一向に苦にならない。

馬琴が予想した通り、六本木の土岐村家からは、再三、人が来た。

おてつの行方について、躍起になって探索しているのがよくわかる。

何度、問われても、馬琴の答えは一つであった。

来るには来たが、帰ったし、その行方については、まるで心当りがない、と。

「よい加減にして下され。どうして、手前どもで、おてつどのをかくまったり、かくしたりする必要がござるのか。それほど、深いつきあいというではなし……」

馬琴が声を荒くしても、土岐村家のほうは一向に、たじろがなかった。殆ど二日おきくらいに、家族の誰かがやってくる。

「決して、著作堂先生にお疑いをおかけしているわけではございませんが、なにせ、おてつの行方が全くわかりませず、ひょっとして、いつか又、こちらへ頼ってくるかも知れぬと存じまして……」

いってみれば、藁にもすがる気持で、馬琴のところへ訪ねてくるのだといわれれば、むげに叱りつけるわけにも行かない。

「その後、おてつどのの縁談のお相手というのは、どうなされた……」

用心深く、馬琴はさぐりを入れた。

「それが、秋元家でも手を尽して、妹の行方を求めて居る様子でして……」

「すると、破談にはならぬのですかな」

仮にも縁談を嫌っておてつが家出をしているのである。相手としては、まず、気を悪くして、婚約を破棄しそうなものだと馬琴は思う。

「秋元家では、かようなことになっても、おてつを諦めぬと申して居ります」

「ほう……」

馬琴は眉をひそめた。

「土岐村どののほうから、何故、おことわりにはならぬのかな。家を出るほど嫌い抜いた縁談を、おてつどのに無理強いして、若い女子のこと、もし、ひょっとして思いつめでもして、命に別状あってはとんだことではござらぬか。如何によい御縁であろうと、おてつどのの命には替えられぬ筈……」

元祐はうなだれた。年も若いし、思慮分別のあるほうではないが、正直な男でもある。

「何分にも相手が悪うございまして……」

「はて、秋元家とは、たかが大百姓、土岐村どのがお困りになるほどのことはござるまいに……」

苗字帯刀を許されている資産家といっても、大百姓は大百姓と馬琴は不審に思った。

「実は……今、大奥で、将軍家の御寵愛第一と噂の高い、お勝の方さまの御実家なので……」

流石に、馬琴は呼吸を呑んだ。

「お勝の方さま……」

数年前、将軍家が鷹野の帰りに、六本木の秋元家へ立ち寄って、そこで茶の接待に出た秋元家の娘、お勝を見染めたという。

無論、大奥へ入るには、然るべき武士の娘ということにして、某旗本が養女として、そこから大奥へ入るという体裁をととのえたらしいが、ともかくも……、

「只今の当主、左母二郎は、お勝の方さまの兄に当るので……」

成程、まずい相手だと馬琴はうなずきながら、胸中に血の湧くのを押えかねた。

例の二月の雨夜、馬琴が出逢った犬を連れた美女は、板倉屋小左衛門の娘で里江といい、その里江が奉公しているのが、他ならぬお勝の方であった。

今、又、新たに知ったことは、同じ夜、六本木で春之助という役者が犬に嚙み殺されたらしいということに加えて、その六本木の大百姓、秋元家がお勝の方の実家だった事実である。

馬琴の胸の中で、糸車が音をたてて廻り出している感じであった。

おそらく、犬塚新吾はすでにこれらのことを承知の上で、おてつの体をあずかって行ったものと思われる。

とすると、最初に感じたように、秋元左母二郎がおてつに執心するのは、単なる恋慕だけではないと考えたほうが近い。

「父上……」

六本木から来ていた元祐が帰って間もなく、宗伯が書斎へやって来た。

「お願いの儀がございます」

　例によって顔色がひどく悪く、その上、極度に緊張しているらしく。唇のすみが小刻みに痙攣している。

　なにをいい出すのかと、馬琴は無精髭の生えた息子の顔を眺めた。

「あの、お願いが……」

「いいなさい。なんだ……」

　視線が合うと、宗伯は赤くなってうつむいた。膝の上で握りしめた手が、亦、ぶるぶると慄えている。

　物心つく頃から父親を畏怖している息子であった。馬琴の前で己れの意見を述べたり、願いごとを告げたりするのは、一年の中に数えるほどしかない。

「どうした……いいなさい。黙っていてはわからぬ」

　二十九にもなっていて、いいたいこともなかなか口に出して言えない息子を不愍とも思い、又、苛立たしくもあって、馬琴は少し、強い調子でうながした。

　ごくりと唾を飲みこみ、宗伯は頭のてっぺんから声を出した。

「お、おてつどのを、手前の嫁に……」

　声が絡んで、咳込んだ。

「おてつどのを……」

　あっと思い、同時にそうだったと馬琴は思い直していた。土岐村のおてつに、宗伯が心を惹かれているらしいとは、満更、気づかないわけではなかったが、折が折だけに、面倒なことをという思いのほうが強い。

「お願い、おねがい申します」

畳に額をこすりつけて、宗伯は何故か涙ぐんでいるようにみえる。

「おてつどのを、嫁に欲しいというのか」

「はい」

「おてつどのに、そういう話をしたのか」

「いえ……」

「しかし、嫁に欲しいというからには、おてつどのがお前の嫁になってもよいというようなそぶりがみえたとか、それらしい口約束のようなものがあるのではないのか」

「滅相もございません。そのようなみだらなことは全く……」

「わからぬ奴よ」

つい、苦笑した。

「わしがいうのは、そちの気持が、おてつどのに通じているのかどうかということじゃ」

宗伯は肉の薄い肩を落した。

「さあ、それは……」

「文などつかわしたのか」

当てずっぽうにいったのに、宗伯は身ぶるいして平伏した。

「申しわけございません」

「やったのか」

馬琴は驚いた。この生まじめで融通のきかない男が、いつの間におてつに恋文を出したのか。

「何度、つかわした……」

「二度でございます」

宗伯の声は蚊のなくようである。

「返しはあったのか」

「いえ……」

「ないのか」

「はい……」

「一通も……」

「はい」

ほっとする気持と、がっかりする気持が馬琴の中で同居していた。

「それは、いかぬ。二度つかわした手紙の一つも返事がないのは、おてつどのが、まるでお前にその気がないという、なによりの証拠ではないのか」

「いや、そうとも思えません……」

宗伯は律義に答えた。

「手前がつかわしましたのは、二度とも恋歌でございます。おてつどのは、あまり、読み書きは得手のようではございませんので……」

おそらく歌の意味がわからなかったのではないかと、宗伯はいった。

「父上の前でございますが、あの女は無智でございます故……」

馬琴は啞然とした。

おてつを無智だと軽蔑したようなことをいいながら、嫁にもらってくれという宗伯の真意はどこにあるのか。

それをいうと、宗伯は笑った。

「妻に致すには、あまり読み書きなど達者でないほうがよろしいかと存じますが……」

さも知ったかぶりにいう息子が、馬琴には小面憎かった。

「おてつどのは、其方が思うよりは、遥かに利発者じゃ。そのような量見では、仮におてつどのが承知してくれたとて、とても添いとげることは出来ぬぞ」

夫婦というのは、おたがいにいたわり合い、どこかで敬し合うものがなくては長続きしないといいかけて、馬琴は、黙った。息子にそんな説教が出来るような自分ではない。

妻のお百の無智を軽蔑したまま、多くの子を産ませ、三十年以上も添いとげている馬琴自身が、ひどく気恥かしく思われた。

だが、宗伯は神妙に父の言葉をきいている。

「御教訓は肝に命じます故、なにとぞ、父上よりおてつどのに手前の気持をお話し下さり、嫁にもらって頂けませぬか」

親から縁談を進めてもらうのが、筋道だと宗伯はいった。

「なにもかも、父上におまかせ申します」

勝手に恋文を送って、くどきそこねているくせに、おまかせするとは虫がよすぎるとは思いながら、馬琴はやはり我が子が不愍であった。

「しかし、おてつどのには今、縁談がある」

「おてつどのは嫌うて居ります」

まるで、自分のためにおてつが秋元左母二郎を拒んだとでもいいたげな宗伯であった。

「それにしても、結納まで入っていることもある。いずれは破約となるにしても、今、そちが、おてつどのを嫁に欲しいというのは無理だ」

いい出す時期が悪いと馬琴は息子をたしなめた。

「まず、暫く待ちなさい。秋元家との確執がのぞかれ、おてつどのが自由になった時、あらためて、おてつどのの気持を問うてみるのが順というものじゃ」

秋元左母二郎との縁談がはっきり、こわれて、白紙に戻ったなら、その時はおてつの気持を打診して、その上で土岐村家へ人を介して、縁談を持ち込んでもいいと馬琴はいった。

「いつまで、待てばよろしゅうございますか」

宗伯は玩具をとりあげられた子供のような表情をしていた。

「いつまでとはいえぬ。秋元家とのことが片づくまでだ」

「その前に、おてつどのに逢うてはいけませんか」

「今はまずい。おてつどのを我々がかくしていること、土岐村家に知れては一大事だ」

うろうろと宗伯が八丁堀へ出かけて、そんなことから、おてつの居場所が知れては大変であった。

「そちはなにも知るまいが、秋元左母二郎という男、なかなか、怖しい相手のようだ。くれぐれも気をつけて、軽はずみをしてはならぬぞ」

馬琴の言葉に、宗伯はうなずき、それでも重ねていった。

「大丈夫でございましょうか」

六本木からの探索のことかと馬琴は思った。

「我らが動かねば、みつかる気づかいはない。軽挙をつつしんで、時を待つことだ」

「犬塚どのです」

「犬塚どの……？」

「おてつどのが、無事で居りましょうか」

嫉妬かと、漸く馬琴は気がついた。

「なにを申す。犬塚どのは立派な仁だ。決して、左様なことはない」

「いえ、手前が案じますのは、おてつどのの気持でございます」

おてつはひょっとして犬塚新吾を好いているのではないかと、いいにくそうに宗伯はいった。

「おてつどのが、犬塚どのを……」

思いもよらないことだったので、馬琴は少し声を大きくした。

「なにか、そのような気配でもあるのか」

夕暮の庭に風が出て来た。

桐の葉が大きくゆらいで、その梢に陽が急に翳った。

「いえ、手前の思いすごしかも知れませんが……」

寒いという季節ではないのに、宗伯は肩をすくめた。

おてつのことは当分、辛抱するようにといいきかせ、宗伯を退けてから、馬琴は庭を眺めていた。

形ばかりの築山の下に、宗伯が薬用にと植えた丁子花や、さふらんなどがよく伸びて来ている。

数日前、肩を並べるようにして、この家を立ち去った犬塚新吾とおてつの姿が眼に浮んだ。恋をする者は、思わぬところに敏感だという。たしかに、宗伯にいわれて、思い出すと、おてつの様子がどこか、いそいそとしていたようにも思われた。

考えてみると、おてつはこの家で犬塚新吾に逢っているし、六本木の五平の家では危く、左母二郎に蹂躙されかかったところを、犬塚新吾に救われている。

女心としては、そんな時、どんなに助けてくれた相手が頼もしくみえるものか、馬琴にも想像出来ないことではない。

それに、馬琴が女の立場で考えてみても、犬塚新吾は男前といい、人柄といい、おてつが惚れても仕方がないほどの器量を持っている。

その意味では、我が子ながら、とても宗伯は犬塚新吾の敵ではなかった。おてつがどっちをとるといえば、まず、宗伯に勝味はない。

へんこつ老人は、いささか憂鬱な顔をして風の吹いている初夏の空をみつめていた。

その日、犬塚新吾は非番であった。

朝から、居間の机に前夜、奉行所から許しを得て借り出して来た書類を並べては、しきりに読みふけっている。

頃合をみはからっては、茶をいれて、そっと運んで行くのが、おてつは楽しかった。茶も、湯加減も吟味して、仕事の邪魔にならぬように、そっと入って行く。新吾は眼をあげて、礼をいうこともあるし、おてつをふりむきもしないで書類にかがみこんでいることもある。

どっちでも、おてつの心はときめいた。新吾と視線が合うと、体中の血が燃えるようであったし、そうでなくても、男の力強そうな肩のあたりを後からさりげなくみつめるだけで胸が熱くなる。

この屋敷での暮しは、おてつにとって、今まで生きて来た中でもっとも、充実したものになっていた。

女といっては、老婢一人である。

「当分、この家にいてもらうことになった。面倒を頼む」

おてつについて、新吾は奉公人達にそれしかいわなかったが、誰一人、おてつにものを訊ねようとしなかった。

無関心というのではなく、新吾という若い主人を信じ切って奉公人達は、おてつを大事にしてくれている。

寝る時は、老婢と同じ部屋であった。

「窮屈かも知れぬが、男の多い屋敷のことだから……」

新吾はそんな言い方をしたが、若い女を独り身の主が客分にして泊めるのに、それ相当の配慮をしてくれているのだと、おてつはわかった。

客なのだから、気らくにしていてくれともいわれていながら、おてつは来た翌日から襷をかけて水屋へ下りた。老婢が固辞するのを、上手にいなして、飯の仕度、洗いもの、縫い仕事など、気のつくことは、かまわず手伝った。

もともと、働くことが苦にならない性格だし、心惹かれる人の世話をするのであってみれば、なにをやっても働き甲斐があるようであった。

おてつが来てから、この屋敷は俄かに明るくなっていた。

男と年よりだけでもの静かだった朝夕に、若い女の笑い声が聞え、いきいきした動作につれて、家の中に花が咲いたような雰囲気が出来た。

「よろしいのでございましょうか」

父の代から奉公している、新吾にとっては、時として親がわりのような老人が、一度だけ、新吾にきいた。

「あまりに若い女子を屋敷内におきましては」

人の口がといいたげなのに、新吾は笑った。

「気にするな。訊ねられたら、お前の身よりの娘だとでもいっておけ……」

が、奉公人たちが気にしているのは、世間の噂ではなかった。

八丁堀では、定廻り同心の屋敷に小間使いが一人増えたからといって、とやかく詮索する物好きはいない。

「あの……旦那様……」

鹿爪(しかつめ)らしく、孫六がいった。

「このところ、お隣りの浪路さまが、おみえになりませぬが」

新吾の幼友達でもあり、同僚の笠松京四郎の妹である。

「おてつと申す女子のこと、笠松さまにお話し申されておいたほうがよろしくはございませんか」

そこまでいわれれば、新吾にも、孫六の言いたいことは推量出来る。

「爺も、苦労性だな」

どっちにしても、京四郎におてつのことは黙っているつもりはなかった。ただ、彼に話す前に、新吾としてはどうしても調べておきたいことがあっただけである。

「笠松の家へ声をかけておいてくれ。京四郎が帰って来たら、俺が待っているとな」

すぐ出て行ったのが、戻って来た。

「里江さまと申される方が、おみえになりましたが……」

女人

板倉屋の里江は大振袖に錦の帯を屋敷風に結んで、眼もさめるような姿であった。女にしてはすらりと背の高いほうで、眼鼻立ちも大きく、はっきりしているから、鮮やかな振袖の模様がよく似合う。なんという香料か、衣裳にでも焚きこめてあるのだろう、里江が動く度に、ほのかにただよってくるものがある。

新吾が里江をみるのは、これが三度目であった。

一度は夜の花の下を犬に守られて走って行った彼女であり、二度目は、梅の花の散り終った尼寺の境内で、まぶしいばかりの春の光の中に立つ彼女を崖の上からみた。

そして三度目、客間で近々と向い合うと、その輝くような美貌は一層きわ立ってみえる。

孫六が無骨な手つきで茶を運んで去った。

おてつは無論、奥へかくれている。

「板倉屋の里江と申しまする」

手を突いて、里江はしとやかに頭を下げた。

「犬塚新吾です」

会釈を返して、新吾は相手をみた。里江も悪びれず、視線を伏せない。

「里江殿には、大奥へ御奉公と承って居りましたが……」

新吾が不審に思うのは、大奥へ奉公に上っている者は気儘に城内を出ることはない。実家へ帰るのも年に二度がせいぜいだし、殆んど自由は許されていない。

非公式にしてもこうして八丁掘を訪ねてくるのも異例だし、夜中、犬を連れて徘徊したり、尼寺へ泊ったりというのも、いぶかしい。

「大奥にはお出入りは致して居りますが、御奉公申し上げているわけではございません」

里江があっさり答えた。

「お出入り……」

「お勝の方様に、笛のお稽古に参って居ります」

「笛をたしなまれてお出でですか」

「ほんの少々でございます」

芸の相手として大奥へ出入りしているだけなら、どこに出没しようと不思議ではない。

「つかぬことをうかがいますが」

里江のほうから訊ねた。

「犬塚様には、滝沢馬琴と申すお方と御昵懇のようにきいて居りますが……」

新吾は表情を変えなかった。

「はあ、左様です」

「近頃、神田同朋町をお訪ねになりますか」

「いや、このところ御用繁多で御無沙汰仕って居ります」

「もっとも近く、あちらにお出かけ遊ばしたのは……」

「さあ、十日ほども前になりましょうか」

「お一人で……」

新吾は相手をみた。

「いや、一人ではありません。往きも帰りも二人でした……」

「往きも帰りも」

里江の表情に微妙なものが浮んだ。

「立ち入ったことをうかがうようでございますが、その時の犬塚様のお連れのお方のお名前をおきかせは頂けませぬか」

「連れの名ですか」

苦笑して、新吾は里江を眺めた。

「どうも困りましたな」

おっとりと笑っていたが、内心はやはりと舌を巻いている。あの日、随分、要心したつもりなのに、おてつを連れて馬琴宅を出る姿を誰かにみられ、それが六本木の秋元左母二郎側の耳に入っている。

「何故、里江殿は手前の私事をお訊ねなさるのですか」

やんわりと押し返してみたが、里江は微笑もしない。

「おきかせ頂けませぬか」

「いや……実は面目ないことですが、あれは手前が二世を誓い合った女子でござって、まだ世間へは明らかにした間柄ではなく、あまり口外はしにくいのですが……」

その手はくわぬぞといいたげに、里江が口許をほころばせた。

「二世をお誓いになったとおっしゃるからには、女子でございますね」

「左様です」

「そのお方は、いつもお屋敷内にお住いでございましょうか」

「まさか、そういうわけには参りません。当家は老人と男ばかりの所帯にて……」

「左様でございましょうか」

里江の視線がさっきから注がれている場所を何気なくみて、新吾はどきりとした。違い棚のすみに、おてつが置き忘れたのだろうか赤い袱紗がたたんだまま乗っている。

里江が艶然として新吾へいった。

「おかくしになってはいけませぬ。犬塚さま、古歌にも、かくせど色にあらわるるとか申しましょうが……」

その時、襖がそっとひらいた。白い女の手が敷居ぎわにひっそりと揃えられて、

「お話し中、申しわけございませぬ。お茶を新しくして参りましたが……」

浪路は、作法通り、つつましやかに茶碗を里江の前へおいて一礼した。小ざっぱりした木綿物で、薄化粧だが、これは又、露をあびてひらいたばかりの朝顔のような可憐さがある。

「浪路か、よう気がついた」

新吾はかまわず呼び捨てにした。いつの間に、どうして浪路がここへ現われたかは考える暇

がない。

「里江殿、おひき合せ申そう。笠松京四郎の妹、浪路です。手前とは幼馴染、と申すより、先程、申し上げたように二世を誓い合った者でござる」

おだやかな新吾の視線を受けて、浪路は初々しく頬を染めて挨拶をした。

「浪路と申すふつつか者にござりまする」

里江の顔色が変った。

「すると、神田へ行かれたのは……」

「これと一緒でした。なにせ、御用繁多で、近くに住みながら、二人で先のことを語り合う折もなく、たまたま、あの日は非番でしたので……」

日頃、敬愛するへんこつ老人に浪路をひき合せるために連れ立って出かけたのだと、新吾はいった。浪路がはにかみながら、それを肯定するようにうなずいている。

「浪路、あれに袱紗を忘れて居る。気をつけよ」

浪路は違い棚をみ、赤くなって手をつかえた。

「これは、とんだ粗相を致しました。申しわけございません」

いそいそと袱紗をとって帯にはさみ、再び手をつかえて、静かに客間を出て行った。

新吾はいささか改まった。

「里江殿」

「わざわざお出で下さったのは、如何なる御用向きで……まさか、手前と浪路のことについて、御不審というわけでもござるまいが……」

「いえ……」

少し眼を伏せ、里江は急にさわやかな表情になった。

「実は、今日、参りましたのは、お勝の方さまの御内意を受けてのことでございます」

お勝の方の実家は、六本木の大百姓、秋元家だと里江はいった。

「お方様の兄に当るお方で、秋元左母二郎と申すお人が居られます。そのお方がみそめられた女子が、縁組を嫌って家出を致しました」

新吾はうなずいた。

「そのことは著作堂先生よりうかがいました。手前がうかがう前に著作堂先生を訪ねてみえられ、帰られたとのことですが、それっきり、六本木へは帰られぬとか、著作堂先生よりお手紙があって、手前なども職掌柄、気をつけては居りましたが……」

「秋元家では、どうやら著作堂先生がおてつどのをかくまったと思うて居ります」

「ほう……」

「たまたま、あの日、犬塚様が著作堂先生をおたずねになったことがわかり、ひょっとして、おてつどのをおあずかりになったのではないかと申す者がありましたので……」

歯に衣をきせない調子であった。

「それは残念ながら人違いですな」

「あらぬお疑いをおかけ申し、恥じ入ります」

優しいそぶりで会釈した。

帰るという里江を送って、新吾は廊下へ出た。

「よけいなことをうかがうようだが、左母二郎どのと申されるお方は、何故、左様に一人の女子に執念されるのか。里江殿は御存知ではございませんか」

里江は艶然と笑った。

「さあ、それは、殿方の男の意地とやら、私には、殿方のお気持は計りかねます」

立ち止って、新吾をみつめた。

不意だったので、新吾は里江にぶつかりそうになり、危く、体をひいた。狭い廊下で両側は壁である。

「今日のお詫びに、一度、犬塚様を向島の寮へお招き致しとうございますが、お出で頂けましょうか」

里江の香りが、新吾を息苦しくさせていたが、彼はたじろがなかった。

「名にし負う板倉屋どのの寮とあっては、後にはひけますまいな」

女の眼が薄暗い中で妖しい微笑を浮べている。

「そのお言葉を、どうぞ、お忘れ下さいませんように……」

供一人連れず、里江は八丁掘を出て行った。

「凄い女だな」

新吾が戻ってくると、居間に笠松京四郎がいる。

「おてつどのは……」

早速、訊いた。

「万一を考えて、孫六がついて俺の家へ行っている……」

「浪路どのを出してくれたのも、お前の才覚か」

「いや、あれは、孫六が浪路を呼んで、臨機応変にやってのけたらしい。俺が来たのは、そのあとだ……」

「助かった……」

おそらく、おてつが八丁堀にかくされている事は、むこうもとっくに当りがついているのだろうが、ああ、鮮やかに里江の出鼻をくじいてやったのは、新吾にしても快かった。

「浪路の奴も一生懸命だったんだろう。あいつも、このところ、心細げだったからな」

「心細い……」

反問したが、京四郎の顔をみて、新吾はその意味を解した。

おてつがこの家に来ていることで、浪路は浪路なりに小さな胸を痛めていたに違いない。

そのことは、孫六からも忠告されていた。

「すまない。理由を話しに行けばよかったのだが……」

「なに、あいつはお前を信じているさ、信じていながら、涙が出るというのは女の常だ」

そこへ浪路が兄のために茶を運んで来た。

「さしでたことを致しまして……」

恥かしそうに手を突いた。お俠なようでも浪路のような娘としては、せい一杯の大芝居だったろう。

「浪路、新吾がそなたを賞めてくれたぞ。助かったといっている。安心せい」

新吾がいう前に、京四郎がいそいそと口を出した。

どうやら、犬塚家におてつが来ていることを不安がっていたのは、浪路だけではなかったらしい。

「言葉が足りなくてすまぬ。実は、かくまっているのは、六本木の医者、土岐村元立という者の娘で、おてつどのという」

おてつが秋元左母二郎との縁談を嫌って馬琴の許へ逃げて来たいきさつを新吾は語った。

「成程、これは根が深い……」

秋元左母二郎が、それほどおてつに執心するのは、勿論、おてつに惚れたということもあろうが、それ以上に、おてつと五平、おてつと馬琴や新吾とのつながりのために違いない、と京四郎もいう。

「著作堂先生のお宅へおてつどのをおいては、おてつどのも危い。又、先生に御迷惑がかかってはと思って、とりあえず、我が家へ連れて来た」

それだけのことだと、新吾にいわれて、浪路は頰を染めた。

「だから、俺がいわねえことじゃねえ。誰が来ていようと、かまわねえから、今まで通り、犬塚の屋敷へ出入りしてていりゃいい。お前が一人でくよくよしていてもはじまらねえのに、とかく、女って奴は厄介だ」

ずけずけ、いわれて、いよいよ浪路は顔を上げられない。

「よせ、今度のことは俺が悪い。もう、それ以上、なにもいうな」

それにつけても、この家にこれ以上、おてつをおくのはまずいと新吾は考えていた。敵が目をつけたからには、それ相応の対策が必要となる。

「そりゃあ、なにも浪路の肩を持つ気じゃねえが、一日も早く、安全な場所へ移すに越したことはねえだろう」

京四郎も賛成であった。八丁堀の中とはいっても、相手が将軍家御愛妾のお勝の方の実兄となると、どんな手を用いてくるか見当がつかない。

「そいつは、他に少々の心当りがある。片棒かつがせてくれ」

やがて、京四郎は浪路を連れて帰った。

その間に、おてつは八丁堀を抜け出していた。

ともかくも安全な犬塚新吾の庇護を逃れて、八丁堀を出ることが、どんなに危険か、わからないわけはなかった。

が、それにも増して、おてつを絶望的にさせたのは、浪路の存在であった。

迂闊なことに、おてつは犬塚新吾にきまった相手がいるとは、ゆめ、思ってもみなかった。相手は同じ同心仲間の妹で、幼なじみときいただけでも胸がつぶれるほどの思いなのに、眼の前にみた浪路は花のように美しく、可憐であった。

その上、新吾の口から、ただ、あずかっているだけの娘とはっきり自分のことをいわれた時、おてつは空蟬のようになった。

八丁堀を出たところで、辻駕籠をたのみ、行く先は、やはり、神田同朋町の馬琴の家しかなかった。

おてつが身を投げ出して、恥も外聞もなくとりすがって泣けるのは、へんこつ老人の膝の他には考えられない。

だが、やっとの思いで、たどりついてみると、玄関へ出て来たのは、宗伯であった。

ここ二、三日、宗伯は例によって原因不明の微熱と空咳に悩まされて、寝たり起きたりの状態であった。なにをするにも気力がなく、頭の中は白く濁ったような感じで、そのくせ苛々と落つかない。

宗伯自身は、そんな自分の状態を、恋の病ではないかと考えていた。

もともとが、内攻的な男だけに、恋も埋め火の中の栗のように、じりじり燃えている。思い切って父親に打ちあけてみたが、結果は待てであった。

待てるくらいなら、打ちあけはしなかったと、宗伯は内心、一人で愚痴っていた。消極的な性格の癖に、忍耐はあまり得意ではない。

子供の頃から、心にまかせないことがあると、手許にあるものを叩きつけてこわしたり、荒れ狂うことがある。しかし、父親の居る時は、決して、そういう発散のし方は出来なかった。自分が爆発しそうでも、じっと我慢している。

感情をぶつけて当り散らすのは、母親とか妹とか、自分より弱いものに対してであった。そうした自分の卑怯さを、彼自身、気がついていて、そのことに又、苛立つという悪循環であった。

家族中が、もっと自分の性格を理解してくれていたらと、いつも、宗伯は歎いていた。

父親の馬琴は、おそらく息子のことを出来の悪い、荷厄介な存在だと思っているに違いないと、宗伯は考えている。体力でも気力でも、六十代の父親に、三十代の息子はかなわなかった。

二夜も眠らずに著作の筆をとったあげく、井戸端で水をかぶったり、木刀の素振りをしたりする馬琴の子に生まれながら、宗伯のほうは、まず夜更しをすれば熱を出すし、水をかぶれば、夏でも間違いなく風邪をひく。実際、宗伯が少年時代、彼の柔弱をなおそうとして、馬琴が木剣を振らせたところ、忽ち、肩の筋を違えたかして、筋肉が熱を持ち、大さわぎしたことがある。それ以来、馬琴は息子の体力作りを諦めてしまったようなところがあった。

それはさておき、おてつがたどりついた時、馬琴宅には宗伯しか居なかった。で、玄関で訪なう女の声に止むなく出て来たものの、客がおてつとわかると、宗伯は化石のようになった。

病中なので無精髭はのびているし、皺だらけの浴衣に細紐を結んだだけの恰好である。

惚れた女の前に宗伯は棒立ちになっていた。

逃げ出すことも出来ないし、気のきいた挨拶をする余裕もない。

だが、おてつのほうは宗伯の姿なぞ、まるで眼中になかった。彼の髭がのびていようと、寝巻姿であろうと、おてつにはなんの関心もない。

「あの……先生は御在宅でございましょうか」

すがるような思いで、おてつはいった。

宗伯はびくんと慄え、かすれた声で答えた。

「いえ、留守でございます」

「お留守……あの、御遠方にお出かけでございますか」

表を人が通り、それだけでおてつは恐怖を感じた。門から覗けば丸見えの玄関で、いつまでも立ち話をしているのは危険この上ない。

「あの、申しわけございません。奥で待たせて頂きます」

愚図々々している宗伯の返事も待たず、草履を脱いで、裏をなかにして重ねて持ち、おてつはずんずん、奥へ入った。

慌てて、宗伯がとんでくる。

客間へ通せばよさそうなものを、宗伯はなんとなく自分の部屋へおてつを案内してしまった。障子をあけてから、狭いところに布団が敷きっぱなしなのに驚いて、とりあえず、二つ折にして、すわるだけの場所をあける。

くずれるようにおてつがすわった。八丁堀から、張りつめて来たものが、薬くさい部屋という、壺中の天地に身をおいたとたん、どっとこわれた。

「宗伯様……わたくし、もう八丁堀には居られません……」

相手が頼りない病弱の男であろうとも、おてつは訴えずには居られなかった。誰でもいい、話をきいてもらって、思いきり泣きたいものが、おてつの胸からあふれていた。

おてつの言葉と涙を、宗伯は彼なりに判断した。

「それでは、もしや、犬塚どのが……」

おてつが犬塚新吾に手ごめにされたような気分に宗伯はなっていた。熱いものが体中に流れ出す。

新吾の名をきいて、おてつは激しく泣き出した。

「私、もう二度と犬塚様の許へは帰りません。どうか、ここへおいて下さいまし」

宗伯はまっ赤になった。

「おてつどの……」

上気して、宗伯はおてつににじり寄った。

「安心なされ。もう、どこにも行くことはない。あなたさえよければ、いつまでもここにいて下さい」

おてつは嗚咽し、宗伯はそんな女の肩にさわることも出来ないで、律義に端座したまま、夢中でいい続けた。世の中のすべてが敵にまわっても、自分だけはおてつの味方であり、命をかけてもおてつを守るであろうということを、訥々とかきくどいた。

「ありがとう存じます。宗伯様、どうぞ、お力にすがらせて下さいまし」

感情が乱れて、心がぼろぼろになっているおてつには、そんな彼の言葉すら、真実、嬉しかった。

もはや、実家にも帰れず、初恋ともいうべき犬塚新吾への慕情も砕けたおてつの気持は藁にもすがるような頼りなさで、宗伯へ近づいていた。それが、どんなに危険なことか、普段の彼女なら、まずわからない道理はないのに失恋の痛みは、おてつから思慮分別を奪っていた。

玄関に人の声がした。

おてつが顔をあげ、宗伯をみた。

「犬塚様です……きっと……」

声をきいただけで、その人とわかるのがおてつには悲しかった。僅かの間に、それほど自分の心が、犬塚新吾にのめり込んでいた証拠のようなものである。

「手前が追い返して来ます。ここを動かないで……」

宗伯が浴衣の衿をかき合せるようにして立ち上った。蒼い顔で出て行く。動くなといわれたのに、おてつはやはり耳をそばだて、廊下まで忍び出た。落ついて、やや低い犬塚新吾の声と甲高い宗伯の声が何度かきこえた。

「居ないといったら居ません。この家は手前一人です。母は妹と飯田町へ行って居ります。父も夕刻まで戻りません」

新吾が受けた。

「それでは、後刻、又、参りましょう」

出て行く男の足音を、おてつは切ない思いで聞いていた。新吾との縁が、ふっつり切れてしまったようで、追い返した宗伯がむしろ、怨めしいようである。出来ることなら、走り出して、新吾の後を追いたいと思い、おてつは唇を嚙みしめた。

宗伯が慌しく戻って来た。

「おてつどの、逃げましょう。ここは危い」

馬琴が犬塚新吾に出逢ったのは、自身番の近くであった。

「著作堂先生……」

新吾のほうから走りよって来ておてつの失踪を告げた。

「幸い、おてつどのらしい女を乗せた駕籠屋と行き合いまして……」

同朋町の馬琴の家の門前まで送ったことがわかったので、早速、訪ねたのだが、

「御子息が来ぬといわれまして……」

「宗伯が……」

「ひょっとすると、御門前までは参ったものの、内へは入りかねて引き返したか、それとも、秋元家の息のかかった者に発見されて連れ去られたか……」

とにかく、この辺りを下っ引に固めさせ、自分はこれから六本木まで行ってみるという。

「先生からおあずかり申しながら、面目次第もございません」

「いや……」

馬琴は手をふった。彼は彼で、思い当る節がある。

あたふたと、馬琴は我が家へ戻った。

「宗伯ッ、宗伯ッ」

二度、呼んだが、家の中はひっそりしている。

廊下をまがって客間をのぞき、そこに誰もいないのを確かめてから、宗伯の居間の障子をあけた。

夜具がすみに片づけられていて、その上に宗伯が脱いだ浴衣が袖だたみになっている。

「宗伯ッ」

台所から書斎まで、くまなく探したが宗伯の姿はどこにもなかった。

熱を出して寝ていた病人である。一人でどこへ出かけるわけもない。

再び、宗伯の部屋へ戻った。狭いが、ここも庭にむかっていて、縁側には宗伯のために薬湯をあたためる火鉢がおいてある。

その縁を下りたあたりに、きらりと光るものがあった。

馬琴が下りて拾い上げてみると、あまり上等ではないが、女物の平打ちのかんざしで月にほととぎすの図柄が彫ってある。

まず、女房のお百のものでも、末娘のおくわのものでもないと馬琴は見当をつけた。

「宗伯ッ……」

庭から裏へ出る。

果して、枝折戸があけはなしたまま、かすかな風に揺れている。

そこからは雑木林で、右手には隣家の植込みが続き、左は道が三つに分れている。どこにも、人影はなかった。

むっとするほど厚くなった木々の梢で鳥の声がしている。

「宗伯ッ」

我にもなく大声をあげ、馬琴は落葉の道を走り出した。

坂を下ってみたが、どこにもそれらしい人影はなかった。

引き返して雑木林の中を西へまわる。そこが杉浦家の垣根の外で、馬琴は、なんの気なしに、杉浦家の庭へ視線をやった。

庭に清太郎らしい人影がすわっている。こっちをみているようなので、馬琴は垣根に近づいた。

もしかすると、おてつを連れて逃げて行く宗伯を清太郎がみていないとは限らない。

「もし……」

垣根越しに声をかけた。

清太郎が、こっちへ首をまげたように馬琴にはみえた。

不審に思ったのは、清太郎が地面の上にすわっていることである。

垣根からは距離もあるし、植込みのむこうなので、清太郎の全身がよくみえない。

「清太郎さん……」

呼んだとたん、清太郎の体がぐらりと揺れて、そのまま、前こごみに突伏した恰好になる。

馬琴は慌てた。

垣根を乗り越えも出来ないので、裏口へ走った。

ちょうど、この家の下女が買い物にでも行ったらしく、味噌こしを下げて戻って来たところである。

下女を先に立てて、庭へまわった。

血の匂いがして、馬琴は足を止めた。先に倒れている清太郎へ近づいた下女が、きゃっと叫んで、とびのいた。

両手を血に染めて、清太郎はもがいていた。腹に脇差を突き立てている。彼の袴もその下の土も、血が流れて、馬琴は思わず眼をそむけた。

腹を切って、死に切れないで苦しんでいる清太郎を、馬琴は夢中で止血した。

若い時分に医者を志した時代があったおかげで、その程度の心得はある。

腰をぬかしたような下女をどなりつけて、迎えに行かせた医者が到着するまでが長かった。

馬琴にしてみれば、宗伯とおてつのことも心配だったが、半死半生の清太郎を放っておくわけにも行かない。

やっと、外科医が来て、清太郎を上にあげ、本格的な手当をしてみると、実際に傷口はそれほど深くもなく、馬琴の最初の処置がよかったこともあって、生命には別状もないだろうという。

それでも、清太郎は苦しがって、唸りつづけている。

「著作堂先生……」

背後から呼ばれてふりむくと、思いがけず笠松京四郎であった。

五月人形のような顔が苦笑している。

「おとりこみのようですな」

近所で杉浦清太郎切腹のことをきいて来たのかと思ったが、そうではないらしい。

「実は、御子息とおてつどのを保護して居りますが……」

「宗伯を……」

「はあ、只今、この下の自身番までお越し願っていますが……」

相手が馬琴の息子なので、京四郎は一応、敬語を使っていた。

「なにをしでかしましたか」

自身番ときいて、馬琴は親心でかっとなった。

「あ、いや、別になんということでもございませんが……」

慌てての京四郎の説明だと、宗伯とおてつは千鳥ヶ淵の近くで、京四郎の手先にみつかったらしい。

「幸い、近くに手前が居りまして……」

京四郎は、新吾の依頼を受けて、下っ引を動員しておてつの行方を求めていた最中である。

知らせを受けてかけつけると、宗伯は脇差を抜いて抵抗をしたらしい。

「お上にお手むかいを……」

普段の宗伯からは考えられないことなので馬琴は茫然とした。いったい、なにが宗伯を狂気にさせたものか。おぼろにわかるような気もするし、又、わからない。

「幸い、おてつどのがなだめてくれましたので、ともかくも、手前の申す通り、坂下の自身番までは御同行願ったのですが……」

そこで又、宗伯がごねているらしい。

「申しかねますが、御子息を御説得願えませんでしょうか」

おてつを探して六本木へ行った新吾も、使をやったから間もなく戻ってくるという。

「それは、とんだお手数を……」

馬琴は恐縮し、杉浦家の下女に清太郎のことをまかせて、京四郎と外へ出た。

垣根の下に卯の花が咲き出している。

瓢簞から

自身番は障子を閉め、外に下っ引が二人立っている。

近づいた京四郎と馬琴の姿をみて、丁寧に腰をかがめ、一人が障子をあけた。

「どうか、かわりはなかったか」

京四郎の問いに、一人がうなずき、

「お連れが只今、神妙にするよういいきかせています」

下っ引のいった意味を、馬琴は宗伯がおてつを説得しているのかと思った。

理由はわからないが、八丁堀からとび出して来たおてつを、宗伯が犬塚新吾の許へ戻るよう、理を尽して勧めているのなら、話はわかる。解せないのは、千鳥ヶ淵のあたりで京四郎の手先に発見された時、宗伯が手むかいをしたことである。大方、六本木の秋元家から来た男達と勘ちがいをしたのだろうか。

が、障子の内へ入ると、説得している声はおてつであった。狭いところへ宗伯が端座して、脇差を膝にひきつけるようにして、下っ引と自身番の老人をにらみつけている。

「あの、先程から近づくと腹を切って死ぬとおっしゃいますので……」

なかにいたのが、馬琴もよく知っている、このあたりの岡っ引の長次という男で、もう五十をすぎた半白の髪だから、その年功で宗伯をなだめなだめていてくれたものに違いない。

なんのために宗伯が切腹するといっているのか、馬琴にはわけがわからなかった。

「先生……よいところに……」

おてつが馬琴をみて、ほっとしたように中腰になった。反対に宗伯は父親をみるなり、脇差をひき抜こうとした。

「なにをする……」

馬琴がどなる前に、京四郎がとび込んで宗伯の手から脇差を奪い取った。

「死なして下さい。おてつどのと添われぬくらいなら……死にます」

がばと手を突いて、宗伯が悲痛な声をあげた。

「なんだと……」

おてつが慌てて、馬琴に説明をした。

「申しわけございません。私が宗伯様をおたより申し上げましたのを、宗伯様がすっかり思いつめておしまいになりまして……」

八丁堀からとび出して、身をおくところもなくなったおてつに同情して、宗伯は死ぬことを考えたらしい。

「それでは、私、あいすみませんので、おとどめ申して参りましたのですけれど……」

なんのことはない、火をつけたおてつが、宗伯の燃えすぎに仰天して、火消し役に廻っているようなものであった。

本末が転倒して、宗伯が必死になればなるほど、他人の眼からは喜劇であった。

道理で、笠松京四郎や長次の表情が、中途半端な筈である。馬琴の手前、笑うに笑えずというところだろうし、又、馬琴の枠でなかったら、とっくに二つ三つ撲られているところである。

「愚か者奴が……そんなことで、お上に御厄介をかけてなんとする……」

面目なさに、馬琴は叱りつけた。

「おてつどののことは、お前が口を出すべき筋ではない。お上におまかせしたことだ」

「いえ……」

宗伯はどもって、それでも叫んだ。

「おてつどのを渡すくらいなら……死、死んで……」

「お前に腹など切れると思うか、馬鹿ッ」

「切れます。手前だとて、腹ぐらい……」

「うるさいッ」

馬琴が手をのばして、宗伯の襟髪を摑むと老人とも思えない力で、ずるずるとひきたてる。

「父上……」

苦しがって、宗伯がもがき、おてつが馬琴をとめた。

「先生、どうか、お許し下さいまし」

だが、馬琴はかまわず息子を自身番からひきずり出した。

怒りもあったが、一つにはいつまでも息子の恥を衆目にさらしたくなかった。

父にひっぱられて、宗伯はもはや抵抗はやめて、心ならずも歩いてくる。

坂を上って、道行く人が不思議そうに馬琴親子をふりかえってみた。

「はなして下さい。父上……苦しい……」

だが、馬琴は一言も口をきかなかった。

やがて、我が家の門がそこにみえる。馬琴は道をそれた。

宗伯を連れて行ったのは杉浦家であった。

裏口で下女が汚れものを洗っている。馬琴をみて立ち上った。

「清太郎どのは……」

下女はなんとも答えられない顔をした。

「お貞どのは帰られたのか」

「いいえ……」

「そうか……」

失礼するとことわって、馬琴は宗伯を庭伝いに清太郎の部屋の外まで伴った。

外科医は弟子に手伝わせて、傷口を縫合しているところであった。

苦しがってあばれる清太郎を二人の男が押えつけている。

「父上、何事です……」

流石に宗伯も、清太郎をただの病気や事故とは思えなかったらしい。

「清太郎どのが、腹を切った」

低く、馬琴はいった。

「天下泰平のこの世で、今時の若い奴らが腹を切れば、まず、こういうことになる。よくみておけ。その上でお前も切りたければ好きにせい……」

宗伯の体をぐいと縁側へ押しやって、馬琴はその背後に立った。

ぎゃあッ、と清太郎が悲鳴をあげる。医者が、患者を制した。仮にも侍が、我慢もなく苦痛の声をあげ続けることかとへんこつ老人は苦い顔をした。

女でも、出産の時、苦痛を噛みしめて外へ洩らさないのがたしなみというのに、清太郎は唸りっぱなし、叫びっぱなしであった。

切りそこなったとはいっても、とにかく腹を裂いたのだから、痛いのはわかる。

不意に、宗伯がぶっ倒れた。血の色がなくなって、額に油を塗ったような汗であった。

「人の切腹をみて、卒倒する奴が、なに、腹など切れるものか」

家へ連れて帰って、手当をしてやってから、思い出して、又、どなった。

その頃になると、飯田町へ行っていたお百もおくわも帰って来て、これはなにがなにやらわからないままに、おろおろと宗伯の頭を冷やしたり、薬を煎じたりしている。

杉浦清太郎が切腹しそこなったというのは、二人とも家へ帰りつく寸前に、隣家の伊藤常貞の女房からきいて来たという。

「杉浦さんの下女がお医者を呼びに行く時、呼びとめてきいたらしいんですよ」

「あの、お喋り婆あが……」

豚のように肥った常貞の女房が、したり顔で近所中、触れまわっているのが眼に浮ぶようだ。

「そんなものをみせるからですよ。笹で指を切ったって、蒼くなって、気持が悪いっていい出す子なのに……」

お百は宗伯が清太郎の治療を手伝って具合が悪くなったとでも思い込んでいるらしい。

「いったい、どうして、清太郎さん、おなかなんて切ったんですか」

「俺がわかるか……」

第一、切腹を、おなかを切るとは、なんという言い草かと、馬琴はむかむかした。もともと下駄屋の娘だから、武士の切腹も、おなかを切るも一つことにしか考えられないのだろうと情ない。

「大工が間違えて、腹に手斧を叩き込んだのではないのだ。おなかを切るなどというと笑われるぞ」

「そんなこと、わかってますよ。刀で切ったんでしょう」

お比奈さんのことが原因ですよ、とお百はしたり顔をした。

「お比奈さん、いよいよ、大奥へ御奉公に出ることになって、今、日本橋のほうへあずけられてるそうですからね」

そういえば、ずっと姿がみえないのは、馬琴も気がついていた。

「お貞さんが、清太郎さんの留守に連れ出して、それっきり、行った先も清太郎さんに教えないって話ですよ。清太郎さんって人はおとなしいから、思いつめたんじゃありませんかねえ」

「馬鹿、侍が女子のことで腹など切るか」

「ありますよ。お芝居にだって……主と寝ようか　五千石とろか　なんの五千石　主と寝よ……」

流行り歌をお百は聞くに耐えない声で歌った。

夜になってから、馬琴はお百を杉浦家へ見舞に行かせて、清太郎のその後の様子を訊ねさせたが、帰って来ての話では、ちょうど、義母のお貞が帰って来たばかりで、まだ杉浦家にいた医者と、しきりに話し込んでいたという。

「なんだか、お邪魔のようなので、早々に帰って来たんですけども」

ろくな挨拶もなかったと、お百は口をとがらせた。

家人のすべてが眠ってしまってから、馬琴は書斎に籠って、机にむかった。

丁字屋平兵衛から再三、催促されながら、八犬伝の筆があまり進んでいない。

ものを考えたり、書いたりには、決して悪い季節ではないのに、どうも、身辺の雑事にわずらわされすぎている。

まず日記の筆をとり、それから、墨をすり直して、草稿に向った。

泰平の世に半生をすごして来たから、馬琴にしても切腹を眼のあたりに見るのは、今日がはじめてであった。

腹の皮を切っただけの未熟な切腹であっても、凄惨さは、まだ、馬琴の瞼の中に残っている。

その印象だけでも、書きとめておこうと思い、馬琴は記憶をたどりながら、筆を進めていた。

ものを書いている時の癖で、馬琴は時刻を忘れていた。

杉浦家に外から客が来たと思われるのが、真夜中すぎであった。

あまり、親類と行き来をしていないとはきいていたが、場合が場合だけに、やはり呼んだものかと考えていた。

その客が帰って行ったのが、明け方近くで、馬琴は漸く、筆をおいて手水場へ立って行った時である。

手水場の窓から何気なくみていると、垣根のむこうの道を提灯をつけて戻って行く男の顔がみえた。

どこかで見たような、と思い、書斎へ帰ってから気がついた。

桜の季節に、向島の板倉屋の寮へ招かれた時、馬琴を迎えに来た役者のようないい男の手代である。

板倉屋の手代が、どうして杉浦家へ見舞に来たのか、杉浦家と板倉屋にどういうかかわり合いがあるのか、見当もつかない。

やがて、馬琴は書斎のすみに自分で床をのべて眠った。

起きたのは午すぎで、宗伯の部屋をのぞいてみると、まだ熱のある顔でうつらうつらしている。

馬琴の顔をみると、矢庭に夜着を頭からかぶってしまった。

「あなた……旦那様……」

お百が入って来て、そっと手招きする。

例によって、宗伯は昨日からなにも食べていないらしい。

「それが……土岐村のおてつさんを嫁にもらってくれるまでは、一切、食べないと申しまして……」

「なんだと……」

「さっき、おくわが粥を運んで参りましたら、そう申したそうで……」

「あきれた奴だな」

おてつと今すぐ女夫になれないわけは馬琴も嚙んで含めるように話してやったし、宗伯自身、わからないわけはないのに、子供のようにききわけのないことをいい出した息子に馬琴は腹を立てた。

「放っておけ。人間、飢え死にするまで腹の減るのはどんなに苦しいものか、一度ぐらい知ってみるのも悪いことではあるまい」

苦り切って言い捨てたが、お百はおろおろしている。

隣家の杉浦家のほうも、もう捨てておけといったのに、お百は、又、出かけて行って今度は長時間、お貞と話し込んで来たらしい。

「あなたにくれぐれもよろしく申し上げてくれということでしたよ。お礼に行きたいが、まだ、清太郎さんが苦しみっぱなしなので、手がはなせないっていってました」

お百を相手に長話をする暇があって、すぐ隣りへ、礼に来る暇がないというのは筋が通らないのに、お百はけろりとしてそう伝言する。

清太郎の容態は、今日になって熱が出て、やはり、大層な苦しみ方だという。

「伊達や酔狂でおなかなんて切るものじゃありませんね」

夕方には、蘭方医が来るということであった。

「うちの宗伯も、蘭方の医者に診てもらったらどうかなんて、お貞さんがいってくれたんですけど、わけを話したら、恋患いは蘭方でも仕方がないだろうって……」

「馬鹿、そんな身内の恥を話す奴があるか」

「お貞さんですから、かまいませんよ。きっと、そうじゃないかっていわれました。おてつさんのような女は男好きがするから用心したほうがいいと思っていたんですって」

馬琴は不機嫌な表情になり、黙った。

おてつを男好きのする女といわれたことがひどく癪にさわる。

といって、おてつが男好きのするタイプであることは、馬琴も認めていた。どこか肉感的で、当人は意識していないらしいが、素人娘には似合わぬ媚態がある。

「あなた、どうなさるおつもりですか」

おてつを宗伯の嫁にもらうのかと訊かれて馬琴は困った。

お百は、六本木をとび出して来たおてつの背後にある不可解なものを知らない。ただ、秋元左母二郎との縁談を嫌って、とぞんざいに解釈している。

「気の強そうなひとだし、親のきめた縁談を嫌って家をとび出すようなふしだらな人を、宗伯の嫁にはどうかと思いますけど……」

その宗伯の断食はまだ続いている。

その夜も杉浦家は人の出入りが多かった。

蘭医が来たようでもあり、その他にも何度か人が出入りしているふうである。

まだ、夏にふみ込んだばかりの季節なのに、その夜はひどく蒸した。

水差の水がなくなって、馬琴は明け方近く台所へ行った。

暗い中で、かすかな物音がする。小さい手燭を傍において、宗伯が飯櫃の前にかがみ込んで、しきりに残り飯を口へ運んでいる。

意地を張って、母や妹の運んだ膳には手も触れなかったくせに、夜更けてから、こんな盗み食いのような真似をしているのかと、馬琴は情なくもあり、又、安堵もしていた。

本気で断食して、命に別状があってはと、ひそかに心を痛めていた折である。

足音を忍ばせて、書斎へ戻り、馬琴は咽喉が乾いたままで、眠った。

翌日の午後になって、お貞がぞろりとした身なりで訪ねて来た。

菓子折を出して、二日前の礼をいった。

蘭医の手当がよかったのか、清太郎は熱もいくらか下って、苦痛も前ほどではなくなっているという。

「それにつきまして、先生にお願いがございます……」

清太郎が切腹しそこなったことを、どうか口外しないでもらいたいとお貞はいった。

「御役向には、あやまって、怪我をしたことにとりつくろってございます」

清太郎は確か御勘定御普請役であったと馬琴は思い出していた。

切腹しそこなったでは、侍の面目も立たないし、まして女のために死のうとしたとわかっては、お役御免になる怖れもある。

「わたしは口外はして居りませんが、しかし、人の口に戸はたてられますまい。第一、この近所では、誰も知っていること、その点を配慮なさらぬと……」

お役目先にはもう手が打ってあるとお貞はいった。

「お上役にも、ご近所にも、御挨拶がすんで居ります」

ということは、口止め料が動いたわけである。

「何分にも杉浦家の大事でございますし、お比奈もやっと御城内へ奉公がきまりました。清太郎のことが、悪い噂になりましても困りますので……」

「お比奈さんが大奥へ御奉公に上られるのですか」

お百から、その噂はきいていた。

「はい、西の丸様へ参ることにきまって居りますよ」

お貞は得意そうであった。

西の丸様とは現将軍家斉の世子、家慶のことである。父、家斉がこの年、五十七歳、まだ矍鑠として現職にあったから、家慶は三十五歳にして、部屋住みであった。

十一代家斉は、徳川将軍の中、最も子福者で知られている。

およそ、四、五十人もいたといわれる愛妾、側室から誕生した子女が、文政十年までに五十三人を数えられたが、その半数以上が早世、夭折している。

後に十二代将軍となった家慶は、家斉の四番目の子で、寛政五年五月十四日、本丸において誕生した。母はお楽の方といい、小姓組押田藤次郎敏勝という者の娘であった。

家斉にはその前の年の七月に、同じく愛妾お満の方から生まれた長男の竹千代があったが、この竹千代が、寛政五年六月二十四日、つまり、次男、家慶が誕生して一カ月ほど後に病死したので、家慶はその年の九月から将軍世子となり、若君様と呼ばれることになった。

当時、将軍の世子は大納言、もしくは権大納言に任ぜられるのが、きまりであったから、家慶も、父、家斉在世中は西の丸にあって、西の丸様、もしくは大納言様と呼ばれていた。

この西の丸様も父、家斉に似て、なかなかの好色であった。

もっとも、家斉が天保八年に六十六歳で隠居した時、家慶はすでに四十四歳にもなって居り、その後も、大御所様と称して、政治に干渉する父将軍を持っては、その半生を無為閑居せざるを得なかった家慶としては、せめて、父親と競争して愛妾に子を産ませる他に精力の使いどころがなかったのかも知れない。

その家慶の正室は有栖川宮一品中務卿幟仁親王の姫で楽宮喬子という女性であったが、九歳で当時十一歳だった家慶に嫁し、文化九年から十三年にかけて五回、懐妊し、その二回は流産、出産した三児はいずれも夭折し、文政三年二月、二十六歳で世を去っていた。

その後の家慶の愛妾は、家慶の生母、お楽の方の姪に当るお定の方、そのお定の方の姪であるおつゆの方、又、後に十三代将軍家定となった政之助の生母に当るお美津の方などが西の丸にあって、本丸の大奥と妍を競っていた。

杉浦清太郎の義母、お貞の連れ子であるお比奈は、どうやら、西の丸様の御愛妾、お美津の方の許へ奉公がきまったらしい。

「お貞どの」

馬琴は、少し改まってお貞へいった。

「よけいなことかも知れないが、清太郎どのの、この度の不祥事には、どうやら、お比奈さんが関係しているように、わたしは思うのだが……」

西の丸へ奉公させるよりも、折をみて、清太郎と夫婦にするつもりはないかと、馬琴はいった。

「そう申してはなんだが、清太郎どのは御勘定御普請役、お比奈さんがその御内室におさまれば、お貞どのも老後に少しの気がねもなく、安心この上もないことと思うが……」

お貞は、笑い出した。

「これは、先生らしくもないことをおっしゃいますね」

もともと、年齢に似合わぬ派手好みの女だったが、夫に死別してからは、少しは慎しみの気配でもみせるどころか、一層の若作りになって、今日も義理の息子が死ぬの生きるののさわぎを起して病床にあるというのに、まるで奥女中のような厚化粧で、紅の色までなまなましい。

「お比奈と清太郎は兄妹でございますよ。先生、そりゃ、たしかにお比奈は私の連れ子で、清太郎とは血のつながりはございません。それでも、縁あって、私が杉浦の家内に収まって、清太郎と親子の盃をかわした上は、他人であっても兄妹に変りはございますまい。兄と妹が夫婦になるというのは、先生のお書きになる人倫の道にそむく行いではございませんか。そうじゃございませんか」

勢に乗って喋るとき、お貞は盛んに舌なめずりをする。馬琴には、それが、蛇が舌なめずりをするようで気味が悪かった。

「それに、先生、先生はどうお思いか知れませんが、清太郎があんな馬鹿なことをしでかしたのは、お比奈のせいじゃございませんのさ」

なにをいうのかと、馬琴は白い眼で眺めていた。清太郎とお比奈の仲が、ただならぬものであったのは、馬琴が知っている。抱き合っている二人を偶然、目撃して冷や汗をかいたのは、この春のことであった。

「論より証拠、お比奈を西の丸様へ御奉公に出すことは、清太郎が上役のお方に頼んで来たものなんですから……」

お貞の話によると、お比奈が今度、奉公するのは、西の丸の大奥で御坊主をつとめている長寿という者の部屋子として入ることがきまったという。

「先生ですから、本当のことをいってもかまいませんが、私はお比奈を御本丸大奥のお勝の方さまの部屋方へおねがいしようと、板倉屋さんにおたのみ申して居りましたのさ」

板倉屋小左衛門の娘、里江というのがお勝の方へ笛の教授に上っているし、

「お勝の方さまが大奥で羽ぶりがいいのは、背後に板倉屋さんがついているからだと、これはもう評判だそうでございますね」

本来、大奥というのは、千代田城の中において、政治を行う表に対し、将軍の妻妾の居住するところを奥といったもので、千代田城の場合、本丸には幕府の政庁である表と、将軍が日常、起居する官邸のような中奥と、それから、いわゆる後宮に当る大奥の三つに大別されていた。

殊に大奥と中奥の間は御錠口の御杉戸を境にして、きびしく区切られて居り、大奥へは将軍以外、全くの男子禁制が守られている。

普通、大奥というと、この将軍家専用の後宮を指すのだが、千代田城には、実はもう一つ、大奥と呼ばれる場所があった。つまり、将軍の世子、もしくは前将軍の住む「西の丸」にである。

将軍世子が幼少である場合の西の丸大奥は、せいぜい、やはり幼少の御簾中（世子の夫人）を中心とした女中達で占められているくらいだが、この時代の世子、家慶の場合はすでに、世子でありながら三十代に達していて、従って、西の丸大奥もすでに「御簾中」の楽宮喬子は文

政三年に歿っていて、その後、家慶の寵愛を受けた側室が五人も居て、なにかにつけて、御本丸大奥と比肩するほどの華やかさであった。

こうした大奥の女達はそれぞれ身分に応じた給与が定まっていて、各々の生活をまかなっていたものだが、いわば格式の上に華美、贅沢を競う世界のことで、派手にしたら、いくら金があっても足りないところへ、御愛妾同士、四季折々の催しには衣裳くらべのような見栄の競争があって、どうしても有力な背景のある者が優位に立つ。

又、御用商人の中には、この辺りを心得ていて、大奥の然るべき者と昵懇になって、内々に金品を贈って、経済的なパトロンになる場合が多い。

お貞が、お勝の方には板倉屋がついているといったのも、いわば、そういう関係であった。

奥女中の給料は御切米、御合力金、御扶持、その他であって、この中の御切米は幕府の御蔵米から受けとるもので、従って、御蔵米と密接な関係にある札差は、奥女中とも昵懇になりやすい。

板倉屋小左衛門の場合も例外ではないようであった。

お貞は最初、浜田屋を仲介にして、板倉屋からお勝の方へお比奈を奉公に出そうと考えていたという。

「そこへ、清太郎が、西の丸様の話をもって来ましてね。自分の出世につながることだから、是非にっていうんです。まさか、板倉屋さんのほうを放り出すわけにも行きませんから、ざっくばらんに打ちあけて御相談をしてみたら、あちらの旦那は太っ腹でね。西の丸様へ入るとしても、俺が後楯になってやろうとおっしゃって……」

とんとん拍子に、西の丸の御坊主、長寿さまの部屋方に住み込むことにきまったという。

「御坊主っていうから、てっきり、あたしは男だと思ったんですよ。女なんですってね」

大奥の御坊主は、表の御坊主が男であるのに対して、全部、女性であった。

女でありながら頭を丸めて、着るものも男物で羽織を用いる。

大奥にあるくせに、もっぱら将軍の身のまわりで働き、御台所でも用事をいいつけることが出来ないという特殊な存在であった。

ちなみに、表の御坊主は大奥へ入ることは出来ないが、大奥の御坊主は場合によっては将軍について中奥や表まで行くことが出来るという。

これは、馬琴にしても、はじめて聞くことであった。

「それじゃ、お比奈さんも、その御坊主に……若い身空で頭を丸めるんですか」

傍にいたお百がびっくりして口をはさんだ。

「いいえ、お比奈はその御坊主さまの身のまわりのお世話をするんですから……奥女中と同じことで……第一、御坊主さまっていうのは御中﨟の次の身分だっていいますから、とても、うちのお比奈なんぞがなれるものじゃございませんのさ」

得意そうに笑って、お貞は念を押した。

「とにかく、そういうわけで、お比奈が西の丸へ上るのは、清太郎も得心のことで、なにも私が二人の仲をさいたとかなんとかいうのではございませんよ」

「では、清太郎どのはどうして、あのようなことをなされたのですかな。侍が腹を切るというのは、並大抵のことではない……」

「それが、先生……蘭方の先生のお話では、頭の病いがあるっておっしゃるんですよ」

ぬけぬけとお貞はいった。

「頭の病い……」

「木の芽どきっていうんですか、春から今頃は一番、よくないそうでございますね。ああいう真面目で、女を知らないようなのは……先生は早く、嫁をもらってやってくれろとおっしゃるんですけども……」

お宅の宗伯さんはおいくつですと訊かれて、お百が答えた。

「二十九になりますんですよ」

「やっぱり、いけないそうですよ。血気盛んの男が女っ気なしでそういう年になるってことは……もうちっと、程々に遊んでくれるようなら、あんな馬鹿々々しいことをしでかさずにすんだんですけどねえ」

いいたいことをいって、お貞が帰ったあとで、馬琴が菓子折を何気なく持ち上げてみると、菓子にしては重みがある。

お百にあけさせると、折の上に紙にくるんで十両ばかり、上に御礼と書いてある。

「あなたのおかげで清太郎さんは助かったんじゃありませんか。十両ぐらいもらっておいたって……」

お百は未練らしくいい張ったが、馬琴はその金包を更に奉書にくるんで、その上に御見舞と大書した。

別に紙を出して、薬料二百五十文の請求書を作った。

「こっちを返して、こっちをもらって来い」

お百が変な顔をした。

「清太郎が切腹しそこなった時、うちから持って行ってやった薬代だ。受け取るものは受け取る。受け取らんものは受け取らん。俺は筋の通らんことは大嫌いだ」

夫にどなりつけられて、お百はふくれっ面で出て行った。

六本木から土岐村元立が訪ねて来たのは、それから数日後のことであった。

「実は、秋元家より、おてつの縁談を破約にして参りました」

詫び料として金子五十両を添えてのことだという。

女の世界

お比奈は向島の板倉屋の寮に居た。

ここは、花時に、馬琴が板倉屋小左衛門に招かれて訪ねた家だが、無論、お比奈は知る由もない。

ここへ来るまでは、日本橋本石町の浜田屋に居た。もともと、浜田屋の世話で、将軍家御愛妾、お勝の方様付きの御中臈、久仁江さまと呼ばれる人の許へ奉公に入る筈が、どうして、板倉屋の寮へ移されたのか、お比奈はなにもわからない。

ただ、浜田屋にいる時は、あれほど逢いたいと思いつめていた清太郎のことを、ここへ来てからのお比奈は、とかく忘れがちであった。体が燃えて、清太郎に抱かれたいと死ぬほど願った夜を、今のお比奈はもう知らない。

理由はお比奈に新しい恋人が出来た為である。

相手は男ではなかった。板倉屋の娘、里江である。

そうなったのは、お比奈が向島の寮へ連れて来られた夜であった。

浜田屋にいた時も、お比奈は清太郎恋しさに何度か脱走を企て、その都度、捕って折檻を受けた。

向島へ移されたのも、いわば、その逃亡のせいではないかとお比奈は考えていた。

浜田屋の場合は日本橋の町中だし、神田同朋町とはさして遠くない。が、大川を渡って向島へ運ばれては、清太郎との距離は遥かになった。

やがてお貞と清太郎がもとの住居を引きはらい、いずくともなく姿をかくしたと、風のたよりに聞えてきた。

もはや、逃げても逃げられず、生きていても清太郎と逢える望みはなくなったとお比奈は思いつめていた。

もう一つ、お比奈を絶望的にさせたのは、浜田屋を出る日、訪ねて来たお貞からきかされたことである。

「お前がどんなに清太郎を好いていても、清太郎と添えない理由があるのだよ」

泣きすがる娘に、お貞はいやな笑い方をしていい放った。

「これだけはいいたくなかったけれど、お前がどうしても清太郎を忘れられないようなら教えてあげる。清太郎を男にしたのは、なにをかくそう、あたしなのさ」

そうなったのは、清太郎の父親が死んで間もなくのことだという。

杉浦家は三河の出で、先祖代々の墓がむこうにある。お貞の話では、亡夫の遺骨をおさめに三河へ旅をした道中で、清太郎と不倫の関係を持ったというのである。

「きまりが悪くて、とても世間へはいえたものではないし、もし、人に知れたら、あたしはとにかく、清太郎の外聞にかかわることだから、今まで、お前にもかくして来たけれども……」

道ならぬ関係は、道中も、神田へ帰ってからも暫くは続いたとお貞は告白した。

「こんなことでは、夫にもすまない。清太郎のためにもならないと決心して、きっぱり、別れたのが半年目でね」

それからは清い仲のつもりだが、どっちも生身の人間で、

「つい、この間も、お前のことを話している中に、また浅ましいことになってしまって……」

浅ましいと口ではいいながら、お貞は自分の話に導かれたように色っぽい眼つきになっていた。

「清太郎がいけないんだよ。若い男というのは、一度、火がつくと分別もなにもなくなっちまって……そうなったら相手が誰だってかまやしない……」

「やめて下さい」

お比奈は耳をおさえて、突伏した。

「お前には済まないが、そういうわけがあるのだから、どうか清太郎のことはあきらめておくれ。そうでないと、あたしもお前も犬畜生になってしまうのだから……」

犬畜生はおっ母さんではないかと、お比奈は体をよじるようにして泣いた。母親の話を信じたくないと思う一方では、お貞の話に思い当ることもいくつかある。

お比奈の眼の前で、お貞が年甲斐もなく甘い声を出して清太郎にしなだれかかったりしているのは、今までにもよくあることだったが、そんな時、清太郎はきびしくはねつけることをせず、むしろ、困惑しながら、お貞のするままになっていた。それを、お比奈は義理の母なので遠慮しているものと考えていたが、今にして思えば、清太郎のほうにも、お貞を退けられない

弱味があったからに違いない。

母親の口ぶりから察すると、清太郎はお比奈と他人でなくなってからも、時折、お貞の誘惑に負けていたようである。

本石町から運ばれて、大川を舟で渡る時、お比奈の心にあったのは、死ぬことであった。自分の体が汚なく、恥かしかった。

大川の水は青葉を映し、舷に白い飛沫をあげている。この川に身を投じたら、心にある重い苦しみがとけて流れてくれるように思える。

寮の部屋に落ついた時、お比奈はひそかに庭から裏木戸へ出る方法を考えていた。

裏木戸の先が、すぐ大川であることもみている。

更けるのを待って、お比奈は夜具を脱け出した。長襦袢のまま、手水場の横から庭へ下りる。が、十歩と走らない中に、背後から男の手がのびた。

「どこへ行くんだ」

あっという間にひき戻され、いきなり両頰を平手打ちにされた。眼の前がまっ暗になり、それでもお比奈は反射的にもがき、再び、火が出るほど、叩かれた。

「およし……乱暴はおやめなさい。なにをしているの」

優しい声がきこえたのは、その時で、お比奈のかすんだ眼に、ぼうっと女の姿が浮んでいた。

「里江様……」

男が慌てて、お比奈から手をはなし、重心を失ったお比奈の体はよろめいて、

「危い……」

里江の手がしっかりと抱いた。男が口早やに、お比奈が逃げかけたことをいったが、里江はそれを途中で制した。

「お前達はおさがり……」

別に、ついて来た女中にいった。

「お酒を持ってくるように……」

お比奈がはっきり気がついたのは、里江に抱かれて家の中へ入ってからであった。

「足を洗いなさい。汚れている……」

里江にいわれて、お比奈は逆う気力もなく、手桶の水で自分の足を洗った。黙ってみていた里江が、ふと、しゃがみ込んで、手拭を出し、お比奈の足を拭きはじめた。

「申しわけございません。どうか……自分で致します」

我に返って、お比奈はいったが、里江はそのまま、両足をゆっくり拭いている。

お比奈の体を、不意に快感が襲った。里江の指がお比奈の足の指を静かに愛撫している。

お比奈は口がきけなくなった。

女中が酒を運んで来て、里江はやっと手をはなした。

そのまま、お比奈を抱えるようにして部屋へ入る。

夜具はお比奈が脱け出したままで、女中は酒をおくとすぐに下って行った。

「どこへ逃げようとしたの」

右手をお比奈の肩へまわし、近々と顔をさしのぞくようにして里江がきく。

「いえ……私……」

眼をあげようとして、又、伏せ、お比奈は漸く答えた。

「死のうと思いました」

「死ぬ……そんなに、清太郎という人が好きなのか」

お比奈はうろたえた。相手が清太郎の名を知っていたのも意外だったが、女同士、ぴったり抱き合って、今にも顔が重なりそうな状態でいることに、あやしいときめきがあった。

里江の右手が、お比奈の背をゆっくりと愛撫し、気がつかない中に膝が膝の間へ割って来て、お比奈は次第に深い陶酔にひきずり込まれていた。

「眼をつぶって……」

里江がささやいたが、その時のお比奈は、もう、眼もあけられない程の恍惚の中に我を忘れていた。

里江の唇が近づいて、口移しにされたのが甘い酒であった。

そのまま、里江の舌がお比奈の舌に絡みついて、二つの体は折り重なったまま、蛇のようにのたうった。

清太郎に抱かれた限りでは、お比奈はこれほどの愉悦を全く知らなかった。男の肉体は痛みを伴ってお比奈の内部へ入って来て、悦びは短く終った。が、これは、果てしがなかった。

お比奈は何度も意識が薄れ、夢の中から揺り起されて、声をあげた。

眼は全く見えず、部屋の灯が消されたのも気がつかない。

最後に、お比奈にとって何物とも知れないものがお比奈の体に押し入って来て、お比奈を絶叫させた。

「死ね」

低く、里江の声が耳許に聞え、お比奈は全身を激しくふるわせて果てた。

気がついたのは、夜があけてからで、お比奈は全裸のまま夜具の中にいた。

一日中、どう起きようとあせっても腰が立たない。半病人のまま、夜が来て、女中が湯浴みをすすめた。

昨夜のことは夢か、まぼろしかと疑いながら湯殿から戻ってくると、部屋に里江がいた。

眼がさめるような大柄な友禅染めの絽の振袖に帯をきつく結んで、女にしては濃い眉と、切れ長な眼、高い鼻が、さながら花天女のような美しさだ。

「おいで……」

里江が呼び、お比奈は人形のように、里江に抱かれた。灯を暗くした部屋で、やがて繰りひろげられる花の絵巻は昨夜と全く同じことで、或る瞬間から部屋の灯が里江によって吹き消されると、お比奈はいつの間にか一糸まとわぬ姿にされるのに、里江は帯もゆるめないままで愛撫を続け、最後にお比奈が意識を回復した時は、もう部屋のどこにも里江の姿がない。

夜が来るのを、お比奈は待ちかねる女になった。

食欲はまるでなくなって、そのくせ、肌には不思議な生気がみなぎっている。

昼の中は、半病人でぼんやりとすごし、夕方になるといそいそと里江のために身じまいをした。

十日も経った時、お比奈は完全に里江の操り人形に化していた。

里江に抱いてもらうためには人殺しもやりかねないほど、物の判断も理非もわきまえなくなっている。

清太郎の顔などは、夢の中でも思い出さなかった。

そのかわり、里江がここへ来る時、お供の女中と部屋の外で二言三言、言葉をかわしているのを耳にしただけで、体中が嫉妬で焼けただれそうになる。

夏が、やがて初秋と呼ばれる季節に移る頃には、お比奈は女同士の愛欲の虜になっていた。

夕風の涼しくなる頃に、熱い湯をわかし、その中に手箱へしまってある鼈甲の張り形をとり出して、どっぷりとひたしながら、里江の訪れを待つという習慣も板についた。

鼈甲の、その男根を模した異様な物体は、普段は固いのに、熱い湯につけておくと、不思議なやわらかみが出て来て、人肌にあたたまったそれは、里江の手にかかると果てるところのない生きものとなった。

向島の板倉屋の寮は、およそ五千坪もあった。

広大なその囲いの中には、お比奈を住まわせているような建物がみえがくれにいくつもあって、別に母屋がある。

母屋と他のはなれ家との間には厳重な塀があり、知らない者は別人の宅かと思ってしまう。

母屋から離れ家へ行くには、塀の中にあるくぐり戸を通らねばならず、そのくぐり戸には母屋の側から鍵がかけてある。

母屋には主人、板倉屋小左衛門の居間と、里江の居間がある。

どちらの部屋も、それぞれの主人が居る時は、奉公人は呼ばれるまで絶対に入って行ってはならないことになっていた。

殊に里江の部屋は入口に鍵がかかり、湯殿も、その中にあって、里江の身のまわりの世話の一切は、里江が赤ん坊の頃からついている老女中のお篠というのがやっていて、他の者は手が出せない。

里江がこの向島の寮へ来るのは、月の中の数日だったが、この夏は、殆んど毎日のように、ここへ滞在していて、滅多に本宅へ帰ることがなかった。

世間へは、体を悪くして養生につとめているといいふらしてあるし、召使の中でも、それを信じている者のほうが多い。

実際、好きな笛の稽古も全くといってよいほどしないし、一日中、部屋から出ないことも珍しくはない。

父親の小左衛門は月の中、五、六度、娘の病気見舞と称して、向島へやってくる。来れば、娘の部屋か、又は、自分の部屋へ里江を呼んで、二人きりで長いこと話し合っている様子が、はたからみると如何にも仲のよい親子にみえた。

先夜、この秋、何度目かの大嵐が吹きまくって、寮の庭にあった楓の大木の枝が折れた朝に、小左衛門は、まだ余波の残っている大川を舟で渡って向島へやって来た。

連れて来た男達に指図して荒れた庭の手入れをさせていると、やがて、お篠が迎えに来て、里江が起きたと伝えた。

居間へ戻ってくると、里江は黒っぽい単衣に、男のような細帯をしめ髪は後頭部に高く一まとめにして朱色の紐で結び、そのまま長く背に垂らしている。

「だいぶ、ひどくやられたようだ。お前の好きな紅梅の古木もいい枝ぶりが折れている」

小左衛門が部屋へ入り、お篠が心得てお次に下った。

無論、奉公人は誰一人、近づかない。

「ぼつぼつ、よいか」

小左衛門が、里江をみた。

「長寿様から、まだかとの仰せがあった」

里江が微笑した。

「よかろうと存じます」

「お気に召しそうか」

「まず、あれならば……」

「そうか」

小左衛門が立って、持参の包を里江の前へおいた。

「面白いものが出来て来た。みるか……」

箱の中におさめられているのは、さまざまの張り形であった。

材料は殆んど鼈甲だが、型は少しずつ違っていて、各々にひだや突起が細工をこらしてある。

「お比奈と共に、献上するつもりだが……」

里江は面白そうに、その一つ一つを眺めていた。

女らしい恥らいは少しもなく、父親も娘に遠慮するふうもない。

「お目見得は、いつでございます」

いくらか太い声で里江がいった。

「明後日はどうか」

「すると、明日は蔵前に移しておかねばなりませぬな」

「今宵一夜で、説得出来ようか」

「わけもないこと……」

再び、艶然と笑った。

「もはや、魂は抜いてございます」

小左衛門が、張り形を箱にしまった。

「御当代様には、もはや、お子胤はのぞめそうにない。お勝の方がどう攻めても、もはや子胤は尽きたような……」

無理もあるまいと小左衛門は指を折った。

「今までに産ませたお子が五十数人……流れたお子を数えれば、その何倍はあろう。お胤が尽きるのも当然よ。近頃はどのような薬を用いても、思うように役に立たぬとか、お勝の方も焦れて居られる」

「御当代さまは、おいくつになられました」

にこりともせず、里江が訊く。

「五十五、六におなりであろうが……どうやら、七年前にお瑠璃の方が直七郎君を産み奉ったのが最後となろうか」

「まだ、男として役に立たぬお年ではございますまいに……」

「ちと、大奥へのお渡りの度がすぎたか」

親娘は男同士のような含み笑いをかわし合った。

歴代の将軍は、毎夜、大奥で寝たわけではなく、むしろ、中奥と呼ばれる将軍官邸のような場所で女っ気ぬきで夜を迎えることも多い。

が、十一代、家斉の場合は、むしろ、中奥泊りは数えるほどで、もっぱら大奥泊りが続き、時には数人の愛妾を殆んど同時期に妊娠させるほどの旺盛な精力ぶりであった。

それだけに、年齢より早く老いが来たものと下々では噂をしている。

「これからは西の丸様よ」

小左衛門がゆっくり茶碗に手をのばした。

「御当代様にも、御機嫌うかがいは欠かされぬが、西の丸様にも、ぼつぼつ、女子の糸を結んでおかねばならぬ」

かつて、お勝の方を大奥へ送り込んだ手を、板倉屋は再び、西の丸の次の将軍家へものばそうとしている。それがお比奈であった。

午後になって小左衛門が帰ると、里江は自分の部屋へ籠って、しきりになにかしているようであった。

夕刻になって、部屋から出て来た里江は、藍色の単衣に白地の友禅染めを重ね、白献上の男帯に、髪は昼と同じく、男のように高く結んで長く垂らしている。

女とも男ともつかないその恰好は、絵草紙にある名護屋山三の風俗に似て、若い女中達に嘆息をつかせた。

お比奈は、部屋で待ちかねていた。

このところ、日の暮れが早くなって、秋の気配が、女心をもの悲しくさせている。

音もなく入って来た里江の姿をみて、お比奈は、あっと声をあげた。

「旦那様……」

いつの頃からか、お比奈は里江を旦那様と呼ぶように躾られていた。

寄りそって、抱きしめられて、唇が重なるとお比奈の躰は里江の次の愛撫を待ちかねて火のように熱くなる。

が、今夜の里江は唇をしばらくむさぼって、すぐはなれた。

「旦那様……」

躰中の不満を声にして、お比奈はしめった眼で訴えた。

「お待ち……」

手をとり合い、膝を重ね合うようにして、里江は頰をすりよせた。

「お前、わたしのためなら、死ねるか」

お比奈は上ずった声で、熱っぽくうなずいた。

「はい、いつでも……」

「わたしのたのみをきいてくれるね」

「なんなりと、旦那様……」

が、怯えた表情で、猫のように体をすりよせてくる。そうしている間も、お比奈の手は、まどろっこしいように、里江の手を自分の懐に導いていた。そのことに気づいていて、里江はいつものように指を使ってやらない。

お比奈はもだえて、自分から濡れはじめた。

「お前、西の丸へ上っておくれ」

息をお比奈の耳朶に吹きつけるようにしてささやくと、お比奈はぴくんと慄えた。

「西の丸の大奥に、長寿様というお坊主が居られます。お坊主といっても姿だけで、内身(なかみ)は御老女。大納言さまのお身のまわりのお世話をしているお方ですよ」

噛んで含めるように言いながら、里江は時々、お比奈の耳を軽く噛んだ。

「お前は、その長寿様に御奉公するのです」

蒼白になり、お比奈がすがりついた。

「お傍にはおいて頂けませんか」

悲鳴をあげ、お比奈は泣き出した。

「旦那様は、比奈をお捨てになるのですか」

「いやです、旦那様……比奈はお傍をはなれるくらいなら、死にます……死んでしまいます……」

激しい音をたてて、里江の手がお比奈の頰に鳴った。

続けて、左右から二度、三度。

女の手のようではなかった。お比奈は声もなく、突伏した。

「嘘つき……」

お比奈の肩を摑んで、里江がひきずり起した。

「わたしの頼みはなんでもきくというたのは、嘘か……」

「いえ……」

泣きながら、お比奈が叫んだ。

「嘘ではございません。ただ、比奈は旦那様のお傍をはなれるのはいやでございます」

「わたしに捨てられても、か」

里江の手が、お比奈の懐に入った。そのまま、ぐいとひきよせて抱きしめる。お比奈の口から、声にならぬ声が洩れ、眉が切なげに寄った。

「比奈、これでも、わたしの頼みをきけぬのか……比奈……これでも……」

「旦那様……」

灯が消えた。

その夜の里江は、いつもに似ず手荒く、お比奈を扱い、それが、お比奈を歓喜させた。

忘我の状態が毎夜よりも遥かに長く続き、お比奈は狂乱し、泣き叫び、幾度も里江の手によって絶頂へ達しながら、心身ともに疲れ果てた。思考力は全くなくなって、肉体だけが飽くことのない恍惚の中をのたうっている。

「もし、そなたが西の丸へ奉公せぬ時は、二度とわたしは、そなたに逢わぬぞ」

体の芯を突き上げられて、お比奈は夢うつつに答えた。

「それでは、西の丸様へ御奉公申し上げれば、こうして逢うて下さいますか……」

「必ず……逢いにも行こう。お宿下りの折は、こうして……」

「旦那様……」

お比奈は里江にしがみついた。

「そのかわり、どのようなことがあっても、長寿様の御命令にそむいてはならぬ。長寿様の御機嫌を損じることがあったなら、わたしは、そなたを捨てる……」

「ああ……」

意識が薄れ、お比奈は体の中から里江の手が抜けて行くのを必死で制した。

「やめないで……やめないで下さい。参ります……何事もおっしゃる通りに……」

だが、里江の手は一度、お比奈の体内から去って、その瞬間に里江が全身の重みをかけて来た。

「誓うか、比奈……」

「はい……」

「よし……」

比奈は、あっと声をあげた。今までとは違う感覚が比奈を襲い、比奈は夢見心地になった。波が打ちよせるような陶酔が尾をひいて、お比奈は四肢をふるわせ、声をふりしぼって里江の名を呼んだ。

音が消えた夜の中で、荒々しい呼吸だけが闇を這っている。

やがて、眠ったように動かなくなったお比奈の上から、里江がゆっくり身を起した。暗い中で身づくろいをして、慌しく、部屋の外へ出る。

月光が蒼白な里江の顔を照らし、里江は縁の上から激しく吐いた。

そっと近づいたのは、お篠で、黙って濡れた手拭をさし出す。里江は黙々と唇を拭き、そのまま大股に離れ家を出た。

男のような足どりが、庭を抜けてくぐり戸を押し、母屋へ消えた。

後始末をすませて、お篠が母屋へ戻って来ると、里江は湯殿に入っていた。

執拗に湯を浴びる音がいつまでも続き、その間、お篠は夜の冷たさが感じられるようになった板の間で、里江の新しい夜着をかかえて、いつまでも待っていた。

鈴虫の鳴く声が耳に入って、お比奈は気がついた。

体に残っている里江の名残りがいつものようではなかった。

もう、離れられない、と薄い思考の中で思い返す。

この歓びのためには、里江のどんな命令にも逆うことは出来なかった。里江との仲を断たれるのは、死よりも怖しい。

西の丸へ奉公に行くことをお比奈は自分にいいきかせていた。里江の命令にそむきさえしなければ、再び、この歓びの時が訪れる。それ以外に、頼りはなかった。

翌日の午後、お比奈は駕籠に乗せられて、生涯、忘れることの出来ない向島の寮を出た。

それとなく見廻した限りでは、里江の姿はどこにもない。

夜になって、駕籠は蔵前の板倉屋へ入った。

あてがわれたのは立派な部屋で、お比奈は薬湯を飲まされ、朝まで昏々と眠った。

起されたのが夜明けで、湯に入れられ、女が四人もついて、化粧、髪結い、着がえとめまぐるしく立ち働く。

仕度が出来上った時、里江が小左衛門と入って来た。今日は色鮮やかな振袖に女帯を胸高にしめている。

「美しく出来ましたこと……」

やさしい声でいい、父親をふりむいた。

「成程、これならば、お役に立とう」

小左衛門がうなずいて、これから西の丸へ連れて行くとお比奈にいった。

「くれぐれも、昨夜、いうたことを忘れずに、又の日をたのしみにしていますよ」

里江がいって、お比奈はすがりつくように里江をみつめ、頭を下げた。

板倉屋からは駕籠で、脇には小左衛門自らがついた。

千代田のお城へ奉公するという感動はまるでなく、お比奈はなにも思わず、成り行きまかせに駕籠に揺られていた。

御城内へは、勿論、徒歩で、はじめてのお比奈には西も東もわからなかったが、たどりついたのが、いわゆる七ツ口であった。

七ツ口は、大奥と外部の出入口、つまり玄関に当るところで、大奥のすべての女中はここから出入りした。

七ツ口の名は、七ツ、つまり、今の午後四時になると閉めてしまうところからつけられたといわれ、ここから先は勿論、男子禁制である。

身の廻りのものの入った包を七ツ口の締戸番にあずけて、お比奈は迎えに出て来た女中に案内されて、長局へ通った。

西の丸大奥は御本丸大奥より、いくらか狭いときかされたが、それでもお比奈が胆をつぶすほどの広さで、奥女中の寝起きする長局がずらりと廊下に沿って並んでいる。

御坊主、長寿の部屋はかなりな奥のほうで、部屋は簡素なようで、なかなか調度などに金のかかったものが揃っている。

長寿は、頭を丸め、黒い紋付に夏羽織を重ねていた。

すでに板倉屋から、すべてが都合よく語られてあるらしく、面倒なことはなにもなかった。

その日の中に、お比奈は大奥での名を「お筆」と定められ、御坊主、長寿の部屋方として奉公することになった。

部屋方というのは、大奥の女中達に使用される又者で西の丸の奥女中が、いわゆる将軍世子家慶とその夫人へ奉公する「直の奉公人」であるのに対し、女中個人に奉公するもので、普通、お犬と呼ばれていた。

お犬というのは、大奥の食事の残りを食べていたので、そう呼ばれるともいい、この世界では一番、下っ端の雑用係であった。

従って、奥女中が宿下りなども、稀で、規則ずくめに縛られているのに対し、この又者は身分が軽いために、割合、自由で、採用の時も奥女中ほどうるさくなく、親許の身分も町人、百姓でかまわなかった。

もっとも、お比奈の場合は、御勘定御普請役、杉浦清太郎の妹という身分なので、又者としては別格のような扱いで、いわば、長寿の身のまわりの世話をする役目といいきかされた。

二、三日は、夢のように過ぎた。お筆という新しい呼び名にも、やっと馴れた五日目の夜、お比奈は、はじめて自分の本当の役目というのを思い知らされた。

新参の毎日に疲れ果てて、眠っていたお比奈を、長寿が襲ったのである。

夢の中で、お比奈は里江に抱かれていると錯覚を起した。気がついたのは、手が長寿の丸い頭に触れた時である。仰天しながら、お比奈は里江の言葉を悲しく思い出していた。長寿の機嫌を損じた時は、二度と里江に抱かれることはない。

眼を閉じ、歯を食いしばって、お比奈は長寿のなすがままに身をゆだねた。五十になろうというのに、男を知らない老女はけもののようになりながら、お比奈を弄んだ。

三人目

月が秋であった。

八丁堀の年番方与力、神山左近の役宅は、萩の花が盛りであった。

この老人は萩の花を殊の外、好んで白い萩も紫の萩も狭い庭にところかまわず植え込んである。

長々と伸びた枝が飛び石の上まで重なり合っているので、かなり気をつけて歩いても、はらはらと花が散る。

その庭伝いに神山老人は新吾を居間へ招じ入れた。

神山家には子がなく、長年、連れ添った老妻と数人の奉公人との、静かすぎる暮しのようである。縁先近く虫の音がきこえるのも、八丁堀らしくない。

「ま、お上り……」

手を叩いて、老妻に茶を運ばせ、神山老人はいささか窮屈そうに膝をそろえている犬塚新吾を眺めた。

「このところ、板倉屋小左衛門に、だいぶ、こだわっているようだの」

思いがけない問いだったので、新吾は少しの間、返事をためらった。

「わしにかくすことはあるまい」

「別に、かくしているわけではございません」

六本木の役者殺しは迷宮入りになりかけているし、五平のほうは酒の上の過失死で片づけられかけている。

このところ、すっきりしない新吾だったが、それを含めて、一人ひそかに板倉屋小左衛門の身許や経歴を探索していた。

春之助殺しと五平殺しの裏に、六本木の秋元家が介在していると新吾は考えていたし、その秋元家と板倉屋小左衛門は、将軍御愛妾の一人、お勝の方によって、つながっている。

「誰が、そのようなことをお耳に入れましたか」

不思議であった。

新吾が板倉屋小左衛門の身許を洗っていることは、親友の笠松京四郎しか知らない筈である。

「上村一角が申して居た」

「上村どのが……」

春之助殺しの時、新吾がはじめてかかわり合いを持った同心であった。

定廻りではなく、隠密方という特殊な役目に属しているので、普段はあまり逢うことがない。

「そちが、板倉屋小左衛門のむかしを調べているようだが、と申していた。近頃の定廻りは余程、暇をもて余しているのか、なにごともない市井の札差の身許調べに時を費しているようなと皮肉な口ぶりであったよ」

新吾はあっけにとられた。

「気にするでない。そちにはそちの才覚があって探索しているものであろう。わしはとがめているわけではないのだ」

穏やかに神山老人は言葉を継いだ。

「そちは、上村一角が、かなり前より板倉屋の身許調べをしているのを存じているか」

「上村どのが、板倉屋を……」

それも、初耳であった。

「やはり、知らなんだのか……」

もともとは、蔵前の札差に不正がないか、探索をしていた男だと、神山老人はいった。

「それが、いつの間にか板倉屋に深入りをしているようだ。もっとも、これは彼個人の興味というより、さる方より依頼があってのことと、俺はにらんでいる……」

「さる方……？」

「まあ、よい」

板倉屋の身許で、なにか面白いことがあったかと問われて、新吾は声をひそめた。

「ともかくも、不思議な男です」

もともとは郷士の家に生まれた、と自称しているし、新吾が知る限り、前身は武士らしくみえるのに、なぜか生まれ故郷がはっきりしない。

「家の恥になるからと、当人が語りたがらないそうですが……」

中国路の小藩ともいい、西国のどこかとも噂されている。

彼が人に語るところによると、なにか事情があって生まれた土地を出奔し、妹と二人、諸国を流浪したあげく、江戸へ出て、たまたま先代の板倉屋に拾われて、手代から番頭への年月をかけて出世した。そのかげには、彼自身の才覚や器量もあったことに違いないが、一番の理由は、今の小左衛門の妹に、先代の板倉屋の手がついたことである。

「今の小左衛門、もとの名は源七といったそうですが、それもまことの名ではなく、世を忍ぶ仮の名かも知れません」

妹の名はお雪。今は出家して赤坂の先の痩梅庵の庵主、香雪尼である。

「源七というのは、まことに女運に強い男で……」

まず、妹が主人の妾になったのが、出世のきっかけで、次には同じく主人である先代、板倉屋の娘、お梅に惚れられて夫婦になった。

「その時、源七はもう三十を越えていたそうですから、妹のお雪とは一まわり以上も年齢がはなれているようで……」

先代の板倉屋は子供はお梅一人だったから、当然、源七は養子として板倉屋を継ぐ立場になり、数年後に先代が病歿すると、小左衛門の名を受け継いで、板倉屋の主人になった。

「まことに、とんとん拍子という他はありません」

ただ、兄のほうは板倉屋を継いだが、妹のお雪は先代の死によって、二十歳にもならぬ中に髪を切って、世を捨てることになった。

「手前が不審に思いますのは、お雪は先代板倉屋の後妻に入ったわけではございません。あくまでも、日蔭者でございました。そうした立場の女が、主人に死なれて出家するというのは、いささか……」

お雪という女は余程、貞操観念が強かったか、それほど、先代板倉屋に惚れていたかであろう。

「先代がお雪に手をつけたのは、六十七、八、歿ったのは七十と申しますので……」

そんな老人に十八、九の娘が真底、惚れるというのが、どうも新吾には合点が行かない。

「男にもいろいろあろうよ」

神山老人が笑った。

「わしのように、六十すぎたばかりで、もう女子には用はないと思っている者もあれば、八十になっても若い女が欲しい男もあろう」

男女の結びつきは、肉体だけではあるまいと、神山老人はいった。

「時として、父親のように慕うていて、それ故に出家したとも考えられよう」

「それは、左様なこともあろうかと存じますが……」

まだ釈然とはしない顔で、新吾は一応、うなずいた。

「他に今一つ、源七、つまり、今の板倉屋小左衛門ですが……」

子は里江という娘一人である。つまり、二代続いて板倉屋は一人娘ということになる。

「それは、ともかくとして、この里江という娘の出生が、しかとわかりかねます」

「ほう……」

はじめて、神山老人の眉が動いた。

「先代の娘が産んだ子ではないのか」

「表向きは、お梅の子ということになっているようですが、どうやら、別の女に産ませた子という噂です」

もっとも、里江が生まれる五カ月ほど前から、お梅は麻布のほうの知人の別宅へ移っていた。蔵前の店では落つかないのと、もともと病身で、始終、向島の寮や、知人の別宅などを借りて静養に出ていたから、まして出産近くともなれば、のびのびした田舎のほうがと考えたとしても可笑しくはない。

お梅は里江を産んで、一年ほど麻布にいて蔵前へ帰っているのだが、可笑しいのは、その頃、すでに里江は父親の妹、叔母に当るお雪の手で育てられていたことだ。

「なぜ、一人娘を早や早やと手放したか。母親のお梅が病弱のため、育てられないというのなら、板倉屋ほどの身代、乳母をやとうことも出来ましょう。わざわざ、お雪の手にゆだねたというところがいささか、解せませぬ」

赤ん坊の時から、叔母に育てられ、お雪が出家した後は、痩梅庵にまで連れて行って、そこで十五、六まですごしている。

「お雪の香雪尼は、よくよく里江が可愛かったとみえて、仏道修行のため鎌倉の寺へ入っている間も、乳母と共に里江を近くに家を借りて住まわせておいたと申します」

片時も、はなさないほど溺愛していたらしい。

「成程……血の続かぬ子でも幼少から育てると情が湧くと申すが……」

神山老人がうなずき、新吾はこの春、梅の寺で仲むつまじく寄り添っていた里江と香雪尼の姿を思い出していた。

「そう申せば、板倉屋の娘、里江がそのほうの屋敷に訪ねて来たことがあったの」

別に、老人が思い出した。

土岐村元立の娘、おてつを新吾がかくまっていた時のことである。

「大層な美女ときいたが……」

その里江が始終、自由に大奥へ出入りしているのは、お勝の方へ笛の教授という名目であったが、

「これは、むしろ、お勝の方と板倉屋の糸の役目をしているものと考えてよろしいかと存じます」

女しか出入りの出来ない大奥に、しかも、正規の奥女中として奉公することは町人の娘の身でなにかと面倒だし、又、滅多に宿下りも出来ないが、お勝の方づきの又者としてなら、はるかに自由である。

「それと、板倉屋の金の力をもってすれば、まず、かなりの勝手が出来ましょう」

里江は、大奥のお勝の方と、板倉屋の連絡係だと新吾は考えている。

「里江のまことの母親はわからぬのか」

「只今、手を尽して居りますが……」

正妻のお梅の他に、今の板倉屋に妾がなかったわけではない。

「が、いずれにも子が出来た形跡がございません」

「一人もか……」

「その上、女達はいずれも、はやばやと板倉屋と縁が切れて居ります」

長い者で三年、短い者は一年で、板倉屋から大枚の手切金を受けとって、小左衛門と手を切っている。

殊に、本妻のお梅が死んだあとは、ことごとく妾を自由にしてしまって、今のところ、女っ気なしで暮している。

「小左衛門はいくつだ」

「五十を一つ二つ、越したようで……」

「ちと、早すぎるの」

老人が苦笑した。

「手前がわかって居りますのは、それくらいのことで……」

調べれば調べるほど、謎も多いし、合点の行かぬ部分が出てくる。

「成程、そちが目をつけているわけも、およそ想像出来るが、あまり無理はせぬことよ。なにせ、大奥には格別の力を持つ相手だ」

下手をすると、町奉行所では扱い切れないことになる。

「それは心得て居ります」

それにしても、上村一角は、なんのために板倉屋小左衛門を探索しているのかと新吾は考えていた。

やはり、春之助殺しから糸をひいているとも考えられるし、それとは無関係にも思える。

「新吾、聞き捨てにせい……」

神山老人がいった。

「上村一角は、この頃、どうやら、中野の御隠居の許に出入りをしているそうな」

神山老人のいう中野の御隠居とは、御本丸御小納戸頭中野播磨守清武のことで、将軍家斉の愛妾、お美代の方の養父であった。

もともと、お美代の方というのは、牛込七軒寺町にあった仏性寺の役僧で日啓という者の娘だったが、若い頃から仏性寺を菩提寺とする中野家へ奉公し、お美代の美貌に眼をつけた中野清武は思うところあって、彼女を養女として大奥へ奉公させた。

その中野清武のもくろみが当って、文化七年、お美代は家斉の目に止って御手付中臈となり、文化十年、文化十二年、文化十四年とひき続いて三人の女児を産んだ。

殊に最初の子、溶姫は十三歳で加賀の前田家へ嫁入りし、この時に前田家が将軍の姫君の輿入れのために建てた「御守殿門」が、現在、東京大学で「赤門」と呼ばれるものである。

ともあれ、お美代の方は三人の姫を産んで大奥に勢力を張り、そのお蔭で、養父、中野清武は三百石から二千石にまで昇進し、家斉の寵臣として、老中以上の実力者となっていた。

が、出る杭は打たれるで、羽振りがよければ、それだけ敵も多い。元来、頭のまわる男だけに、その辺への配慮も早くから働いて、この頃はしきりと隠居をほのめかし、向島に隠居所を作りはじめるなど、一種のカモフラージュをはじめてはいた。

自ら、隠居と呼び、世間にもそう呼ばせるようにつとめてはいるものの、実際にまだ職を引いたわけではない。

神山老人にしても、犬塚新吾にしても、この「中野の御隠居」にあまり好意は持っていない。家斉の寵臣であることをたのみ、彼に賄賂を贈れば、思いのままの地位、役職につけるというのが、大名、旗本間の定評で、事実、中野家の門前は莫大な賄賂を運び込む行列が絶えない有様であった。

硬骨漢なら誰しも苦々しく感じてはいるものの、相手は将軍家御愛妾の養父とあっては老中も手が出せず、ましてや、身分違いの町奉行所の人間などは、ひそかに眉をしかめてみせるのがせいぜいのことである。

「上村どのが、中野の御隠居へお出入りをしていると申されますか……」

隠密方の同心、上村一角が二千石の中野家をお出入り先に持っていることは、それほどの不思議ではなかった。

八丁堀の与力、同心はそれぞれ何軒かの旗本、大名家を出入り先に持っている。

いってみれば、その家中の者になにかがあった時、よろしく頼むというような意味で、年にきまった金が、それぞれの与力、同心にも包まれてくるし、大名家の場合は参勤交代の都度、町奉行所へも、まとまった金や産物がお土産という名目で届けられるのが常であった。

「実は、おてつのことだが……」

ひっそりとした庭のたたずまいに眼をやって、神山老人が続けた。

「昨日、久しぶりに遠山様にお目通りをして参った」

勘定奉行、遠山景晋のことである。

遠山家は代々、神山老人のお出入り先でもあった。

「おてつは、すっかり落ついて、まめまめしく重宝に働いて居るとの仰せであった故、そちにそのことを知らせてやりたく思ってな」

一度、屋敷にかくまったおてつの処置に窮して、相談した新吾に対し、神山老人が考えたのが、とりあえず、遠山景晋に事情を話し、おてつの身柄をあずかってもらうことであった。

景晋は、ろくに事情もきかず、二つ返事でおてつをひき受けた。

温厚な学者肌の人物だが、世の中の不正には少からず腹を立てている。

幕閣の中でも正義の士として知られているし、長老格でもあった。

六本木の秋元家が、どう騒いでも手が出せない。

「おてつの実家の話では、秋元家から、婚約破棄を申して来たそうだな」

神山老人は面白そうであった。

「おそらく、これ以上、我を張ると逆に藪を突ついて蛇となると考えたものでもございましょう」

町奉行所が暗におてつの背後にあり、勘定奉行までかかわりあってくるとなると、後暗いことのある分だけ、むこうが弱くなる。

「ま、しばらくは秋元家の出方をみることだ。おてつは当分、遠山様へ奉公させておくことにするが、著作堂の御子息のほうはどうなっているのか」

おてつに恋慕している馬琴の息子、宗伯のその後である。

「やはり、病がちとのことにて、著作堂先生も、御心配の御様子ですが……」

満更、新吾も関係のないことではないから、返答に困った。

「病がちとは恋患いか」

神山老人も可笑しそうであった。

「いや、そればかりともみえません」

季節の変りめには、よく熱を出して寝込む男であった。

「ま、おてつさえ、その気になってくれれば、秋元家からは破約になったこと、添えない縁ではないが……」

ちらと生まじめな新吾をみて、神山老人が笑った。

おてつが新吾に想いをよせているのを、知っている老人でもある。

「秋元家と板倉屋につきまして、手前の存知よりがございます」

話題を変えて、新吾は汗を拭いた。

「今の板倉屋小左衛門の妻、お梅が出産のために静養していた家が、どうやら秋元家のように思えますので……」

里江を産むために、一年ばかりひきこもっていたのが秋元家の別宅で、麻布にあった家であったらしいことを、新吾はつきとめていた。

「すると、秋元家と板倉屋の関係は先代からの知り合いか」

「いや、手前も最初、そのように考えましたが、調べてみると、どうやら只今の小左衛門の知り合いのようで……」

しかも、秋元家というのは、もともと六本木の地つきの者ではなく、何代か前に江戸へ出て来て、あの土地に居ついた他所者であった。

「ほう……で、出身は……」

「わかりません。秋元家では、先祖は西国のほうから来たと申しているようですが……」

「西国……小左衛門も西国から来たという噂があるようだな」

「はい、或いは同郷者かとも存じますが……」

確証はつかめない。

どちらも、どういうわけか、故郷の地をひたかくしにかくしている。

「存外、大きな魚がかかってくるのかも知れぬな」

暫く考えて、神山老人は微笑した。

「上村には、わしからよいようにいうておく。そちは続けて探るがよい。思わぬ壁にぶつかるやも知れぬが、それはその時……」

おてつのことは暫くまかせておくようにといわれて、やがて、新吾は神山宅を出た。

上村一角が中野清武の許へ出入りしているという知らせは参考になった。

中野清武の養女、お美代の方と、六本木の秋元家の娘、お勝の方は、将軍家斉の寵愛を争う間柄であった。

この二人の女に共通していることは、どちらも然るべき仮親をたててはいるものの、身分の低い者の娘であり、その奔放さが、行儀のよい武家育ちの他の御愛妾より、将軍家に気に入られる所以になっている。

ただ、どちらかというと、お美代の方は、すでに三十歳も半ばを越えている。

大奥の慣例からいうと御台所から愛妾、側室に至るまで、三十歳を過ぎると「御褥辞退」といって、将軍のお召しを辞退するきまりになっていた。

お美代の方の場合、三十歳をすぎても、家斉のお召しがあって、しかも、彼女はそれを辞退しないところから、「好色女」といわれ、ひそかに大奥の顰蹙を買っているふうであった。

それに対して、お勝の方は、まだ二十代のはじめで、将軍家の奥泊りの際、お召しの数がもっとも多く、事実上、御寵愛第一の噂が高い。残念なことはいまだ懐妊のきざしがなくて、その点は、三人の姫君の母であり（その中の一人は若死してはいるが）、いわゆるお腹さまであるお美代の方に水をあけられているが、それとても、今の若さと将軍の寵愛ぶりからいえば、間もなく、懐妊の可能性は充分であった。

いってみれば、大奥を二分する勢力の愛妾の一方には中野の隠居がついて居り、一方には札差の中でも実力者といわれる板倉屋が肩入れをしている上に、後に天保改革の大立役者となった水野忠邦が、ひそかに接近しているという。

が、そうした大きな動きと、今、犬塚新吾が直面している役者殺しや、六本木の五平殺しなどの市井の事件と、どういうつながりがあるのか、或いはまるっきり関係のないことなのか、まず見当がつかない。

第一、一つの事件を深く追い続けたいと思っても、町廻りの職務は多忙すぎた。

非番の日以外は、朝から夕方まで、きまった町々を休みなく廻って行かねばならないし、その町々にはきまって押込みやら刃傷沙汰やら、大小さまざまの出来事がひっきりなしに持ち上っている。

それでなくとも、手の足りない八丁堀としては、表面だけでも片づいた事件に、いつまでもこだわっている余裕がなかった。

神山老人に呼ばれてから三日目の夜、新吾は久しぶりに、誘われて夜釣に出た。

屋敷に奉公している孫六の弟で、喜三というのが、柳橋で船宿をしている。同時にお上から十手をあずかって、お手先もつとめている男だが、これが滅法、釣狂いで、なにかというと新吾をひっぱり出しに来る。

新吾のほうも、道楽らしい道楽といえば釣ぐらいなものだが、これは喜三がどう仕込んでくれても一向にうまくならない。

もう、夜釣には肌寒い季節になっていて、宵の中から、喜三の居間で一杯やりながらひとしきり、喜三の講釈をきいている中に、秋の夜がぐっと更けて行った。

まだ、舟を出すには中途半端な時刻ということで、喜三の女房が気をきかせて用意してくれた布団でうつらうつら仮眠していると、障子のむこうの土間に人が入ってくる物音があった。

舟を向島まで出してくれと男の声が低くいいつけている。

声の様子が侍らしいと新吾はきいていた。

船宿の客に夜更けて入ってくる者は珍しくもないが、向島までとは、今時分から船頭も楽ではあるまいと思っていると、やがて、

「お待たせ申しました……」

この店では古顔の弥助という船頭が威勢よく客を舟へ案内する声がきこえて、

「お気をつけて、いってらっしゃいまし」

舟乗場のほうから、喜三の女房が送る挨拶が夜の川によく響いた。

のんびりした櫓の音がゆっくり遠ざかるのをききながら、つい眠り込んでしまって、眼がさめたのは、喜三に声をかけられてであった。

「そろそろ、いい時刻でございますよ」

ひとねむりしたあとで、体もさわやかであった。

舟の仕度はもう出来ている。

夜露しのぎの合羽を着せられて、喜三と並んですわり込むと行火(あんか)がいい具合にあたたまっている。

風がなく、思ったよりは寒くない。

櫓を握っているのは、佐吉という、これも釣好きの船頭で、男ばかり三人を乗せた舟は、すぐ流れに入った。

流石にこの時刻、川を行く舟の影はない。

「さっき、客があったな。更けてから、向島へ行くとかきいたが……」

夢の中を思い出すように、新吾が訊ねた。

「へえ、弥助がお供をして参りましたが……」

男一人かと、新吾はきいていたが、喜三の話では男女の客だったという。

「お二人ともお武家の方々のようで……これは、あまりあてにはなりませんが、男のほうは、ひょっとすると八丁堀の旦那ではないかと……いいえ、手前が存じあげた旦那ではございません」

役目柄、定廻りの旦那の顔なら、ひと通り知っている喜三の記憶にない顔だったという。

服装は特に八丁堀のふうでもなく、髪形でみわけのつくところを、男は頭巾をかむっていて、

「手前のかんちがいかも知れませんが……」

女のほうも武家風で、やはり御高祖頭巾を深くかむり、容貌はまるっきりわからなかったが、

「まだ、お若いお嬢様のようでございました」

紫色の振袖に赤地錦の帯を胸高く結んでいたと、流石に喜三の観察は行き届いている。

「八丁堀にも、粋な旦那がいるものだな」

自分のことは棚にあげて、新吾は面白がった。

男と女が二人っきりで、夜更けて舟に乗るのは一種の逢引が多いときいている。

障子をしめた舟の中で、なにが起っても船頭は粋をきかせて知らん顔だし、また、もっと馴れた者なら、暗い川岸に舟をもやっておいて、船頭に祝儀の一つもやれば、半刻ぐらい、船頭は岡へ上って帰って来ない。いわば、男と女の忍び逢いにはおあつらえむきだし、船頭も船宿も、そうした情事には口が固く出来ているから、まず世間に洩れる気づかいはない。

「この節は恥も外聞もないお客がふえて参りまして、どこでもいいから適当に流してくれなどと申しまして、船宿を出たとたんに、あられもない声がきこえたりして、若い船頭は随分、あてられて困って居りますよ」

どちらかというと、船宿の中では格のある喜三のところですら、この夏は、そういう客が多かったというのをきいたばかりである。

「いえ、犬塚の旦那、それが、さっきのお客は、どうもそういう色っぽい話ではないようで……」

舟を待つ間も二人は全く喋らなかったし、行儀もくずしてはいなかったという。

「そういう奴らに限って、障子をしめたとたんにしがみつくんじゃねえのかい」

笑いながら、新吾は釣竿をひきよせた。

ぼつぼつ、いい場所に舟が入って、喜三が舟の灯の加減をはじめている。

その夜は、魚が面白いほど、よく食った。珍しく、新吾ですらが餌をつける暇も惜しいほどだ。

夜明け間近になって、漸く、二人は竿をひきあげた。舟の上で一服つけて、船頭が用意した渋茶を飲んで、一息いれる。

まだ川面は暗く、霧がゆっくりと這い出していた。

「雨になるかも知れませんねえ」

喜三が呟いた時、遠くで櫓の音がした。やはり、夜釣の舟が帰るのかと思っていると、いきなり水音である。なにか重いものを川へ投げ込んだような音が一度して、新吾は思わず喜三の顔をみた。心得て、喜三が手近の灯を慌しく吹き消す。

しんとしていると櫓の音はどんどん近づいて来た。

暁闇にすかしてみるとやがてぽっかり現われたのは黒い猪牙(ちょき)であった。

充分に近づけておいて、新吾はすばやく提灯に火をつけた。

猪牙の上がみえた。男が四人いずれも頬かむりで、ぎょっとしたように、こっちをみる。反射的に顔をそむけた。

「おい、どこの舟だ」

喜三が呼んだが、無論、答えはなく、ぐんぐんと漕ぎ去って行く。

「追いましょうか」

船頭はその気になっていたが、新吾は制した。猪牙にしても、おそろしく舟足が軽い。追っても追い切れそうになかった。第一、この先はすぐ山谷堀で、幾重にも入り組んでいる水路のどこへ逃げ込まれても追跡は不可能に近い。

水音がしたあたりの川面も、もう波紋が消えていた。提灯のあかりでみる限り、なにも見当らない。

柳橋へ帰って来た時は、夜があけていた。

喜三の女房が心づくしの熱い湯漬を食って、新吾はひとまず、八丁堀へ帰った。

ひとねむりしたと思ったとたんに、孫六に叩き起される。

「喜三が参って居ります」

使をよこさず、自分で知らせに来たのが、すぐ昨夜の一件だとわかった。

「死体(ほとけ)が上りましてございます」

あれから、若い連中を動員して、水音をきいたあたりの川筋をしらみつぶしに探させていたのだが、

「重しをつけて沈めたのが、綱が切れたんでございましょう。川っぷちに浮んだところを運よく、うちの若えのがみつけまして……」

それが、と喜三は眉をよせた。

「昨夜、うちから舟を出させた客の男のほうだったんでございます」

夜更けに向島まで行くといった男女の客を、新吾は思い出した。

鬼同心

その夕方、馬琴は珍しく懐中に二十両の金を持っていた。

この春、越前屋長次郎という男が、二十余年前に馬琴の書いた「三国一夜物語」というのを無断で再板していたのが、涌泉堂、美濃屋甚三郎の知らせで判明し、馬琴が強硬に談判した結果、最初、のらりくらりと不誠意だった越前屋も、馬琴のいささか執念深い追及に辟易して、とうとう、この秋になってから美濃屋甚三郎を仲介人にして、詫び料やら再板料合せて十両で手をうってくれといって来た。

何事も金で片をつけようという越前屋に馬琴は腹を立てていたが、最初、全く、反省の色もなく、びた一文出す気のなかった越前屋から、ともかくも詫び料まで出させるように奔走してくれた美濃屋甚三郎の好意に対して、馬琴は了解することにした。

で、越前屋への立腹は別として、今日は美濃屋を訪ね、厄介をかけたことの礼をいい、その十両と、別に美濃屋から潤筆料（原稿料）として十両、合せて二十両を受け取っての帰り道であった。

秋の気配と共に、日は一日一日と短くなって居たが、陽気としては寒からず暑からずのよい季節である。

殊に夕方は、文字通り、釣瓶落しの秋の陽が丹沢の山に遠く染って、本郷の高台からは夕映えの富士がみえたりするこの頃は、馬琴にとって、もっとも好ましい時期であった。

武家屋敷の多い坂道を下って、左手に御茶ノ水、そこから小石川御門へかかる道は、片側が水路で水戸様の石置場や空地が多く、ちょっと寂しいあたりであった。

懐中に金があるから、馬琴も暮れかけた空に漸く足を早めて行きすぎようとすると、俄かに赤ん坊の泣き声がした。

本能的に足を止めて、見廻すと、空地のすみにかなり太い柳の古木がもう葉を散らかしている下に古ぼけた小葛籠がおいてあって、無論、蓋はなく、その中で火がついたように赤ん坊が泣いている。

近づいてみて、

「これは、捨て子だ」

と馬琴は気がついた。

子供をちょっとそこへおいて、親が用足しに行ったという様子ではない。

面倒なものに出逢ったと正直のところ、馬琴は困惑したが、そうして立っていても親が戻ってくる様子もなし、赤ん坊はたけり狂ったように泣くし、とうとう、へんこつ老人は葛籠ごと、赤ん坊を抱えあげた。

「よしよし」

と不器用に声をかけてみても、赤ん坊は泣きやむ様子もない。もともと子供を扱い馴れている馬琴ではなかった。

といって、このうす寒く暮れて行く空地に赤ん坊を置き去りにするわけには行かなかった。

それでなくとも人通りのない場所である。

たまたま、馬琴が通りかかって拾い上げたからよいようなものの、このまま、夜になったら、野犬に嚙まれるか、飢えて死ぬか、同じ捨てるなら、もう少し、人の拾いやすい町中にすればよいものをと、馬琴はいささか薄情な赤ん坊の親に対して腹を立てた。

自身番まで持って行って、届けるつもりで小葛籠をかかえて町のほうまで下りてくると、人が不思議そうに、馬琴をみる。

はっと気がついたのは、これではまるで馬琴自身が子捨てに出かけるようにみえるのではないかということである。

小葛籠に入れた赤ん坊の捨て場を探してうろうろしている老人にみえるのかと思ったとたん、馬琴はかっとした。

体中から汗が吹いて来て、馬琴は慌てて走り出した。走り続けて、息が切れ、肩も腰も痛みでどうしようもない。

ひょいとみると、垣根のむこうが寺で、井戸がある。

小葛籠をそこへおいて馬琴はよろめきながら井戸端へ行った。

重い釣瓶をあやつって、水を汲み、咽喉へ流し込んだ。

やれやれと一息ついて、戻って行くと泣いている赤ん坊の傍に坊主が立っていた。

背が高く、坊主のくせに赤ら顔で酒の匂いがしている。

「お前さん、人の寺へ子を捨てて、どうするつもりだ」

のっけから浴びせられて、馬琴はあっけにとられた。

「どういうわけがあるのか知らないが、この寺は名だたる貧乏寺で、とても子供なんぞあずかれやしない。とっとと持ってお帰り……」

小葛籠ごと、突き出されて、馬琴は思わず受け取った。

なにか、いってやりたいと思いながら、こんな破戒坊主に弁解が通用する筈もないと考え直して、そのまま、背をむけると、路地のわきから洗い髪の女が出て来た。

白粉焼けのした、自堕落な身なりで、およそ前身が知れる。

「和尚さん、なにしてるのさ。折角、焼いた秋刀魚がさめちまうよ」

馬琴を横眼にみて、背後の坊主を呼んだ。

「なにさ。あの人……」

「子捨てだよ。油断もすきもありゃしねえ。人の寺へ赤ん坊、捨てられるところだったんだ」

馬琴は、ふりむいた。

きっとしたへんこつ老人の呼吸に、坊主と女がぎょっとして体を固くする。

だが、馬琴は遂に一言もいわずに、路地を走り抜けた。

暗い道へ出て、気がついて、小葛籠から赤ん坊を抱き上げる。

葛籠は捨て、赤ん坊をぎこちなく抱えて、自身番の方角へむかった。人の手に抱かれて安心したのか、赤ん坊が泣きやんだ。

気がついてみると、馬琴の袖口が、ちょうど赤ん坊の口のあたりに触れている。母親の乳房と間違えたのか、小さな赤ん坊は、へんこつ老人の袖口をしきりと音をたてて吸いはじめた。

まだ、生まれて半年かそこらだろう。無邪気な赤ん坊が本能的に生きようとしての動作に、馬琴は涙ぐましいものを感じていた。

腹が減っているのだ、と気がついて、馬琴は袖口のかわりに、そっと自分の指先を出してみた。赤ん坊が慌てたように、老人の皺のある指先へ吸いついた。無心な表情が、まことに愛くるしい。が、吸う力は強くて、指先が痛いほどだ。

指をはなすと、さも悲しげに泣きはじめる。

これは、いけない、と馬琴は思案した。自身番へ届けるにしても、せめて、腹一杯、乳でも飲ませてからにしてやりたい。

泣く赤ん坊をゆすり上げながら、馬琴が足をむけたのは飯田町であった。

飯田町は、そもそも馬琴が二十七歳の時、今の女房のお百と夫婦になって、お百の家へころがり込んだ時からの住みかであった。

その当時は下駄屋だった中坂下の家を、お百の母親が歿ってから、店を廃業し、改築してしもたや風の二階建にした。

馬琴は、この家に二十七歳から五十八歳まで住んでいて、もっぱら二階を書斎に使っていた。

文政元年、馬琴が五十二歳の時に、今の神田同朋町に別宅をかまえ、宗伯に開業させたあとも、馬琴は長女のおさきと飯田町に住んでいたが、やがて、おさきに清右衛門という聟をとって、飯田町の家をゆずってからは、同朋町へ行って、妻のお百や宗伯、末娘のおくわなどと同居した。

いってみれば、飯田町の家は馬琴にとって長い流浪生活に終止符を打って、一家の主となった想い出深い場所でもあった。

その二階に暮していた頃は、西陽が照りつけて往生した二階の出窓に、おさきがしまい忘れたのか、それとも一年、下げっぱなしにしておくつもりなのか、古びたすだれがかかっている。

玄関の格子をあけると、襷がけのおさきが出て来た。

下女を相手に夕ごしらえの最中だったらしい。

「お父さま、いったい、どうしたんです。その子は……」

馬琴がこの家の敷居をまたぐのは同朋町へひっこして以来のことだから、およそ二年ぶりである。

外出ぎらいの馬琴は、用があれば娘夫婦を呼びつけて、自分からはまず足を運ばない。

そんな父親が、突然、得体の知れない赤ん坊をかかえて入って来たのだから、娘のおさきは勿論、亭主の清右衛門は、もっと驚いた。

ともかくも、おさきが赤ん坊を抱きとって、父親を二階へ案内する。

清右衛門が自分で茶をいれて、その間に馬琴は手短かに捨て児の一件を話した。

「面倒をかけてすまないが、米の煮汁かなにか作って飲ませてやってくれ。このままではどうしようもないのだ」

おさきが笑い出した。

「捨て児なら、ようございますけど、あたしはてっきり、お父さまがよそに作った赤ん坊でも押しつけられてお出でなすったのかと思いましたよ」

「馬鹿をいうな。この年で、なにを今更……」

娘を相手に苦笑した。

以前はお屋敷奉公もして、固く育てた筈の娘が、人妻になって二年かそこらで、こんなさばけた口のきき方をするようになったのかと、意外でもある。

「ちょうど、よいことがございます。つい、この先の家に乳のよく出るおかみさんがいますから、一走り行って、乳もらいをして来ましょう」

やはり半年ほど前に赤ん坊が生まれた家だという。

「うちの人と懇意にしていますから、わけを話せば、喜んでお乳をくれますよ」

馬琴が一緒に住んだ頃は、夜でもないと味噌こしを下げさせなかったほど、恰好をつけて暮していた娘が、他人の赤ん坊を抱いて、前掛のまま、気さくにとび出して行く。

娘が急に所帯じみたようで、馬琴はちょっと、いやな気がした。

貧乏暮しをしているくせに、どこかに武士の出を捨て切れない馬琴には、おさきの亭主が、元、呉服屋の手代だったのも、そもそも不満である。

もっとも、呉服屋の手代だったからこそ、腰も低く、気もきいて、馬琴に対しても礼を失わず、まるで主人に仕えるように、滝沢家の雑用を一切合財、片づけてくれる清右衛門という男が、重宝でないこともない。

「あの……お父さま……」

一度、出て行ったおさきがそっと戻って来て、階段の下から呼んだ。

馬琴が腰をあげる前に、清右衛門が下りて行って、その清右衛門が赤ん坊を抱いたのか、おさきは手ぶらで二階へ上って来た。

「変な女の人が、家の外にいたんです。あたしが出て行ったら、急に逃げかけて……そのくせ、戻って来て、むこうから声をかけたんですよ」

お乳をやらしてくれ、といったとおさきは低声でいった。

「片手で、お乳のところをおさえているんですよ」

そういわれても、馬琴には、なんのことかわからない。

「お乳が張って痛むみたいなんです」

ということは、ひょっとすると捨て児の母親ではあるまいか。

「その女、どうした……」

馬琴は思わず膝を立てた。

外にいる、とおさきはいった。

「うちの人がみてますから……」

下りて行ってみると、清右衛門は表の道がみえる格子のある窓の内側に赤ん坊を抱いて立っていて、そこから格子越しに、ちょうど道のむこう側の菓子屋の軒下に立ちすくんで、こっちをみつめている女と対峙する恰好になっていた。

「お父さま……」

おさきが袖をひいたが、馬琴はかまわず、下駄を突っかけて表へ出た。

女はびくりとしたが、観念したように逃げもしない。

「あんた、あの子の母親かね」

女がうつむいた。成程、おさきがいったように、帯の上を痛そうにおさえている。

「それなら、話はあとにして、すぐあの子に乳をやりなさい。飢えて泣いている。さあ、早く……」

うながされて、女は泳ぐように道を横切り、馬琴の前を通って、玄関の敷居をまたいだ。

「孝之助……」

清右衛門の抱いている我が子を、そう呼んで、走りよると、すぐ衿をはだけた。

流石に清右衛門は遠慮して、赤ん坊はおさきが女に渡してやる。

子供をしっかりと抱いて、女は乳を飲ませはじめた。

馬琴やおさきに背をむけて、乳をふくませている女の頬に、みるみる涙が流れ落ちる。

左右の乳をたっぷり吸うと、赤ん坊はいい気持そうに眠ってしまった。

そうなってから、母親は袂の中から襁褓(むつき)を出して、眠ったままの赤ん坊の、濡れたのと器用にとりかえた。

「すみません。井戸端を少々、お借り致します」

おさきが下女に洗わせるというのに、その女は固辞して、手早く一組の襁褓を洗って干して来た。

赤ん坊は部屋のすみにおさきが用意した座布団の上で、大人しく眠っている。

「あんた、赤ん坊を捨てておいて、わたしが拾うまで見張っていて、その上、あとを尾けて来たようだな」

女が落ついたところで、馬琴は可笑しそうに訊いた。

「申しわけございません。ただ、もう心配で……」

赤ん坊の入った小葛籠を抱えて、馬琴がその付近の人々に胡乱な眼でみられたのも、水を飲みに寺へ寄って、破戒坊主に誰何された時も、この女は、どこかの物蔭からはらはらしながら眺めていたに違いない。

「どうして、子捨てなぞしようと思ったのか、もし、差つかえなかったら、話してごらんなされ。わたしはごらんのように力なき蛙、骨なき蚯蚓（みみず）の類だが、ま、三人寄れば文殊の智恵というではないか」

女は手を突いて、細い肩を落した。

話そうか話すまいかと迷っているふうでもあり、強情に口を閉している様子でもあった。

身なりは決して悪くはない。

丸髷に縞の着物は町方の女のようでもあるが、歯は染めていない。

どこか、武家の女房のようにきりっとしたところもあるくせに、姿かたちが粋にもみえる。

人間を筆一本で表現するのが商売の馬琴にとっても、この女の身許は見当がつかなかった。

「ともかく、子捨てはいけない、悪い量見だ。世間は赤の他人の子を拾って育ててくれるほど甘くはない。あんた、この子の泣く声をきいたろう。自身番へ連れて行って、お上のお手数をかけるようになったところで、この子の連れて行かれる先は捨て子溜り、乳も足らずに着たきり雀で、飢えて泣くか、病気にでもかかったらひとたまりもない。そんな我が子の行く末を思ったら、たとい、なにがあろうと子供を手放す母親はあるまい」

女が嗚咽した。

「死ぬつもりだったんですよ。この子を道づれにするのは、あんまり不愍で……」

「死ぬ……」

馬琴は苦笑した。

みるところ、貧苦のあげくという相手ではない。

大方は、夫婦喧嘩のあげくか、それも亭主に女が出来て、面当てに子供を捨てて、死んでやろうというのでもあろうかと思われた。

こうしてみるところ、女はなかなか気が強そうでもある。

「夫婦の仲になにがあろうと、子を巻きぞえにするのはよくない。たしかに世の中には、子が親のために身売りをするのも親孝行ともてはやすためしがある。だが、わたしは親が我が子をわがものと考えるのは好まない。まして、物心もつかぬか弱いものを、親が勝手にするのは自然の条理にそむく……」

女が顔をあげた。

「だから、あたしは捨てたんですよ。どこの世界に我が子を好んで捨てる親があるもんか。あたしは、あの人のあとを追って死ぬんだ。この子を道づれにしちまっちゃ、あの人に申しわけないと思えばこそ……」

「おつれあいが歿られたのか」

へんこつ老人は、いよいよ重い口調になった。

「それなれば、尚のこと、我が子のために生きようとせねばならぬ。いったんの心にまかせ、夫のあとを追うばかりが貞婦ではない。わたしは常々、未亡人という言葉ほど、よろしからぬものはないと思っている」

そもそも、未亡人とは夫が死んだあと、殉死もしないで、いまだ死なずにいる者と、妻が自らを恥じて用いる言葉だと、へんこつ老人は説いた。

「妻たる者のつとめは、夫の死後、忘れ形見を正しく育てあげることにある」

家業を守り、祖先の灯を絶やさず、つつがなき血脈を子孫へ伝えて行くことが、女子の本分だと、馬琴は熱をこめて女に語った。

馬琴は儒学に造詣が深かったが、いわゆる儒者と呼ばれる人々が名利に走り、権門におもねるのを嫌悪していた。

男として大義名分は重んじたが、人と人との心の触れ合いに関しては、むしろ、形式や慣例にとらわれず、のびやかで自由な、馬琴独特の人生観を持っていた。

「そんなお説教は、どうでもようござんす。先祖のお祭とやらは、御本妻がなさるだろうし、御家督は御長男がお継ぎなさるでしょうよ。あたしには、なんの関係もない」

馬琴は驚いて女の顔をみた。

「すると、お手前は……」

「さあ、なんといったらいいんでしょうねえ。世間様じゃ、月々、旦那からお手当をもらって日蔭者の暮しをしている女を、お囲い者とかお妾と呼ぶようだが、あたしはあいにく、この子の父親から、びた一文ももらったことはござんせんのさ」

成程、と馬琴は内心、うなずいた。どうやら、女は花柳界育ちとみえた。男に惚れて、自分のほうから入れあげたが、突然、男が死んで自暴自棄になっている。

「そりゃ、いかん。お妾がいかんというのではない。あんたの立場がいかんというのだ。いくら、お前さんがそうやって力んでも、日蔭者は日蔭者、惚れた相手が歿っても、線香の一つもあげに行けまい。又、行けたとしても、まわりに肩身のせまい思いをしなければなるまい。それは、お前さんは好きで苦労の種をしょい込んだことだから、諦めもつこう、旦那のあとを追って死ぬのも、自分で自分の一生を捨てることだから、他人がとやかくいう筋ではないかも知れないが、産んだ子供はそうは行かない。畜生だとて、産んだ子は一人立が出来るまで、乳を呑ませ、敵があらわれれば命をかけても子を守る。お前さんのやってることは畜生以下だ。論より証拠、お前さんが今、捨てようとしているこの子、仮に命が助かっても、この先、どんな嶮しい道を歩かねばならぬことか。それとて、親があれば苦労の甲斐もあろう。いざという時、はげましてくれる助けもあろう。お前さんが死んだら、この子は一人ぽっちだ」

女の薄い肩から力が抜けた。

「ほろほろと啼く山鳥の声きけば、父かとぞ想う、母かとぞ想う、という古歌がある。みるところ、お前さんとて、まともに両親が揃って幸せに生い育ったお人のようではない。親のない子の悲しみは、親のない子でなくてはわからぬものだ」

九歳で父親に死別し、十九歳で母を失った悲しみが、馬琴の心にあふれていた。

父がいたら、少年の日の流浪の日々はまずなかったと思えた。母が生きていたら、向島に桜が咲いたときけば、背負うても見物に連れて行ける。著作で得た金で好物の一つも買う楽しみもあったろうにと、へんこつ老人の心はいつの間にか、少年の思いにかえっていた。

厨のほうから、ものの煮える匂いが流れて来て、馬琴は現実に戻った。

ちょうど夕餉時であった。馬琴も空腹だったが、女は尚更と思えた。

馬琴は立って行って、厨をのぞいた。おさきが下婢に指図をして働いている。

「どうだ。あの女に食わせるほどのものがあるか」

おさきは微笑した。

「そんな御心配はいりません。そのつもりで別に魚も買わせましたし、お父さまもどうぞ久しぶりに、この家の御膳をあがって行って下さいまし」

やがて、膳の仕度が出来た。家族と一緒では食べにくかろうと、別に膳を運んだ。

女は声もなく泣き続けている。

「ともかくも、御膳をおあがり。自分のためなら食べられなくとも、子供のお乳のためと思えば、無理にも咽喉を通るものだ。それが、親というものではないのかな」

馬琴はそれだけいい、あとはおさきにまかせた。女は女同士で、おさきはこの不意の客を一向に、わずらわしがりもしないで、面倒をみている。

居間へ戻ってきて、馬琴は清右衛門の給仕で飯を食べた。

父親のために、おさきが別に用意したらしいぬたと、菜と油揚の煮つけが、馬琴を喜ばせた。歯が悪くなってからは、菜でも柔かく煮込んだものが有難い。

下婢がお膳をひく頃に、おさきがやっと戻って来た。

女が箸をとったという。飯を食べさせるのに、今まで説得していたのかと、馬琴はおさきの根気のよさにあきれかえった。

「あの人、お染さんっていうんです。柳橋では染香っていってたそうですよ」

「柳橋だったのか」

水商売をしていた女のような気配は感じていたが、柳橋なら、馬琴も満更、知らない土地ではない。

もっとも、染香という名前には記憶はなかった。

「それが、お父さま……」

傍へすわって、おさきは声をひそめた。

「あの方の旦那というのは、どうやら八丁堀のお役人のようなんですよ」

「本当か……」

「名前は堪忍してくれっていってますけど」

女同士というのは、大したものだと馬琴は感心した。

飯をすすめながら、馬琴が一刻かかってもきき出せなかったことを、すらすらと語らせている。

女同士といえば、結局、お染の染香はおさきと話し合って、今夜はここへ泊めてもらうことに落ついた。

「決して無分別はおこさぬように。今、お前さんが無分別をすると、折角、おさきの好意が水の泡になってしまうのだから……」

くれぐれもいいおいて、馬琴は更けてから、やっと飯田町を出た。

清右衛門が送ろうというのを、むしろ、留守が女だけになって物騒だからと断って、馬琴は同朋町へ帰りかけた足を、途中から思い直して八丁堀へ向けた。

勝手知った道を、もう犬塚新吾の家まで一息というところまで来ると、たまたま通りすがりの屋敷から棺が出るところであった。

白い提灯が先に立ち、数人がつきそって行くところをみると、これから寺へ運んで野辺送りになると見える。

それをやりすごそうと道のすみに立っていると、

「著作堂先生……」

やはり、道のすみにかたまっていた人々の中から犬塚新吾が近づいて声をかけた。

「いったい、どなたが歿られたので……」

行列を見送ってから、共に犬塚家へひきかえして、馬琴は、はじめて訊ねた。

ただ、八丁堀の役人か、もしくはその家族が死んだにしては、なにがなしにものものしい雰囲気であった。

「著作堂先生も御存知の者です。いつぞや、今年の春浅い頃でございましたか、神田の番屋でお逢いになった、上村一角と申すのが……」

あの役者殺しの夜だと、馬琴はすぐに気がついた。

犬を連れた美女に出逢ったあと、通りすがりの番屋で不審訊問を受けた時、横柄な態度で馬琴を不快にさせた上村という同心の顔を馬琴は思い出した。

「なんぞ、急な患いでも……」

「いや、不慮の死です……」

「不慮の……」

捕物の上のことかと思ったが、新吾の口ぶりでは、そうでもないらしい。

「実は、今夜、お訪ねしたのは、思いがけないことで女一人を捨て児と共に拾う破目になりましてな」

上村一角について、新吾があまり触れたがらない様子なので、馬琴は自分の用件を切り出した。

「捨て児ですか」

馬琴が水戸様の石置場の近くで、赤ん坊をみつけ、遂に飯田町まで抱いてくるに至った顚末を話すと、新吾はとうとう笑い出した。

「それは、とんだめに遇われましたな」

子を捨てた母親が、我が子が拾われても不安で、ずっとそのあとを尾けまわしていたというのが、新吾の心を惹いたようである。

「それが、母と申すものかも知れませんな」

女の素性など、お訊ねになりましたかといわれて、馬琴がおさきからきいただけのお染の話をすると、今度は新吾が考え込んだ。

「相手が役人で、最近、死んだらしいと申すのですな」

お染という女の年頃をきき、新吾は逢ってみたいといい出した。

「よもやとは思いますが……」

夜はもう更けていたが、そのまま新吾は馬琴と共に飯田町へいそいだ。

お染は、おさきに勧められて、赤ん坊に湯を使わせ、寝かしつけているところであった。

入って来た新吾をみて、ぎょっとしたように腰をあげる。すかさず、新吾は当て推量で声をかけた。

「上村一角どのの忘れ形見というのは、その赤児か」

女の顔色が変った。

「あなたさまは……」

「犬塚新吾、定廻りを勤めて居ります。たった今、上村どのの御遺骸は八丁堀を出て菩提寺へむかわれましたぞ」

お染が唇を嚙み、耐えかねたように泣き声を洩らした。

「あの人は……あの人は、どうして死んだんです……どうして……」

新吾は驚かなかった。

「そのことについて、お訊ねしたいことがあるが……」

上村一角の死体が大川に浮んだのは、一昨日の朝である。

その前夜の上村一角の足どりがいまだにつかめていない。一角が屋敷を出たのは、殺される二日前、つまり、新吾が夜釣に出かけた前日の午後で、供をして行った若党の話では、上村一角は、牛込七軒寺町にある仏性寺という寺へ行き、その方丈で夕方まで誰かと逢っていたらしい。

仏性寺を出たのは、日が暮れてからで、神田まで出て、そこから若党だけをかえし、自分は行く先もいわずに去ったという。

その夜は無論、八丁堀へは帰らず、翌日も消息なしで、そのあと一角が姿をあらわしたのは、更けてから、新吾が夜釣に出かけた喜三の船宿へ何者とも知れぬ女と二人連れであった。一角と連れの女を向島まで送った船頭の話では、一角と女の上ったのは、中野清武が別邸を建築中のあたりに近いところで、二人は徒歩ですぐ闇の中へ消えてしまったということである。

その次に一角の姿が衆目にさらされたのは大川へ水死体となってであり、新吾たちが躍起になっているのは、一角が屋敷を出て、神田で若党と別れてから、水死体になるまでの彼の足取りであった。

一角の水死体には、傷がなかった。刃物で斬られてもいないし、首をしめられた痕もない。川へ落ちて水を飲んで死んだという状態で、それも両手足は自由である。別に縛されて投げ込まれたようではなかった。

で、八丁堀では、一角の死を酒に酔って川へ落ちたのではないかという者もある。

が、新吾は夜釣の舟できいた水音にこだわっていた。あの黒い猪牙は、たしかに重いものを川へ投げ込んで逃げた。お染が顔をあげた。

「あの人は、あたしの家に泊ったんです」

晩秋

上村一角が八丁堀の屋敷を出てから大川端で水死体になるまでの足どりが、お染の証言を得て、ほぼ明らかになった。

屋敷を出たのは十月三日の午後で、これは前にも書いたように、若党の伍七というのが供をして、牛込七軒寺町にある仏性寺へ行き、夜になってから、仏性寺を出て、神田橋御門の近くで、若党と別れたのが初更、

「五ツを少し、まわっていたのではなかったかと存じます」

と伍七が申し立てている。

それからの上村一角の足取りが不明だったのが、お染の言葉によると、一角が湯島門前町にあるお染の家へやって来たのが、その三日の四ツ前で、これは時刻からいって神田橋御門からまっすぐ、一角は妾宅へ向ったと考えられる。

妾宅で一夜をすごし、翌日も夕方まで、お染の許で赤ん坊をあやしたりして時をつぶした。

「そんなことは、滅多にございませんことで、いつもは御用繁多とおっしゃって、夜更けておみえになり、夜明けには、もう……」

一つには、世間の眼を気づかって、あまり近所に自分の姿をみせたくなかったのかも知れないと、お染はいった。

無論、お染にも子供の父親が八丁堀の役人であることはきびしく口止めしていたし、近所とのつきあいさえ、あまり好まぬふうであったという。

「あの日、珍しく私どもの傍に居てくれましたのは、今、考えてみると、どこからかの使いを待っていたようでございます」

「使い……」

何度も時刻を気にしていたし、時折、外を窺う様子をみせたとお染はいった。

「で、来たのか、使いは……」

「それが……」

来たように思うと、お染は頼りなげにいった。

「使いをみたのではないのか」

「いえ、ちょうど、煙草を切らしまして、私が買いに参りました」

もう夕方になっていて、ついでに近所の魚屋で酒の肴になるようなものをみつくろって届けさせるようにし、家へ戻ってみると、一角が着がえをしていた。これから、出かけるといわれて、お染は慌てて、身仕度を手伝った。

「その時は、別になんとも思いませんでしたけれど、もしかすると、私の出ている留守に使いが来たのではないかと存じます」

一人おいている下女は、やはり赤ん坊を背負って夕餉の買いものに出かけていた。

「家を出られる時、一角どのはお一人だったのか」

「はい……」

湯島を出たのが、暮六ツの鐘をきいてからだったとお染は記憶していた。

一角は歩いて、湯島明神のわきを切通しのほうへ去った。

次に一角が、現われたのは、同じ夜、これは、およそ五ツに近く、柳橋に近い大川端の船宿であった。

この時、一角は女連れで、舟を用意させ、川を上って向島へ去った。

そして、翌朝、水死体となって源森川の大川へ流れ込むあたりへ打ちよせられたのを喜三の家の若い衆に発見されたことになる。

これで、一角の消息不明の時刻は、湯島のお染の家を出てから、船宿へ現われるまでの約四時間ばかりと、向島へ上ってから翌朝、発見されるまでのおよそ半日だが、もし新吾が、夜釣の舟の上できいた水音が、一角を投げ込むものであったと推定するなら、一角は向島へ上って、僅か一刻（二時間）足らずの中に水死する状態に追い込まれたということになる。

もう一つ、お染の証言で、重大なことが明らかになった。上村一角は、まるで水泳ぎのたしなみがなかった。

これは、家人は誰一人、知らなかった。武士として、水泳ぎが出来ないというのは、決して名誉なことではないので、彼は女房にも話さなかったらしい。

「いつか、あたしがまだ柳橋に出ていた時分、一緒に舟で出かけたことがあったんです。その時、途中でちょっと風が出て、波が高くなった時、旦那様がとてもいやな顔をなさって……そのあと、金槌だってこと教えてくれたんですよ」

すると、八丁堀の何人かが主張しているように、酒に酔って川へ落ちて、溺死したということも成立つし、又、誰かに川へ投げ込まれたとしても、あやまって舟から落ちたとしても、あのような水死体で発見されて可笑しくはない。

「一角どのが、湯島を出かけられる際に、なにか気のついたことはないだろうか、それと、平常、なにか心あたりになるようなことを話していないものか」

お染はとりあえず八丁堀へ連れて行かれ、上村一角の上役だった金子兵七郎という与力から、長時間に亘って取調べを受けたが、結局、それ以上のことはわからなかった。

湯島の家へは、犬塚新吾が送って行った。役目違いだが、最初からの行きがかりもあったし、金子兵七郎は、お染を八丁堀から解放しただけで、誰にも送らせる気はなかったらしい。

お染が取調べの間中、子供は笠松京四郎があずかって、妹の浪路が面倒をみていた。

そのひっかかりもあって、お染を送る道中に、京四郎もつき合っている。

お染は傷心の体だった。

金子兵七郎から、かなり嫌味な質問を重ねられたようでもある。

それだけに、あずかった赤ん坊を、浪路が湯にも入れ、肌着を洗ったり、新しい肌着を縫ったりして、大事に世話をしていたことが、お染を泣かせた。

「八丁堀にも、いろいろな方がいらっしゃるものですねえ」

湯島の家へ戻って来て、やっと心が落ついたのか、お染は居間へ新吾と京四郎を招じ入れ、下女にいいつけて、酒の仕度をはじめた。

新吾も京四郎も固辞したが、

「せめて、この子の父親の供養のつもりだと思って、一杯だけ召し上って行って下さいまし」

お染に乞われれば、それでもと袂をふり切って帰るわけにも行かず、それに、新吾も京四郎も、もう少し、お染に訊ねてみたいことがあった。

結局、長火鉢の前に腰をすえて、お染の酌で酒になった。

飲むほどに、お染のほうも口が軽くなって、上村一角とのなれそめからを、問わず語りにきかせてくれる。

もともと、お染の旦那は、金春流の笛師で名の通った者だったが、上村一角はその頃、しばしば、笛師の家に出入りしていて、それでお染と知り合ったらしい。

笛師は、もう六十をすぎている老人で、お染にしても、満たされないものがあったのだろう。

つい、旦那の眼をしのんで、一角と間違いをおこしてしまうと、あとはお染のほうから、のぼせ上った。

「すぐに、旦那にわかっちまったんですよ。旦那は粋な方っていうよりも、やっぱり、八丁堀のお役人が相手だから、弱かったのかも知れません」

お染には暇が出て、おまけにかなりまとまった手切金までくれた。

「それで、湯島に所帯を持ったんです」

三日か五日おきに、一角はお染のところへ泊っていたという。

「いい人でしたけど、どっちかっていうと今のお役目がおいやだったみたい……」

八丁堀の役人は、つまらないと、よく酒を飲むと愚痴が出た。

八丁堀の与力も同心も、どんなに手柄を立てようと、功績があろうと、与力は一生、与力、同心は一生、同心であった。

同心が与力に出世することは、まず、なかったし、その与力にしたところで、身分はお目見得以下の下級武士であった。不浄役人の域を出ない。

上村一角は、折あらば不浄役人から脱け出したいと考えていたらしい、とお染はいった。

「それは無理だ」

京四郎が苦笑した。

「どんなに嫌っても、八丁堀で産湯を使った男は、八丁堀を出るわけには行かねえだろう」

「でも……旦那は、出るっておっしゃっていました」

「八丁堀を出る……」

「ええ、大きな力へ取り入れば、今までなかったことが出来るのだって……そうすれば、あたしはともかく、孝之助は、ちゃんとした上村家の跡取にしてやると……」

孝之助というのが、お染の産んだ赤ん坊であった。

「大きな力によって、八丁堀を出る……」

新吾と京四郎は思わず顔を見合せた。

お染には、わかっていないらしいが、上村一角のいう大きな力とは、おそらく中野清武を指すものだろうと、およそ想像がつく。

将軍家の愛妾、お美代の方の養父として、幕閣の人事に、殊更、力を持つといわれている中野清武が、不浄役人であることに不満を持つ上村一角に、なにを命じ、どう使おうとしていたかは、肝腎の上村一角が変死してしまっている以上、手がかりはない。

「京四郎、どう思う……」

お染の家を出てから、新吾は湯島から神田明神のわきを通って、聖堂のほうへ下りながら、京四郎に訊ねた。

中野清武のように、いわば閨縁によって立身した男には、無論、敵も多いに違いないが、まず、さし当って、彼が眼の上の瘤としているのは、おそらく、お美代の方にかわって将軍家の寵愛を独占しかけているお勝の方であり、その背景にある板倉屋小左衛門に違いないとは、およそ推量出来る。

新御番頭格で二千石の大身にまでのし上った中野清武にしてみれば、板倉屋はたかが町人、一介の札差に過ぎないが、板倉屋の後には、かねてから中野清武の専横を快く思わない老中の大久保加賀守や松平周防守がついているのが衆知の事実なので、中野清武としても、迂闊には出来ない立場であった。

まして、今のところはお美代の方が、子運に恵まれて、三人の女子を産み、その中、一人は早世したが、上の溶姫は文政九年十一月二十七日に十三歳で加賀百万石、前田斉泰の正室として輿入れをしているし、下の末姫は文政六年六月十八日に、六歳で芸州四十三万石、浅野斉賢の嗣子、勝吉と婚約が整っている。

生来の美貌と才智によって、大奥では他にならぶ者なき権勢をほこった立場ではあるが、お勝の方に懐妊のきざしのない中はまだしも、万一、男児誕生などということになると、お美代の方の地位が揺がないとも限らない。

折あらば、今の中に、お勝の方につながる板倉屋を叩いておきたいというのが、中野清武の本心だろうと、新吾は考えた。

板倉屋小左衛門は莫大な財力と、金の力で大名並みの勢力を持っているといわれても、身分はあくまでも町人であり、町方の支配に属する。

中野清武が上村一角を使ったのは、案外、このあたりに意味があるのではないかと思われた。

とすると、上村一角の変死は、板倉屋が、それを知って、はやばやと手を打って来たものなのか。

「わざわざ、殺すことはあるまい」

京四郎がいった。

「上村一角は、おそらく、板倉屋を失脚させる種を探っていたに違いない」

札差という職業は、表むきは幕府からじかに給料を米で受けとっている武士に対し、手数料をとって、米を金に換えるものだが、裏へまわれば公然の金貸業である。相手は御家人から、かなりな身分の旗本や場合によっては大名もある。叩けば埃の出る商売だが、うっかり叩くと、幕閣の老中、諸大名まで埃をかぶる結果になるので、滅多には手が出せない。

札差業のほうで叩けないとなると、あとは板倉屋個人の汚点を探り出す他はない。

それも並大抵のことでは、闕所とか、家財没収などへ追い込めない。

板倉屋にとって、上村一角の存在は、うるさい蝿のようなものだったに違いないが、といって、仮にも八丁堀に籍のある男を、手を下して殺したとなると、これが露見した場合のほうが致命傷になる。

勝手に上村一角を泳がせながら、ぼろの出ないようにとりつくろっているほうが、はるかに安全であり、賢明であった。

「上村一角が、もし、板倉屋のなにかを探り出していたとしたら、どうなのだ」

例えば、板倉屋に、それが発覚すれば間違いなく失脚するような秘密があったとする。それを、上村一角が摑んだとなると、これはもう、上村一角の口をふさぐしか方法がない。

「なんだ。板倉屋の秘密というのは……」

「それがわかれば、風に吹かれて神田界隈を歩きまわっていることもあるまい」

新吾が自嘲した。

遥かにみえる町の灯は、明神下同朋町あたりで、そこには滝沢馬琴の家がある。

お染の一件は、そもそも、馬琴が捨て児を拾ったことから、思わぬ収穫になったのだから、その礼に立ち寄りたいと思いながら、新吾は夜更けを思い、遠慮した。

歩いて行く道の角に番屋がある。

障子はしまっていて、うすく灯が映っていた。

この冬、この番屋へ運び込まれた春之助という役者の死体を、新吾も京四郎も思い出していた。

その折、上村一角は、すでにこの番屋へ来ていて、春之助の死体を改めた。

何故、あの時、上村一角がここに来ていたのかが、新吾の不審になっていた。しかも、上村一角はあらかじめ、春之助という役者が殺されることを予期していた様子がある。

もし、上村一角が、板倉屋の手にかかったとすると、糸は案外、あのあたりから引き出さねばならないのではないか。

夜風が強く吹いて、桐の葉を散らしている。

聖堂の森の銀杏も夜目に黄色く、かたまってみえた。難しい顔をして、新吾と京四郎は八丁堀へ帰って行った。

上村一角の死について、八丁堀はひそかに探索を進めてはいたが、結果はあまり思わしいものではなかった。

もっとも手がかりになる筈の中野清武邸への問い合せに対しては、

「上村一角なる者は、たしかに当家に出入りはしていたが、格別、心あたりもなく、当家より特に依頼したようなことも、全くない」

無論、十月三日、四日両日、彼が中野家へ来たこともないし、来る予定もなかったと用人から返事があった。

実際、かなり聞き込みを広げても、三日と四日の両日に、中野邸の周辺で上村一角を見た者はない。

犬塚新吾たちが、もっとも注目したのは、四日の夕刻であった。湯島の妾宅を出てから、柳橋の船宿に現われるまでに、一角の行った先が中野邸ではないかと、聞き込みは、この時刻にしぼって続けられたが、やはり上村一角らしい人物の目撃者は出て来ない。

更に、上村一角に対しては、悪い条件が重なっていた。向島へ出かけた時、女連れであったことも、ひょっとしたら、その女とどこかで密会して、酔ったあげくの帰り道に、うっかり川へ落ちたのではないかと想像された。

湯島へ妾宅をかまえていたことも、そういう男だから、女にはだらしのないところがあったに違いないと、上役の心証を悪くした。

又、八丁堀の中で上村一角と親しくしていた者が全くといってよいほどなかったことも、同僚から憎がられていたことも、捜査に熱が入らない理由になっている。

上層部でも、意見はまちまちだった。徹底的に死因を探り出せという者と、その結果、酒に酔って川へ落ちて死んだことが明るみに出ては、八丁堀の威信にかかわるといい出す者もある。

どう考えても、八丁堀の役人が水死体で上ったというのは、外聞のいい話ではなかった。

秋が深くなるにつれて、上村一角の死は、くさいものに蓋をするといった傾向が強くなった。

十一月になって、上村一角の家族は、八丁堀の屋敷を出て、本所の知人の家へ引き移った。

本来なら、父親に不慮のことがあれば、直ちに息子が見習として奉行所へ出仕し、折をみて父親の職を継ぐのが常識なのに、上村一角の遺児に対しては、そのお沙汰もないという。

上村家の屋敷は、無人のまま秋風の中にあった。

住む人がいないと、家の荒れは急に進む。

上村家の前を通る度に、犬塚新吾の胸の中で、なにかが燃えていた。

決して、好ましい同僚ではなかったが、大川端に浮いた上村一角の無念そうな死顔をみているだけに、どこかで八丁堀の無能を嘲っている声がきこえるようでならない。

そんな秋に、馬琴の末娘、おくわの縁談がまとまった。

縁談の相手は戸田越前守の用人、渥見治右衛門の長男、渥見覚重という者で、仲介の労をとってくれたのは、隣家の橋本喜八郎であった。

橋本喜八郎というのは西の丸御書院番をつとめ、このあたりにかなり地所を持っている男で、もともと、馬琴の今の家も、地主は橋本家であった。

後に事情があって、その土地を橋本家が杉浦清太郎にゆずったので、目下の地主は杉浦家だが、そもそも、馬琴が宗伯のために、この明神下同朋町に居をかまえた折、もっとも世話になったのは、橋本喜八郎であり、その後も隣家同士のことで、折々に行き来はしていた。

この橋本喜八郎の妻の従弟に当るのが根岸彦兵衛といい、そこへ出入りしている骨董屋の井筒屋節蔵というのが、渥見家で長男、覚重の嫁をさがしているという話を持ち込んで来たものであった。

根岸彦兵衛から橋本喜八郎を通して、たまたま、馬琴のところへ縁談が来た。

きいてみると、渥見覚重というのは三十二歳になっていて、五年前に一度、妻帯したが、一年足らずで病死して、以来、独身ということであった。先妻との間に子供はない。

再婚ということが、いささかの難ではあったが、おくわも、もう二十七歳になっている。再婚でもなければ、なかなか良縁はまとまるまいと馬琴は思い直した。

父親が戸田越前守の用人ならば、そう悪い相手とは思えない。

おくわに話をしてみると、これは、

「お父様さえ、よろしければ……」

むしろ、いそいそとした返事であった。

で、縁談の橋渡しをしている井筒屋節蔵を招いて、きいてみると、渥見家というのは、これも馬琴にとっては隣家の伊藤常貞のところとも遠縁に当るという。

つまり、常貞の女房のお鉄と、遅見覚重の母親が叔母と姪の関係になっている。

「橋本どのはともかく、伊藤家と縁つづきでは……」

馬琴は渋った。

どうも、伊藤夫婦と馬琴とは、ここへひっ越して以来、ろくなことがない。そりが合わないというか、馬琴はこの夫婦が好きではなかった。

今までに、かなり喧嘩をしているし、なるべくならつき合わないように気をつけている。が、おくわが遅見家へ嫁ぐとなれば、やはり、縁につながる者同士として、今までのようなわけには行かなくなるだろうというのが馬琴の懸念であった。

これは、断ったほうがいいと馬琴は思い、家族にもそういったのだが、お百から猛反撃を食った。

「いったい、おくわをいくつだと思っているんですか」

大体、母親というのは、娘の縁談に関する限り、どんな大人しい女でも猛女になりがちなものだという。まして、お百は根っからの猛女であった。

「おくわが、この年まで嫁に行きそびれたのは、どなたのせいなんです。あなたが町人は好かん、遠くへはやりたくないと、勝手なことばっかりおっしゃるから……高のぞみをしてしくじるのはおさき一人で沢山ですよ……」

「馬鹿者、いそいでやればよいというものではない」

「おさきだって三十一にもなってやっと落ついたんですよ。呉服屋の手代をやっと養子にもらったのが、そんなにいい縁だったんですかね。なんだい、三十一まで嫁き遅れにして、結局、あんたの一番きらいな商人を聟にしたんじゃないか」

連れ添って、およそ三十年、馬琴が毎日、口やかましくいいきかせて来た行儀作法も言葉づがいも一向に身につかないお百は、かっとなると、忽ち、油紙に火がついたようになる。

「よしなさい。なんという口をきくのだ。御近所にみっともない」

「気どっている場合じゃないっていってるんですよ。なんだい、先生、先生っておだてられるもんだから、すっかりいい気になっちまって……たかがもの書きじゃないか。まともに汗流して稼いでるわけじゃない。やくざな商売してるくせに……」

馬琴の顔が赤くなった。

「お母さん、おだまりなさい」

宗伯がやっと口をはさんだ。

「父上のお仕事を卑しめるようなことをいってはなりませんぞ」

この息子は、案外、母親には強かった。

「だって、宗伯……これじゃ、おくわがかわいそうじゃないか。いつまで経っても嫁にも行けない。こんな陰気な家にいて、お前の病気の世話だの、掃除だ、洗いものだ。まるで重宝に使ってるばっかりで……」

おくわが、わあと泣き出した。二十七にもなっていて、子供のような泣き方である。

「いい加減にしなさい。おくわが掃除、洗濯をするのは、女として嫁入り前の修業ではないですか。そういう躾をしておかないと、嫁に行って苦労をするのは、おくわなんですから……」

宗伯はわかったようなことをいって、母親と妹をたしなめた。その上で、父親の前に両手をつく。

「父上、たしかに伊藤家と縁つづきになることは、わずらわしいに違いありませんが、それだけでことわるには、このたびの縁談、まことに惜しゅうございましょう。今少し、井筒屋の話をききまして、先方の様子もたしかめて、その上でことわるなり、おくわをつかわすなり、おきめ下さっても遅くはございますまい。何分にも、当人ものぞんで居りますことなので……」

馬琴は面倒くさくなった。

「宗伯にまかせる。好きにしなさい」

三十年以上も連れ添って来た妻から、たかがもの書き、といわれたことに、馬琴は衝撃を受けていた。

たしかに女子供を喜ばすための黄表紙だの、読本だの、世俗におもねる作品を板元の求めに応じて書き続けて来たことに、馬琴はほとほと嫌気がさしていた。

いってみれば戯作は渡世の方便のつもりであった。弁解がましいかも知れないが、生活のために、いわゆる俗受けのする作品を書き続けて来たのであって、それでも、せめてその中に新しい趣向や、世の中のいささかでも役に立つ人間の本性について、人間はかくありたきものという馬琴の願いを、読む人々に面白がらせながら理解させたいというもの書きの自負がなかったわけではない。

逆な言い方をするなら、そうした馬琴の性格が作品を中途半ぱなものにして、もう一つ、面白がらせないうらみがあった。

教育的だとか、押しつけがましいとかいう世評を浴びたこともある。

それでも、馬琴にとって、それは彼の良心であった。面白ければ世の中の害毒になってもかまわないという姿勢を、彼はどうしても持てなかった。

作品の中途半ぱは彼自身が誰よりもわかっていることで、馬琴が願っていることは、一日も早く、戯作を抜けて、天下有用の書を書くということであったが、戯作者としてこれだけ名が通ってしまい、金も稼げるようになると、今更、天下有用の書などとひらき直るひまもなくなってしまったし、それ以上に一家を支えて行かねばならない生活の方便としても、戯作の足を洗うわけには行かないのであった。

いってみれば、志と違う戯作の道で、大いに有名になってしまったことは、馬琴にとって、得意でもあり、恥でもあった。平常、下駄屋の娘で無教養な愚女房と軽蔑しているお百に、その最も痛い部分を突かれたことは、馬琴にとって、痛憤の限りであった。

誰のために、苦しみと悩みを抱えていることかと思う。

女房のため、娘のため、又、いつまで経っても一人前になれない息子のために他ならない。

宗伯がきいたふうなことをいって、母親を叱ったのさえ馬琴は腹が立った。

いってみれば、一生の大半を家族のために犠牲にしたような自分なのに、それを血をわけた子供すら理解していないらしいのに、ひどく虚しいものを感じるのだ。

終日、馬琴は書斎に閉じこもっていた。勿論、筆をとる気には全くなれない。

その間に、宗伯は自分で井筒屋節蔵を訪ねて来たらしい。

「渥見家というのは、なかなかしっかりした家のようです。覚重の両親も健在ですし、兄弟は妹が一人、これはもう嫁いで居ります」

従って、おくわが嫁いでも、小姑の苦労はまずないだろうという。

「渥見家は内福のようですし、両親も温厚で周囲の評判も悪くございません」

おくわにとっては、良縁ではないかと宗伯は遠慮がちに報告した。

「一度、おくわをそれとなく、渥見覚重に対面させたら如何でしょうか」

見合という形式は、一般にまだあまり行われていない時代であったが、それとなく両家が顔を合せ、縁談のある同士がおたがいをみるという程度のことはないわけではない。

「わしはどうでもいい。お百と相談しなさい」

中っ腹で、馬琴はあまりいい返事をしなかったのだが、それとなく気をつけていると、橋本家の妻女が訪ねて来たり、井筒屋節蔵が出入りしたりして、やがて、この十一月の堺町の芝居見物で、それとなく渥見覚重とおくわをひき合せる約束が出来たようであった。

勝手にしろ、と馬琴は知らぬ顔をきめていた。

このところ、馬琴にとって娘の縁談どころではないほど、仕事の註文が多くなっている。

文化十一年、馬琴が四十八歳の時、はじめて筆を下した「南総里見八犬伝」もすでに十二年かかって、やっと六輯二の巻から七輯へ書き進めようとしているところであったし、「八犬伝」の評判が高くなれば、別の作品も懇望される。「巡島記」「傾城水滸伝」「金ぴら船」などの作品も、「八犬伝」と前後して書き続けていることでもあり、その煩雑さは並大抵のものではなかった。

加えて、雑用も多い。

殊に「八犬伝」は長期に亘る執筆のため、これまでの板元の丁字屋平兵衛が米相場に手を出して破産するという破目になり、一輯から五輯までの板木を涌泉堂美濃屋甚三郎に売ることになってしまった。

著述する側にとって、途中から板元が変るというのは、わずらわしくもあり、あまり、気持のよいものでもない。

新しい板元の美濃屋甚三郎というのが、案外、無神経な商人で、「八犬伝」の執筆をやいのやいのと催促してくるのも、馬琴の頭痛の種であった。

「とにかく、娘の縁談でございますからね。いくらおいそがしいといっても、渥見様では御両親おそろいでお出かけになるのに、こっちはあたしと宗伯では、おくわがかわいそうでございますよ。嫁に行く前から肩身のせまい思いをさせて……」

芝居見物の日がきまると、お百は朝から晩まで、同じことをいって馬琴を責めたてた。

「先方様は、八犬伝の作者の娘というので、乗り気になっているってお話ですしね」

もの書きをやくざな商売ときめつけた口でお百はそんなこともいう。

結局、馬琴は娘の見合の供をすることになってしまった。十一月の顔見世で、尾上菊五郎の新狂言が評判になっている。

霜の朝

ともかくも、芝居見物は無事に済んだ。

中に立った井筒屋節蔵の働きで、両家がさりげなく挨拶をするという一幕も筋書き通りに運んだ。

が、全く別のことで、馬琴は蒼白になっていた。

尾上菊五郎の新狂言の中に、馬琴が書き下したばかりの「八犬伝」七輯の巻二にあるのと全く同じ趣向が使われていたのである。

「八犬伝」七輯は、庚申山の化け猫退治を中心とする、八犬士の一人、犬村角太郎の話である。同じく八犬士の一人、犬飼現八が下野の網苧の里で、庚申山の妖怪の話をきき、その第一の石門、胎内くぐりで夜を明かす時、赤岩一角の亡霊に出逢う。

亡霊の語るところによると、赤岩一角なる者は十七年前、この山中に住む数百歳の化け山猫を退治しようとして、逆に山猫の神通力によって殺されたのであったが、山猫は食い殺した赤岩一角に化け、当時、一角の妻であった窓井を犯して牙二郎という子までなした。本物の一角には、窓井の前に正香という先妻があって、その間に角太郎という子があったが、後妻の窓井に牙二郎が生まれる頃から、父親の一角、実は化け猫だが、孝心のあつい角太郎をひどく虐待するようになったので、角太郎の母、正香の兄に当る犬村儀清(のりきよ)というのが、養子にもらい、娘の雛衣と夫婦にしたが、やがて、儀清夫婦もあいついで病気のために世を去った。

又、化け猫の赤岩一角のほうは、窓井が次第にやせ細って死んだあと、何人も妾が入れかわったが、どれ一人として長続きがしない。

これは、一角の正体が化け猫なので、精を吸いとられ、中には食い殺される者もあってのことであった。ところが、二年前にこの土地へ来た船虫という女が、したたか者ですっかり化け猫の気に入り、後妻におさまっているのだが、この女、角太郎夫婦に遺産があるのに目をつけ、無理に同居をさせた上、たまたま雛衣の腹がふくらんで来たのを密夫の胤を懐胎したとさわぎたて、雛衣を追い出した上に、角太郎まで勘当して、とうとうその財産を横領してしまった。

実をいうと角太郎は母の正香が守袋に入れてくれた一つの玉があり、それは自然に礼の文字の浮き出る瑞玉、つまり、伏姫が富山で死んだ時、その衿にかけてあった水晶の数珠の八ツの玉が霊光を放ってとび散って宙に消えた、その玉の一つで、これを持つ者は八犬士の一人という証拠になるものであった。

角太郎は無論、そうとは知らずにこの玉を秘蔵していたのだが、たまたま、或る日、雛衣が腹痛をおこし、薬のききめがないままに、その玉を水にひたして飲ませようとした時、船虫が玉をみようとしたので慌てて、うっかり、雛衣は、玉もろとも水を飲んでしまったのであった。

雛衣の月のものが止り、腹が大きくなり出したのは、それからのことである。

悪いことに、当時、角太郎夫婦は、養父母の病中から慎しみの心をもって、枕をかわさないで来た。

そのことを知っている船虫は、雛衣の懐胎を不義といいたてたのである。

角太郎は、それを知っていたが、親の命にそむくことは不孝、又、恩を受けた雛衣の両親への義理からいっても、罪もない雛衣と別れるにしのびず、止むなく、世を捨て、僧のつもりで戒行を積み、親の誤解のとける日を待っていた。

犬飼現八が庚申山の胎内くぐりで、赤岩一角の亡霊と逢ったのは、ちょうど、この頃のことである。

現八は早速、角太郎をたずねて、亡霊の話を打ちあけ、赤岩一角の髑髏をみせる。

この巻での、もっとも馬琴が苦労した趣向は、親子がたがいに見知らず、親子であることをたしかめるには、おたがいの血を合せてみると、実の親子ならば鮮血が交わり、他人の場合はどうしても一つに溶け合わない。

もし又、親が死んでしまった場合、その髑髏に血を注ぐと、正しく親子ならば、血は髑髏に吸い込まれて、ただの一滴も外にはこぼれない筈だという。

八犬伝の中では、現八がその真偽を角太郎に問い、角太郎が、それは唐土の俗説から出たものだが、梁、唐の時代に、その例があって、史書にも記されているから間違いないと答えて居り、そのあとで、現八が庚申山から持って来た髑髏に角太郎の血を注いで、親子であることを実証し、今の赤岩一角が化け猫の変化であることを知らせるのであった。

大体、庚申山の化け猫退治は「八犬伝」の中でも、一つのやま場でもあり、殊に血液をもって親子の証しをするというのは、馬琴にしても、唐国の記録や小説をもとにして、彼なりに趣向をこらした部分であった。

その条は、つい先月、書き上って、美濃屋甚三郎に渡し、彼のところで目下、製板中の筈である。

従って、「八犬伝」の七輯はまだ世に売り出されていない。

その未刊の趣向が、そっくり菊五郎、演ずるところの新狂言に使われているのである。

馬琴は呼吸が止るほど驚いた。

ところが、早速、大夫元を呼んで訊ねてみると、どうやら、その趣向は菊五郎が美濃屋甚三郎から教えられて、新狂言の中に使ったらしいとわかったものである。

馬琴は直ちに、美濃屋甚三郎を呼んで問いただした。

甚三郎の説明によると、それは全く大夫元のいう通り、自分が「八犬伝」七輯を読んで、思いつき、菊五郎に話して新狂言の中にとり入れてもらったのだという。

「なんということをしてくれたのだ。芝居で先にやられては、いざ、八犬伝が出た時、読んだ人はなんという。芝居をみて、その趣向を真似たといわれても仕方あるまい」

馬琴の怒りに対して、甚三郎はわからない顔をした。

「左様でしょうか。手前は八犬伝のなによりの宣伝になると存じまして……」

なんであろうと、人がさわげば、噂になって、それで本が売れるというような甚三郎の考え方に、へんこつ老人はあきれて口をきく気力もなくなった。

「どうも、衆愚は度し難いですな」

たまたま、やって来た犬塚新吾がその話をきいて、馬琴のかわりに芝居の大夫元にかけ合って、この芝居の趣向は、今度、売り出される「八犬伝」七輯の趣向を借りたものだと書かせて、芝居小屋に、はり出させてくれたが、馬琴はすっかり意気消沈してしまった。

「八犬伝」には、彼なりに精魂を注いでいた。評判もよく、つい馬琴もいい気になって、

「我を知る者は、それ八犬伝か」

などと、日記にも書簡にも書きつけていたくらいである。

が、どんなに作者が精魂を傾けて書いたとしても、板元にとっては、よく売れる商品であり、商品を売るためには、なにをやっても恥ではないと考えている。

いってみれば、板元が売らんがために作り出した人気の上に「八犬伝」がのっかって売れているとしたら、その泡沫が消えた時、いったい、なにが残るというのだろう。

金のために著述をしているのだと割り切ろうとしながら、もの書きとしての自尊心を捨て切れない馬琴は、又しても、ひどく傷ついた。

遠山景晋のところに奉公していたおてつが明神下同朋町を訪ねて来たのは、そんな時であった。

すっかり、屋敷奉公が身について、以前よりも落つき払ってみえる。

馬琴は、この娘と話している時、見栄を忘れて、作家の愚痴をぶちまけることが出来た。

妻にも息子にも、理解してもらえないことを、赤の他人のこの娘は心をこめてきいてくれる。

「そのように、お考えなさるのは、失礼でございますが、間違って居ります」

馬琴の悩みをきいて、おてつはすがすがしく答えた。

「たしかに世の中には、先生のお作を商品にして、馬鹿なことをする人が多いとは思いますけ

れど……」

どんなに商売につきものの、入り組んだ売り方、宣伝を考えても、結局、作品がよくなかったら、お客はのって来ないと、おてつはへんこつ老人のいってもらいたいことを、素直にいった。

実際、そう信じている眼の色である。

「むかし、玉屋の紅というのが、はやりました。色もよくて、つけていて、なかなか落ちないし、女はみんな喜んで買いました」

玉屋に対抗して、花屋というのが、新しい紅を売り出した。

「随分、お金を使って、人気のある女形や、役者衆に頼んで、誰それも使っているというような噂をふりまいたり、よみうりに書かせたり……でも、結局、長くは売れませんでした」

やはり、前からの玉屋の紅へ客は戻ってしまい、金をかけた分だけの人気でしかなかったという。

「紅と、先生のお作と一緒にしては申しわけございませんが……」

おてつはへんこつ老人の心を包み込むような微笑をみせた。

「よいものは、読む人の心に残ります。お作のよい悪いをきめるのは、読む人の心……どんなに板元がいやしいことをしても、それはなんのかかわりもないこと。先生がお心をこめてお書き下されば、そのお心は間違いなく、読む人の心に通じて居ります」

この世は、いやなことばかりだとおてつは訴えた。

物価はじりじりと上っている。春に一両で九斗二升買えた米が、秋には同じ一両で六斗四升しか買えなくなっている。

「別に、お米が不作だったともきいていませんのに……どうしてそんなことになるのか、あたし達にはよくわかりません。ただ、お屋敷づとめをしていますと、ぼんやり、いろいろなことがきこえて参ります」

おてつの奉公している先は勘定奉行であった。

上のほうの、どういうやりくりでそうなるかが、わからないながらも耳に入ってくる。

「お殿さまも、とてもお心を痛めておいでとか、洩れ承りました。今に、もっと、ひどいことがおこるのではないかと、御心痛のご様子だと、御用人様がおっしゃっているのをきいたことがございます」

決して、暮しよい時代でない今日の日々を、なんの力もない、貧しい庶民が、一刻、憂さを忘れ、心をたのしませるのが「八犬伝」だとおてつはいった。

「だから、売れるんです。板元のせいではありません」

おてつの奉公している屋敷でも、なけなしの金をはたいて「八犬伝」を買う人々がいるといった。

「八犬伝を読んで、正しいってなんだかわかるっていいます。面白くってためになるって、みんないってます」

学問のない人はその人なりに、知識の豊富な人々もその人なりに、楽しみ、読まれているのが「八犬伝」だと、おてつは赤くなっていい続けた。

「生意気をいうようですけれど、あたしは……学問もなんにもないあたしですけれど、そういう御本をお書きになる先生を、ご立派だと思っています」

馬琴の心が、かすかに和んでいた。

どんな知名人に賞められるよりも嬉しいものが、へんこつ老人を満たしていた。

こんな娘を、宗伯の嫁として迎えることが出来たらと、馬琴は思いはじめていた。

宗伯がおてつを嫁に欲しいと打ちあけた時は、親子でありながら、恋敵に似た感情が馬琴の中にあったような気がする。

恋敵といっては、露骨すぎる感情だし、馬琴自身、おてつに卑しい欲情を持ったわけでは決してないのに、意識の底に、息子であっても男同士の気持があったと思う。

が、今は、それよりも、おてつという娘に身近にいてもらいたい心のほうが、遥かに強くなった。

いくら、おてつが気に入っても、妾にするわけには行かないし、するつもりも毛頭、馬琴にはなかった。

おてつを欲しがっているのは馬琴の肉体ではなくて、心だと、へんこつ老人は考えていた。

そのためには、息子の嫁という形が一番、自然でのぞましい。

宗伯はおてつに惚れて、ともかくも死んでもと、男が口にしている程である。

問題は、おてつの気持であった。おてつの意中の人が、犬塚新吾であることを、知らない馬琴ではなかった。

しかし、犬塚新吾にはすでに心にきめた女があるらしいし、そのために、おてつが失恋に苦しんだのも、馬琴はみている。

今は、まだ時期尚早でも、折をみて話せば、おてつがなんと返事をしてくれるか、のぞみがないわけではない。

二刻ばかり、話をしておてつが帰りかける時、馬琴は思い切っていってみた。

「実は、末娘のおくわに縁談がありまして、ひょっとすると、年内に片づくことになるかも知れませんよ」

「おくわさまに……」

何度か、馬琴の家を訪ねて、おてつはおくわのことを知っていたらしい。一度か二度は姿をみかけているようであった。

「それは、おめでとう存じます」

明神下のあたりまで、おてつを送るつもりで、馬琴は歩きながら話し出した。

「相手は渥見覚重といって、戸田様の家中だが、絵をよくするらしい。この前、芝居でそれとなく逢ってみたが、大人しい、実直そうな仁であった。面白味はないかも知れぬが、おくわのような当り前の娘には、かえってそのほうがよいかも知れぬと思いましてな」

おてつはうなずいた。

年頃の娘として、縁談という言葉に、つい、自分自身とひきくらべているような表情でもある。

「なにしろ、おくわはもう二十七でござってな。手前はとにかく、家の者はやいのやいのと申すし、当人もあせり気味なので……」

決まれば、嫁ぐのは早くなるだろうと、馬琴は思っている。

事実、そういう会話が、何度かお百や宗伯の口からも出ていた。

「おくわ様がおきまりになりますと、お寂しくなりましょう」

坂の途中でおてつがちらと馬琴をみていった。

「左様……」

残るのは老妻と病気がちな息子である。特におてつのような華やかさのある娘ではないが、若い女というのは、そこに居るだけで、家の中の花になれる雰囲気を持っている。

「ま、娘はいつか嫁に行くもの。わたしのところとて、いずれ、宗伯に嫁をむかえることになろうが、その時は、そちらの娘の御両親に寂しい思いをさせねばなりますまいよ」

神田明神の石垣のわきであった。

聖堂のほうから、若い侍が一かたまりになって歩いてくる。

「おてつどのは、まだ、縁づくお気持にはならぬか」

腫れものにさわるように、馬琴はいった。

おてつが眼を伏せた。

「犬塚様のことは、もう……」

蚊のなくような細い声である。

「ただ……」

いいかけて、いいやめ、別に言った。

「それでは、私、ここで……」

「又、遊びに来て下され。老人の話相手に」

慌てて、馬琴は言葉で追った。

「ありがとう存じます」

お暇が頂けたら、又、と、おてつは丁寧に会釈をして足早やに坂道を去って行った。

家へ戻ってみると、宗伯がちょうど出先から帰ったところで、

「おてつどのがみえられたそうではありませんか。どうして、引きとめておいて下さいませんでした」

嚙みつきそうな口でいう。

「なにをいうか。先はお屋敷づとめ、門限のあることだ」

「それにしても……手前が帰ってくるまで……」

「いつ帰るともわからぬ者をあてにして、おてつどのに迷惑をかけてなんとする。そういうのを身勝手と申すのだ」

泣かんばかりの宗伯をみて、馬琴は少し、声を荒くした。

「そんな量見では、おてつどのに嫌われるぞ。もっと、心を抑えて、思いやりを持つことだ」

宗伯の、握りしめた手がぶるぶるふるえている。

子供の時から癇癪持ちで、自制心はあるのだが、それも度重なると内攻して爆発する。そうなると一種の乱心状態になって、家族でも手がつけられなくなるのだ。

「おくわのことは、どうなった……」

さりげなく、馬琴は宗伯の気持の転換を試みた。

宗伯は、なにかいいかけて舌がもつれ、黙ったが、傍からお百が口を出した。

「井筒屋さんの話では、あちらさまもおくわが気に入ったそうですよ」

宗伯が今日、逢って来たのは、渥見家と仲介の労をとっている井筒屋節蔵であるらしい。

「この前の芝居見物の時、あなたがあんまり不愛想だから、ひょっとするとあちらのお気を悪くしたんじゃないかと案じていたんですけれども……そんなこともなくて……あちらは年内におくわをよこして欲しいとおっしゃるそうですがね」

「年内……」

そうなるかも知れないと、たった今しがた、おてつに話したくせに、女房からいわれると、へんこつ老人のつむじが曲りかける。

「それは早すぎる。今をいつと思っている。もう十一月ではないか。犬の仔や猫の仔をやるわけではない。相当の仕度もあるし……」

結納の話も、まだ決めていない。

「渥見さまでは、仕度はなにもいらないとおっしゃっているそうです」

やっと、感情を抑えたような宗伯が口を出した。

「あちらは二度目のことでもあり、万事、ひかえめにする方針ということで……」

「馬鹿なッ」

馬琴は不意に、むかむかと腹が立って来た。

「むこうは二度目でも、こっちは初めてなのだ。町人の娘を嫁にもらうつもりでいるのか知らないが、滝沢家は、れきとした武士の出だ。あまり、軽々しく扱ってもらいたくないと、井筒屋へいってやれ」

「あなた……」

お百が皮肉な口調で遮った。

「あまり、大きなことはおっしゃらないほうがようございますよ。今の、うちの暮しでは、仕度というほどのことを、おくわにしてやれるわけもないんですから……」

「金はある……」

「ございませんよ」

たしかに原稿料は増えているが、物価は上る一方だし、もともと、楽ではない滝沢家の家計に、それほど余裕があるとは馬琴も思っていない。

が、女房からそういわれると意地になった。

「お前に、この家の経済のなにがわかる。文字も読めず、算盤の扱いも知らぬくせに、出すぎたことをいうではない」

「おや、そうですか。それじゃ、早速、明日でも日本橋へ行って、おくわの衣裳でもみて参りましょうかね」

「馬鹿、それが、よけいな差し出口だ」

「宗伯だっていっていますよ、むこうが暮の内によこしてくれ、仕度もいらないといって下さるなら、それに従ったほうが、あとあと面倒がなくて、いいじゃありませんか」

「うるさい。明日にでも井筒屋を呼びなさい。わしが話をする……」

だが、翌日、橋本喜八郎がやって来た。

渥見家では大層、おくわを気に入って、乗り気でもあるし、初春になると、なにかと行事が多くて、せわしなくなるので、なるべくなら、今年の中に式をあげさせたいという。

「実は戸田様が、来年は参勤交代でお国許へお帰りになる。遅見どのとしても、そうなれば、殿様がお発ちになるまでは、なにかと御用繁多……又、折角なら、殿様、御在府中に悴の婚姻のお届けも申し上げたいとのこと。まことに慌しいようじゃが、吉事は急げとも申すとか、何分、よろしくお願い申したいが……」

延々と話し込んで、帰りしなに、馬琴の愛蔵本を二冊ほど貸してくれといい、喜八郎はやっと腰をあげた。

馬琴が不機嫌な顔をしている間に、縁談はどんどん、まとまって行った。

結納がすみ、婚儀は十二月十八日と決まると、伝えきいた出入りの板元などから、ぼつぼつ、祝いものが届いて、明神下の家は急に活気づいた。

家では落ついて仕事が出来ないので、馬琴は飯田町の娘の家の二階へ行って著述を続けた。

この二階は、同朋町へひっこすまでは馬琴の書斎だった。

それでなくとも狭いところに四十何箱もの本箱を並べ窮屈な思いをして著述を続けた思い出が、なつかしくないこともない。

ここには、例の湯島に住んでいるお染が時々、遊びに来ていた。

子供を捨てて、死のうとまで思いつめた彼女も、今はそんな気は忘れたように、子供をあずけて左褄をとっているらしい。

「いやなことがあったって、人間、生きていりゃ、又、面白いこともありますのさ」

きいたふうなことを、おさきを相手に声高に喋っているのをきいていると、けっこう気楽に暮しているらしい。

女は重宝なものだと、馬琴は嘆息をついた。

「考えてみると、御本妻にならなくて得をしたようなものなんです。八丁堀のお宅じゃ、奥方もお子も、とうとうお屋敷をあけわたして出て行ったっていうじゃありませんか。これだから、お侍の世界は怖いと思いますよ。あたしなんぞ、気軽なもんだ」

娘の縁談で忘れるともなく忘れていた上村一角のことを、馬琴は、又、思い出した。

その後、犬塚新吾から、上村一角のことについて、なにもきいていない。

師走は、文字通り走りすぎて行く感じで、十八日はすぐにやって来た。

底冷えのする寒い夕方、おくわは一生に一度のつもりの花嫁衣裳に身を包み、媒酌人に手をひかれて、駕籠で、渥見家へ嫁いで行った。

同じ、その年の暮に、犬塚新吾は笠松京四郎から思いがけない相談を受けていた。

「中野の御前から、妹を……浪路を屋敷へ奉公させないかと話があったのだ」

実をいうと、このところ、笠松京四郎は、中野清武の屋敷へ出入りをしていた。いわゆる、上村一角の後任である。

その話を笠松京四郎に取次いだのは、奉行所の先輩で岩村という、やはり隠密廻りの同心で、中野家の用人、井上伝七郎というのから、名指しでいって来たという。

笠松京四郎はことわらなかった。

ことわりにくい筋でもあったし、上村一角の一件以来、中野清武には興味がある。

町方の悲しさで、たとえば、武士の家で起った事件や疑惑に関して、捜査することは原則として許されていない。

たまたま、京四郎が妹を屋敷奉公にと望まれて、辞退しなかった気持の裏には、妹によって中野家の様子がいくらかでもわかり、ひょっとして、なにかの手がかりを摑めるのではないかという、淡い望みがなかったとはいい切れない。

「それは……」

新吾は流石に眉をよせた。

「兄のお前が、それをきめたというからには、なにも、俺が口出しするいわれはないのかも知れないが……出来ることなら、今からでも口実を設けて、ことわってくれないか」

「ことわる……？」

「どうしてだ……」

京四郎は、足柄山の金太郎のような顔を赤くした。

「どうしてとは、お前の胸に訊いてくれ。浪路どのが危い。そうは思わないか」

新吾は黙っている親友の横顔をきびしくみた。

「お主の考えていることは、俺にもよくわかる」

上村一角の死に対して、未だになんの手がかりもなく、京四郎や新吾のたぐりよせている糸のすべてが中野清武のところで、ふっつり裁ち切れてしまうとすれば、京四郎のあせりも苛立ちも、誰よりも新吾が手にとるようであった。

いってみれば、京四郎の苛立ちは、新吾の苛立ちであり、八丁堀の苛立ちでなくもない。

「だが、なんの関係もない浪路どのを、巻きぞえにすることは、俺はいやだ」

もう一つ、中野清武のことだから、もし、彼が上村一角の死に、なんらかの関係があるとしたら、八丁堀の動きに敏感でないわけがない。

彼の諜報網をもってすれば、八丁堀の中の誰が上村一角の死にどういう反応をしめし、殺人説をとっているかは、すでに熟知しているに違いなかった。

「俺は、中野どのが、なぜ、お前の妹を奉公にといって来たか、その点から考えても、もっと慎重にしてくれといいたいのだ」

中野清武は浪路を奉公させることとで、こっちの動きを逆に知ろうとする意志があるのではないのか、下手をすると浪路は人質の意味を持つことになる。

「よもや、そこまでは考えて居るまい」

京四郎は、新吾よりも楽観的であった。

「浪路を奉公にという話は、以前、他家からもあったのだ」

娘や妹を行儀見習のため武家奉公させるというのは、当時の下級武士の間では普通のことだったし、大名、旗本の然るべき家でも、どこそこの娘は良いと評判をきいて、人を介して声をかけてくることも、ままある。

その家に、やはり肉親が奉公していて、

「手不足の折、どこかによい娘が居ったら」

などと、その屋敷の用人などに頼まれて、知人の家の娘を紹介することもある。

「実は、井上伝七郎の家でも娘を中野家へ奉公に出している」

中野家から、浪路のことをいって来たのも、いきなりの名指しではなく、たまたま、井上伝七郎から訊いて、それでは是非という話の順序だったという。

「お前は少し、神経質になりすぎている。それは、俺にもわからぬわけではないが……」

奉公に出すといっても、そう長いつもりはなく、

「場合によっては、一年そこそこで暇をとってもよい。但し、それはお前の心次第だが……」

京四郎は笑って、腰をあげた。

「いつなのだ、浪路どのを中野家へやるのは」

「むこうはいそいでいる。なにしろ、女中が一度に二人、嫁入りのために屋敷を下ってしまったそうだ」

いずれ、井上伝七郎からいってくるだろうが、そう先には延ばせないと、京四郎はせっかちに廊下へ出た。

「いずれ、浪路をよこす。あいつにとっても当分のお別れだ。せいぜい、心残りのないようにしてやってくれ」

冗談らしくいって帰って行く友人の背を新吾は、いささか腹立たしい思いで眺めていた。

浪路が来たのは、翌日の夜であった。

「急に、明朝、あちらへ参ることになりましたので……」

つとめて、もの静かに話したが、流石に寂しさはかくし切れない。

「兄が御挨拶を申して参るようにと……」

浪路をみつめて、新吾は不意に熱いものがこみ上げて来た。

子供の時から知っていて、いつか妻にするなら浪路をと、漠然と一人できめていたのが、浪路

にも通じ、京四郎にもわかって、暗黙の中に許嫁のつもりではいた。

しかし、正式にそう決まっているわけではないし、新吾も浪路に、それらしい恋の告白をしたこともなければ、恋人として手を握り合ったこともない。

武家育ちの行儀のよさが、どこかで二人を他人行儀にし、ぎこちなくさせていた。

「新吾さま……」

ふっと、浪路が吐息のように呼んだ。眼の中で、浪路がせい一杯に求めているものがある。

思わず、新吾は浪路をひきよせていた。

「俺は、やりたくない……」

浪路がおののきながらすがりついた。

恋の行方

板倉屋の娘、里江は明らかに恋をしていた。

ただでさえ、食が細かったのに、このところ、全く、食欲が衰えてしまって、一日中、ただ熱を持ったような眼をしてぼんやり過してしまうことが多くなった。

お勝の方から、度々、笛の稽古にと使がくるが、そんなわけで大奥へは全く、参上しない。

向島の寮にひきこもって、この冬、何度目かの、雪のちらつくのをみつめていたりする。

父親の板倉屋小左衛門が向島へ来たのは初春になって間もなくであった。

里江のほうは、暮も正月もなく、向島から一歩も出ない。

「気分はどうかな」

遠慮がちに部屋の外から声をかけると、

「むこうでお待ち下さい。只今、仕度をして参ります」

ぴしっと、拒絶をくらった。

苦笑して、小左衛門は居間へ戻る。

部屋は早々と小左衛門の来る知らせが届いていたとみえ、よく温められていた。

女中が熱い茶を運んで来て、すぐ下る。

この寮では、奉公人は呼ぶまで、座敷に近づかないよう、躾が行き届いていた。

一杯の茶を飲み終らぬ中に、里江が部屋へ入って来た。

珍しく、薄紫の曙染めの小袖に、若草色を混ぜた白綾の袴をつけている。腰には銀作りの脇差しをさして、先だって小左衛門が届けてやった香木を小袖にたきこめているらしく、近くにすわると、よい香がただよった。

「少し、食べぬといかんな。痩せたようではないか」

正月の挨拶もしない娘に、小左衛門は機嫌をとるようにいった。

「食べたくありません」

「食べたくなくとも、薬餌のつもりで採るのだ。体を悪くしてはなにもなるまい」

里江は、そっぽをむいた。

面長で眼鼻立ちの大きな顔が、痩せたために、一層、眼が大きくなり、いくらか寂しい表情にみえる。

「そのような姿を、お勝の方さまにおみせしたら、三日三晩は、お前をはなすまいぞ」

意味ありげに、父親は苦笑した。

「よい加減に、大奥へ参ってくれぬか。やいの、やいののお使じゃ、病気とは申し上げてあるが、そういつまでも、延引はなるまい」

返事をしない娘に、別のことをいった。

「杉浦の娘、お比奈に、西の丸様のお手がついたぞ」

里江は眉も動かさなかった。

西の丸様とは、いうまでもなく、十一代家斉の世子、大納言家慶である。

「この正月をもって、御中﨟格にお引立てになり、お部屋様の中に加えられたそうな」

比奈が奉公していた西の丸の御坊主、長寿から知らせがあったという。

「近い中に、内々でお宿下りがある」

正式に、お部屋様となり、御中﨟になっては、大奥の場合、まず生涯、宿下りは勿論、城内を出ることは不可能になる。西の丸大奥は、まだ、相手が将軍世子だけにいくらかの例外はあったが、それでも次第に出にくくなる。

「西の丸様、御代参という名目で、近い中に、一度、内々で御城中を出ることになる。いわば、親兄弟と別れを告げるためだが、お比奈の逢いたいのは、親兄弟ではなく其方一人だ」

里江は蒼ざめた。

「逢えとおっしゃるのですか」

「逢いたがっておいでのようだぞ」

「私は逢いたくありません」

それにしても、と、里江は父親をみた。

「比奈は、たしか長寿様にも抱かれていた筈ですが、そのことは、西の丸様には……」

小左衛門は笑った。

「そのようなこと、大奥では誰もなんとも思うて居らぬ」

「しかし……」

「西の丸様は、生娘がお嫌いじゃ。面白うないと、長寿様にもよくお洩らしになったとのこと……それ故、お比奈は殊の外、お気に召しているようだ」

「それでは、もうよろしいではございませんか。今更、私がいやな思いをしなくとも……」

「お比奈は、其方が忘れられぬようだ。西の丸様の御意を長寿様が伝えた時も、一度だけそちに逢わせよと申すのが、条件のようでな。いわば、今度のお宿下りも、その約束のために長寿様が御苦労なすって、おはからい下さったのだ。いやでもあろうが、もはや一度だけと思うて、願いをかなえてやってくれ」

雪が、又、降り出したらしく、かすかな音が縁のあたりにしている。

「私にも、条件がございます」

やや、あって、里江が顔を上げた。

「ほう……」

父親は笑った。

「なんなりとおいい、お前のいうことでかなえてやらなかったことはあるまい」

「逢いたい人がございます」

「ほう……」

「ここへ呼んで下さい」

「よかろう」

あっさり首をふった。

「そなたが、それほど気に入ったのなら、永代、この向島の寮から出さぬ方法もある。どこの女だ」

「八丁堀の犬塚新吾様でございます」

小左衛門が、あっといった。

「犬塚か……」

「はい……」

「本気か」

「一生に一度の恋と思うて居ります……」

「相手は、男だぞ」

「はい……」

小左衛門のほうが眼を伏せた。

父親の視線を、里江は、はね返すようにみつめた。

「しかし、そなたは……」

「男が、男を好いてはいけませぬか、父上」

妖しい微笑が、里江の面に浮んでいた。小左衛門は思わず生唾を呑み込み、我が子の顔を眺めた。

「昔から、ままあることではありませぬか」

僧侶が稚児を愛し、武家社会でも男色を語る挿話は少くない。

「しかし……」

「私が、女子を好まぬこと、父上が誰よりも御存知ではありませぬか」

男でありながら、女をみても全く気持が動かないと里江はいった。

「何故、私がそうなったかは、父上にお心当りのある筈……」

里江の眼の中にきびしいものが滲み出ていた。

「よせ……」

狼狽して、小左衛門は手をふった。

「犬塚新吾はいかぬ。あの男に、そなたの習癖を知られたら……板倉屋は破滅だ」

「父上の身の破滅とおっしゃったほうがよろしゅうございましょう」

低く声を立てて、里江が笑った。

「貴様、父を苦しめるのか」

「いいえ」

「里江……」

「私は父上によって、生涯の苦しみを背負いながらこの世に生を享けた者でございます。だからといって、父上をお苦しめ申す心はありませぬ。ただ、犬塚新吾どのに惚れました。あのお方と契りを結びたい……それだけでございます」

「他の者なら、そなたの思うままにしてやろう。犬塚は危い。あれだけは諦めてくれ」

「おことわり申します」

「里江……たのむ」

小左衛門が手を突いた。

「お前の望むことなら、なんなりとかなえてやる。犬塚だけは……」

「他にのぞみはなにもございません。犬塚さまさえ、手に入れば……」

「父の破滅は、そちの破滅だぞ」

「恋に死ぬのは本望でございます」

「里江……」

遠くで鈴が鳴った。

この部屋に急用のある時、召使が近づかずに主人に知らせる方法である。

小左衛門が手をのばして小机の上の鈴を鳴らす。それが、来てもよいという合図であった。

やがて、廊下に足音がして、障子の外から女中が告げた。

「いつものお使がみえられました」

それだけで、小左衛門には通じることである。

「文か」

「はい」

「これへ……」

女中が障子をあけて、文箱を部屋へ入れる。

そのまま、障子がしまって、女中の足音が去った。

小左衛門が立って行って、文箱を取り、手早く中の書状を取り出した。元へ戻って、暫く書状から目をはなさない。

読み終えて、書状をひきさいた。手ぎわよく、細かくしたのを、わざわざ、火鉢を縁へ持ち出して、少しずつ焼き捨てた。

里江は一言も口をきかず、黙って父親のすることを眺めている。

「犬塚新吾の友人に笠松京四郎という町方同心がいるのを存じて居ろうな」

里江は無表情に袂を弄んでいる。

「その笠松の妹の浪路というのが、中野様へ御奉公へ上ったようだ」

「浪路ですか」

「知っているのか」

返事をせずに、里江は考える表情になった。

「犬塚、笠松などという手合は、早くから、この板倉屋や中野様へ不審を持っている連中だ。その妹を中野様へ奉公させるからには、町方のほうにも思うところがあろうし、それを知らぬ中野様でもあるまい。浪路という小娘を中野様がどう料理なさるか」

小左衛門が立ち上った。なにかを決心した顔である。

「里江……そちののぞみ、かなえてやれないこともあるまい」

ふっと、いつものふてぶてしい小左衛門に戻った。

「浪路と申す娘、どうやら犬塚と恋仲らしい。そうなのだな」

里江が赤くなった。犬塚新吾の屋敷で浪路をみた時の、胸を燃やすような嫉妬を、里江は思い出していた。

まるで、犬塚新吾の妻でもあるかのように、自然に、おっとりとふるまっていた浪路の姿を、あれから先、何度、歯がみをしながら思い出したことだろう。

犬塚新吾に抱かれている浪路を夢にみて、狂気のように、はね起きた夜もある。

犬塚新吾の身近に、浪路という女がいると思うだけで、胸がかきむしられるほど苦しく、切なくなってくる里江であった。

男が男に恋をした場合、その嫉妬の情は、女のそれどころではないという例を、里江は蔭間の春之助という男で、すでに知っていた。

身を滅す危険な恋とわかっていて、もはや、新吾に対する恋情をどうしようもない里江であった。

「暫く、おまち、きっと、お前の望みをかなえてやる日が来る。それまでは、父のいう通り、お勝さまのこと、お比奈のこと、たのむぞ」

里江はかすかにうなずいた。

「犬塚さまには、いつ、お逢わせ下さいますのか」

欲しいものねだりをしているだだっ子をあやすように、小左衛門はうなずいた。

「この月の中には、必ず……」

小左衛門の帰るのを見送りもせず、里江は自分の秘密の部屋へ閉じこもった。

寒さもかまわず、今まで着ていた袴を脱ぎ、小袖を捨てた。

肌は白く、腰には女が用いるような緋色をまとっていたが、上半身は、青年の肉体であった。

少年がやっと青年期へ片足をふみ込んだような、まだふっくらと柔かみのある、しなやかな体が、鏡の中にある。

乳房が欲しいと里江は思った。

お勝の方のような牝牛のようなそれでなくともよい。お比奈のような小さいくせに、はち切れそうな弾みを持った……ともかくも女の乳房が里江は欲しかった。

犬塚新吾が自分を抱きしめてくれた時、その手を安心して懐中へ誘えるような、女の乳房を得るためには、寿命をちぢめてもかまわないと思う。

「異国には、さまざまな方法があるそうでございますよ」

やはり里江のように女らしい乳房に執念していた春之助のいった言葉を、里江は思い出した。

それは、今、思い出したというより、そのことをきいてから、ずっと里江の内部でくすぶり続けて来たといってよい。

長襦袢を着、女物の袷に手を通し、しごきを前で結んでから、里江は鏡台の奥から一枚の紙片をとり出した。

小石川、伝通院裏、弄花堂
春之助と最後に逢った夜、彼の手から渡されたものである。

彼も亦、男でありながら、女のように生きたいと願い続けて来た者で、それが、結局、春之助の命とりになった。

いってみれば、春之助は、はじめて里江に男色の世界をのぞかせてくれた相手であった。

彼の生い立ちは、変っていて、或る寺の門前に捨て子され、拾い親の住職によって開花させられた。

住職が死ぬ頃には、もはや、まっとうな暮しは出来ないようになっていて、その趣味のある仲間を転々とし、行きついた先が蔭間茶屋であった。

この世界には、いわゆる男を相手にする者もいたが、主として客は女が多く、夫に先立たれて空閨をもて余している人妻だの、年齢の違う夫に満足しない女、果ては、妾宅に夫を奪られての鬱憤ばらしだの、さまざまの相手が客になる。どちらかといえば、女を客にしたほうが金になるし、男色の世界では春之助のように三十に近くなった者は、なかなか客がつかなくなる。で、商売のため、止むなく女客をとるのだが、

「どうしても、その気にならない時は、それなりに、女を喜ばせる方法もございますよ」

そういって、春之助は里江の眼の前に、さまざまの性具をとり出してみせてもくれた。

好奇心と必要から、里江はそれらをすべて春之助から教えてもらった。

他人からみたら、蔭間のなれの果であっても、里江にとっては、生まれてはじめて、心を洗いざらい、吐き出して語り合える相手であった。

生まれ落ちるから女で通用し、その秘密を知る数人をのぞいては、誰一人、疑うこともなかった里江を、

「男……」

と見抜いたのも、春之助である。

「不思議にわかるものなんですよ。同じ者同士だってことが、逢ったとたんに……」

化粧をとると、三十にはちょっと間がある筈の春之助の肌は、ひどく老けて、皺も深い。

「やっぱり、まともじゃありませんからね。自然にさからってるってことは、どこかで自分の寿命をちぢめていますそうで……弄花堂先生がいつもおっしゃることなんです」

弄花堂の名は知っていたが、春之助からその名をきいたのは、これが、はじめてであった。

表向きは犬の医者で、彼の家には何十匹という犬や猫がいるという。

無論、頼まれれば犬の治療もしないわけではないが、深夜、弄花堂の門をくぐるのは、大方、女になりたい男だ。

「弄花堂先生のお薬を頂くと、咽喉仏が目立たなくなって、毛がうすくなります。長いこと続けていると……」

胸のあたりがふっくらとして来て、からだ全体にも女らしい丸みが出来てくるという。

「そのかわり、始終、だるくて……疲れやすいし……ひどくなると生きてるのか死んでるのか、一日中、ぼうっとしてしまって……」

神経も肉体もいきいきと甦るのは、好きな相手に女として愛されている最中だけだと春之助は、いささか投げやりに話してくれた。

春之助も、弄花堂の常連で、男に生まれながら、女として生きたいために、寿命をすりへらして悔いない一人らしい。

その時は、里江自身、あまり弄花堂の必要を認めなかった。

里江は生まれつき咽喉仏が出て来ない。声がわりも殆んどなくて、体毛も男にしては驚くほど薄かった。体つきは痩せぎすだが、肌は女よりも艶めかしく、しっとりとした感触がある。弄花堂の薬を用いなくとも、そうした里江の体質が、今まで衆人の目を女として疑わせずにすまして来たのであった。

が、恋を知って、里江は今まで以上に女でありたくなった。

男であることを捨て、体のすみずみまで女に生まれかわって、犬塚新吾への恋を全うしたいと願わずには居られない。

出来るものなら、犬塚新吾の子を産みたいとさえ考える。

そんなことを思いつめている時の里江は、眼がうるみ、体中がほてって来て、自分が、女を満足させることの出来る体であることをすっかり忘れてしまっているかのようであった。

翌朝はひどく冷えた。

どんよりと曇った空からは、今にも雪か、霙が落ちて来そうな按配なのに、里江は駕籠の用意をさせて、昼前に向島の寮を出た。

大川から吹きつけてくる風に、駕籠かきが白い息を吐きながら牛の御前のあたりまで来た時、むこうから駕籠が一つ、すれ違った。

これは立派な武家の乗り物で、小人数ながら供もついている。で、里江を乗せた駕籠は遠慮して道のすみに片寄って、相手をやりすごしてから、又、川沿いの道を走り去ったのだが、それを見送るように、

「これ、誰ぞ……」

武家の乗り物の中から、声がかかった。

駕籠が止り、供の中から、もっとも年輩の武士が駕籠脇に膝を突く。

「みたか、今の駕籠……」

「はっ……」

「垂れの下より、女物の小袖がのぞけていたが……」

「うかと致しました」

「このあたりの者の着るようなものではない」

「方角からしても、板倉屋の寮のあるあたりから参ったような。どこへ行くものか、念のため尾けよ」

「はっ」

「では……」

直ちに、供の二人が呼ばれて、すでに遠くなった駕籠のあとを追って行った。

二人、供の人数の減った行列は、そのまま、大川沿いの道を逸れて、寺島村へ入る。

昨年から、大川を見下す広大な敷地に、贅を尽した屋敷が建ちかかっている。なにしろ、広くて、塀をめぐらした内部は、外からは全く窺い知ることは出来ないが、幾棟かある建物の大半はすでに完成していて、いつでも住めるように什器も揃い、奉公人も引き移って来ているらしい。

乗り物は、その、みかけは素朴な門の中へ吸い込まれるように入って行った。

今、大奥で将軍家斉の寵愛をほしいままにしているお美代の方の養父、中野清武が近く隠居して住むという向島の別邸が、それであった。

乗り物が表門を入ってから、およそ半日、一人の侍が裏門から、あたりをはばかるように邸内へ消えた。

今日の昼前、里江の駕籠の尾行を命ぜられた男の一人である。

たまたま、中野清武は、まだ仕上げの終っていない最後の棟にいて、棟梁に細かな註文をつけていた。

「なに……梅の寺か……」

耳へ口をつけさせるようにして、報告をきき、中野清武は、小さく呟いた。

「そうか、梅の寺か……」

二度、繰り返して、別にいった。

「見張りは残して来たであろうな」

帰って来たのは、一人である。

「もう二人ほど連れて行け。手出しはならぬ。梅の寺から、どこへ行くか、娘から目をはなすな」

中野清武が別棟へ戻ってくると、当分の居間ときめた奥の部屋の入口に、若い女中が手を突いて待って居た。はじめて見る顔である。

清武について来た、これは古参で、清武が昌平橋に屋敷がある時分からの老女中、滝乃に指図をされて、すぐ茶の仕度をしている。

「新参だな。名は……」

若い女中は即答を避け、三つ指を突いて、老女中の指示を待っている。そんなところにも、行儀のよい、ひかえめな性格が窺われた。

「このほど、新規御奉公に上りました、町方同心、笠松京四郎の妹、浪路と申します」

滝乃がいい、浪路は深く頭を下げた。

「浪路か、ちと、肩を揉んでくれ。首筋が凝った……」

浪路は滝乃をみ、滝乃のうなずくのを待って、そっと清武の背後へまわった。おそるおそる、主の肩へ手を触れる。

「よい、かまわぬから、力を入れて揉め」

若い女の柔かな体臭に眼を細めて、中野清武は脇息に両手をおいた。

「ずっと、向島へ止めおくのか」

浪路のことである。

「そのつもりでは居りますが」

滝乃が主人の顔色をみる。

「そうか、それはよい」

それっきり、清武は浪路に体をあずけたまま、快さそうに眼を閉じた。

火桶に埋めた香が、ゆっくりと香気を部屋に立ちこめて行く。

部屋のすみに、滝乃は人形のように動かず、浪路は汗ばみながら、懸命に主人の肩を揉みほぐした。

五十のなかばを越えたと思われる中野清武は、なかなかの美男であった。鼻梁が高く、眼が柔和で、唇がやや厚い。

これが、お美代の方の養父という閨縁によって三百石から二千石の大身に出世したばかりか、老中を凌ぐ羽振りを示している男かと、浪路は、いささか意外に思った。

大名、旗本でこれはと思う役職につきたい者は、まず、中野清武に賄賂を贈って斡旋をたのむのが一番の早手廻しといわれている。

逆に中野清武の機嫌を損じたら、たとい老中であっても失脚は免れないとも、ささやかれている。

そんな腹黒い策士にはみえなかった。

弾力のある娘の手で、筋肉をもみほぐされて陶然としている。

「もうよい。疲れたであろう」

小半刻ほどで、清武から声がかかった。

「下ってよい。滝乃、新参はなにかと気を遣うことも多かろう。いたわってやるように……」

「承知致しました」

滝乃が残り、浪路は許されて部屋の外へ出た。

ひえびえとした廊下を戻って行くと、緊張がとけて、浪路は軽いめまいを感じた。

気がついてみると、外は雪が降り出している。

梅の寺の、梅の蕾はまだ固かった。

その梢にも霏々として、雪が舞っている。

庵主の香雪尼は長いこと、小さな火桶を前にして里江と向い合っていた。

どちらもなにもいわず、ただ、時折、音もなく燃えくずれる炭火をみつめて身動きもしない。

昼が乾くらしく、香雪尼が湯呑を取り上げては、そっと白湯を含んだ。

「どうしても、心は変りませぬのか」

遠くに犬の声をきいた時、香雪尼が呟きともつかず口を切った。

「はい」

「後悔はありましょうに……もしも、そなたが、やがて、まことに男として一人の娘に心を惹かれる日が来たら……」

「里江は女子には惚れませぬ」

「でも……」

「里江を、そのようにお育てになったのは、あなたさま……」

「なれど……」

香雪尼は数珠をつまぐった。

「怖しいのです。そなたの行くところ、道にはずれた怖しいことばかり……私はこの頃、幾夜となく同じ夢をみます。そなたの立ちむかうところ、そなたの出生を知る者は、次々と血煙の中に果てて行く。まるで、地獄の修羅をみるような……」

里江の顔を笑いがかすめた。

「道と仰せられますのか……香雪尼……道にはずれた道を歩き通して来られたのは、どなたなのか。この里江が生きる限り、修羅の火煙が立つようになされたのは、そも、どなた故のことか……」

香雪尼がうなだれた。

「それをいうてたもるな」

「御自分は墨染めの衣に、世を逃げようとも、宿命の子は、生まれながらの畜生道に生きて居ります。生きる限り、逃げるに逃げられず、魂をすりへらして、地獄の業火に身を焼くしか、どうしようもない私でございます。今更、後悔もなければ、心変りもない。行きつく果へ行きつく他に、里江の道はございません」

犬の声が近づいて来た。すでに主人の訪れを知って、狂喜して呼んでいる声である。

「八房」

里江が呼び、立ち上って障子をひきあけた。

犬はその瞬間に曳いていた寺男の手を放れて、一文字に里江へ向って走った。

「八房、許す、おいで……」

声と共に、縁側へ跳んだ、両手をひろげた里江の腕の中へ、仔牛ほどもある猛犬が丸くなって抱かれた。

さも嬉しげに、舌で里江の顔をなめまわす。

「逢いたかったよ」

里江の手が、犬の白い毛並を撫で、力強く、何度も首っ玉を抱きしめてやる。

犬と娘と、それはまさに滝沢馬琴の筆になる「八犬伝」中、八房と伏姫の姿を彷彿とさせた。

犬は紀州犬の血をひいていた。

今年、七歳になる。仔犬の時から、里江が手塩にかけて可愛がった。夜も同室で寝る。

犬は、主人の布団の裾へすわっていて、主人がねむっている間は、何人といえども、部屋へ近づかせなかった。

生後半年で、すでに鉄のような牙を持ち、勇猛なことは、みかけだけではなかった。

里江の笛の稽古の供をしての帰り道、酔った無頼漢に襲われたことがあった。八房が二歳の時で、一人の男は下水に、はねとばされ、匕首を抜いたほうは、あっという間に咽喉笛を嚙み切られた。

この時は、なんといっても相手が土地のごろつきで、板倉屋の金の力で、事件は内々にすませてしまったから、世上に噂は広まらずにすんだ。

が、八房にそういう前科があったから、犬によって人が嚙み殺されるという事実があり得ると、板倉屋小左衛門が思いつき、ああした春之助殺しが仕組まれたのだと、里江は気がついている。

運悪く、その夜、里江は春之助からの手紙で、彼の危急に気づき、八房を連れて出かける途中を、「八犬伝」の作者、滝沢馬琴に目撃され、彼の口から町方へ知らされた。

以来、町方の探索に犬を連れた女というのが春之助殺しの下手人ではないかと疑われ、板倉屋小左衛門は八房を里江の許からひきはなして、香雪尼の梅の寺とは隣合せの黒鍬屋敷へかくまってもらった。

黒鍬屋敷には、常に役目柄、無数の犬がいる。

八房が一匹、加わったところで、世間から疑惑を持たれることは、まず、なかった。

あれから一年近く、心ならずも里江は八房と別れ別れに過し、時たま、訪ねてくる主人を八房は忠実に待っている。

それにしても、たまたま、馬琴の「八犬伝」が評判になっていた頃、誕生した仔犬に、つい思いつきで「八房」の名をつけたのに、それが、自分とこの犬の将来へ不運な暗示をかけてしまったようで、里江は不気味でもあり、痛快でもあった。

春之助が殺されてから、里江の中にくすぶっている人間不信は、逆に八房だけは自分の味方だという意識を深めている。

この犬だけは、里江の命ずるままに、生命をかけて戦い、死んでくれるという信頼を、里江は八房に持っている。

夜になって、里江は梅の寺を出た。

供は無論、八房がひたと寄り添って嬉しそうについて行く。

雪はやんでいたが、寒気は更にきびしく、道はいたるところで凍っていた。

家は早くから戸を閉め、通行人も全くといってよいほど、ない。

里江にとっては、又とない夜であった。

犬と女と、二つの影は、やがて小石川伝通院裏、弄花堂のあたりで消えた。

弄花堂

へんこつ老人は正月早々、あまり機嫌がよくなかった。

一つには、長年、手許においた末娘のおくわが嫁入りして、ひどく寂しい正月を迎えたことが、人嫌いのくせに寂しがり屋の馬琴にはやり切れなかったせいでもある。

加えて、日が経つにつれて、どうも、おくわの婚家のやり方が気に入らない。

そもそも、おくわの嫁入り先の渥見家というのが、馬琴の隣家である橋本喜八郎とも、もう片方の隣りである伊藤常貞とも遠縁に当るというのが、馬琴には先々、わずらわしいことになるのではないかと懸念されていたのだが、果してその心配は馬琴の予想よりも早く現実となった。

ちらちらと、噂がきこえてくるのである。

婚家の渥見家で、おくわについてあゝいった、こういったと僅かなことを、橋本家からも伊藤家からも大仰に伝えてくる。

渥見家では、どちらかというと舅の治右衛門というのは律義一方な、ものがたい人物らしいが、姑のほうは相当の見栄っぱりで、ざっくばらんなところのない女のようであった。

別に嫁のおくわに、これといって嫁いびりをするわけではないのだろうが、その姑のやることなすことが、どうも、馬琴にはすっきりしない。

たとえば、暮の十八日に嫁入りして間もなく、隣家の伊藤常貞の女房のお鉄というのが、たまたま、外でお百と顔を合せると、いきなり、こういったという。

「昨日、おくわさんの嫁入り衣裳を渥見家へうかがって、拝見したのですけれども、紋付があまりに少いし、これで、お正月のお衣裳はどうなさるのか、それとも、あとからお荷物が届くのかと、あちらのお姑さまもご心配でございましたよ」

お百から、その話をきいて、馬琴はむっとした。

「なにを今更、あてつけがましいことをいうのだ。くわを嫁入りさせる時、先方はなんといった。着のみ着のままでよい。こちらの勝手で式をいそぐのだから、仕度はなにもいらないと井筒屋を通じて申して来たのではなかったのか」

先方からそういう挨拶があったから、馬琴のほうは、嫁いでから、むこうの気に入るようなものを、姑と相談して整えるようにと、まとまった金をあらかじめ、井筒屋節蔵を通して渥見家へ届けてある。

「どうしましょう。それでも、おくわが肩身のせまい思いをしているのでは……」

縁談の時は仕度もなにもいらないという先方の申し出を喜んだくせに、お百は今更らしく、亭主の落度でろくな仕度もしてやれず、娘がかわいそうだという言い方をする。

「ほっておけ。こちらはすることはしているのだ」

叱りつけたものの、やはり、親心で馬琴は早速、呉服屋へ出かけて行って、正月用の晴れ着を註文し、渥見家へ届けさせた。

それがそもそもで、やれ髪の道具が少いの、綿入れが足りないのと、いちいち、伊藤常貞のところを通して苦情がくる。

そうかと思うと、おくわが嫁入りの時、先方の両親に土産物として持参させた品々の中、姑のために用意した帯を、地味すぎるといって、わざわざ呉服屋を呼んでとりかえさせたというのまで、伊藤家の女房のお喋りのおかげできこえてくるのだ。

些細なことといえば、まことに取るに足らないようなことばかりだったが、その都度、お百はさわぎ立てるし、馬琴にしても親心で決して気持のいいものではない。

むこうから、あからさまに文句をいってくるのなら、それに対して返事をしてやることも出来るのだが、勝手にぶつぶついっているだけでは、とりたてて騒ぐのも大人気ないし、なんといっても両家にこだわりが出来て一番、困るのはおくわに違いないから、馬琴も胸をさすって、なるべくなら、むこうの望むままに足りないものは買いととのえて、届けさせていた。

そうこうしている中に、年が改まり、渥見家からは、治右衛門と覚重が年賀に来たが、馬琴は風邪気味をいいたてて、宗伯を答礼にやっただけでとうとう出かけなかった。

治右衛門、覚重はともかく、先方の姑の顔をみたら癇癪玉が破裂しそうに思えたからである。

その正月の挨拶で、おくわの里びらきのことがきまった。

当時の習慣で嫁入りして適当な日がすぎてから、新嫁は実家へ挨拶に帰ることがある。

もっと早くの筈が、暮、正月を間にはさんで、つい遅れ遅れになった里びらきが、二月十七日にきまり、馬琴は丸二カ月ぶりに娘に逢えるのを楽しみにしていた。

十五日に、馬琴は自分から飯田町へ出かけて、十七日のおくわの里びらきのための赤飯の手配を聟の清右衛門に命じていると、珍しく外出中だったおさきが帰って来た。

このところ、体の調子がすぐれないので、人にすすめられて小石川伝通院の近くの灸点おろしに通ったところ、まことに具合がよいという。

「もし、なんでしたら、今度、一緒にお出かけになりませんか。肩の痛み、腰の痛みにもとても効くそうでございますよ」

娘にいわれて、馬琴も気が動いた。

灸は決して好きではないが、この冬は殊の外、疲れやすくなっていて、仕事もあまりはかどっていない。体がらくになることなら、少々の好き嫌いはいっていられないのが本当の気持だった。

おさきの口から、久しぶりに上村一角の妾だったお染の名も出た。

「伝通院の近くにひっこしたんですよ。やっぱり、もとの土地は、なにかと噂が立ちますでしょう」

灸も、そもそもはお染から勧められたものだという。

おくわの里びらきが終ったら、おさきと同行しようと、馬琴は考えた。

「お染さんって人は、やっぱり水商売が身についているんですねえ。そりゃ、きれいになって、とても、お子があるようにはみえませんよ」

そのかわり、不愍なのは子供で、女中まかせにされてどことなく寂しげにみえるという。

「そりゃ、お染さんが働かなけりゃ生きて行けないんですから仕方はありませんけれど、やっぱり、子供にとって両親はどっちも大事なんだということがよくわかりますよ」

自分に子供がないだけに、おさきはそんなことが気になるらしく、しきりに馬琴へ訴えた。

馬琴にしても、お染の子は、自分が拾ってその始末に困ったことがあるだけに、どこか情が移って他人事のようには思えない。

灸おろしに行ったついでには、お染の家をたずねて、孝之助の様子もみたいと馬琴は考えていた。

十五日は薄曇りで、時々は晴れていたのに、十六日は早朝から小雨であった。

明日は、おくわの里びらきなので、同じことなら天気にしてやりたいと、馬琴は終日、書斎から空模様を案じて、又しても仕事がはかどらない。

家中は宗伯が指図をして、お百と下女が掃除をはじめたが、午後になると、お百は疲労気味といって、寝間へ入ってしまったらしい。

馬琴の親心も知らぬげに雨は日の暮れと共に激しくなって、とうとう本降りになってしまった。

翌朝、清右衛門が雨の中を、赤飯を、かねてこういう時に日当を払って便利に使っている日雇人足に運ばせて、同朋町へやって来た。

早速、赤飯をいくつもの重箱につめ直し、これも早くから用意しておいた配り物をつけて、近所の橋本、伊藤家へもくばり、井筒屋節蔵を通じて渥見家や仲人の根岸彦兵衛にも、手落ちなく届けさせた。

その間にも、宗伯は下女の掃除が気に入らないといって、自分が襷をかけ、雑巾を取って、あてつけがましく、神経質に拭いたり掃いたりしている。

働くのはよいが、又、あとになって熱でも出されたらと思い、馬琴はなんとなく苛々した。

その中に、飯田町よりおさきが下女を連れて手伝いに来て、勝手のほうは急に、にぎやかになる。

おくわが到着したのは午後になってからで、供には草履取から若党二人がついて、もののしい行列であった。

草履取には祝儀をやって先に帰し、若党二人には酒をふるまい、これも祝儀をもたせておひらきにした。

久しぶりに逢うおくわは少し瘦せて、馬琴にとっては、娘が急に遠くなってしまった感じがする。

「あなた、おくわの衣裳、どう思います」

することもなくて、ぼんやりしていると、お百がやって来て耳うちした。

「むこうのお姑さまが、今日の里びらきのために作って下さったそうですよ」

「ほう……」

着るもののことまで気がまわらずにいた馬琴は、そういわれてみて、はじめて座敷で姉たちと話しているおくわを眺めた。

いわれてみると見馴れない衣裳で、紫の地色といい、小紋の感じといい、どうみても年よりじみている。

「地味すぎましょう。おくわには……」

お百も、それをいった。

「あんなものを着たら、年よりずっと老けてしまいますよ。どういうつもりで、あんなものをこさえてくれたのか……」

帯も地味なら、重ねも年よりじみていて、成程、おくわがひき立たない。

「まるで、嫁ぎ遅れをあてつけているようなものじゃありませんか」

お百は盛んに憤慨していたが、馬琴はむしろ、たしなめた。

「つまらぬことをいうものではない。仮に娘がそういったとしても、母親のお前がたしなめるのが順なのに、親が先に立って、姑の悪口をいうようでは、おくわのためにも悪い。ちと、気をつけなさい」

が、そうはいっても馬琴とて、変に老けた感じの娘をみているのは面白くない。

夕方になって、夫の覚重がやって来て、はじめて、奥の六畳で膳を出した。

馬琴も久しぶりに盃を手にする。相手をしてみると、覚重というのは、かなり酒が強かった。いくら飲んでも、顔にも出ないし、酔ったそぶりもない。

こういう酒呑みを、馬琴はあまり好まなかった。

酒を飲むからには、ほどほどに酔い、ほどほどに浮かれるほうが、人柄が出て、愛敬がある。

その点、覚重のは底ぬけに飲んでも、むっつりとして、話題も乏しく、しかも座をとりもとうという気は少しもないらしい。

座を白けさせまいと、馬琴は一人で喋り、一人で笑う破目になった。

相手が、馬琴の話に応じて、笑うとか、うなずくとかしてくれればまだしものこと、いくらつとめても、この聟どのからはなんの反応も得られない。

宴が終った時、馬琴はへとへとになってしまった。

里びらきの慣例で、その夜はおくわ夫婦は奥の六畳に泊ることになる。

清右衛門は帰ったが、おさきは明日の後片付があるので下女と共に残った。

狭い家のことなので、おさきを母親と共に書斎へ寝かし、宗伯と馬琴はおくわ夫婦の次の間にやすむしか方法がない。ここはもともと宗伯の居間で三畳ほどである。

疲れ果てて、とろとろとねむったとたん、馬琴は物音で眼がさめた。

最初、地震かと思ったほどの唐紙の揺れは、馬琴がそれと気がついても、遠慮するどころか、敷居越しに振動が伝わって来て、時々、押し殺したようなおくわの声がきこえてくる。

暗い中で、宗伯をみると、これは馬琴より先に気がついているらしく、闇の中に彼の心臓の響きがきこえてくるようであった。

流石に馬琴は、かっとなった。

夫婦のことで、里びらきの夜だからといって、なにも慎しめというわけではないが、これだけ狭い家の、しかも、襖一重の隣りに父親と兄が寝ているのを知らないわけでもないのに、少しの遠慮も恥らいもないことに、馬琴は鳥肌の立つ思いがした。

おくわが、どんなに気まり悪がっているだろうかと、娘が不愍でもあった。

まだ、女を知らないらしい宗伯が固唾をのんで、聞き耳を立てているらしいことも浅ましい気がする。

突然、馬琴は鼾をかいた。

本物ではないが、本物そっくりの大きな鼾である。

唐紙のむこうで、娘が安心するように、隣室の物音を少しでも、宗伯の耳からまぎらわすために、馬琴は轟々と鼾をかき続けていた。

隣室の物音が消え、やがて、宗伯の布団から寝息が洩れるようになった時、へんこつ老人の眼尻から、なんの故とも知れない涙が白く筋をひいて落ちた。

障子のすみには、もう夜明けがしのびよって居り、崖の上の神社の境内で鶏鳴がしきりにしていた。

翌日も雨で、その雨の中をおくわ夫婦が、まず帰った。

聟の顔も、娘の顔も、とうとう馬琴は正視出来ないままに見送った。

「昨夜は、父上の鼾がもの凄くて驚きましたよ」

覚重がもっさりした声でお百にいっていた時、おくわがちらりと自分をみたように馬琴は思う。

ひょっとすると、おくわだけは父親の心づかいに気がついていたのかも知れなかった。

「少し、お酒がすぎたのではありませんか。ともかくも、凄い鼾で……」

宗伯のほうは気がつかず、自分が荒い呼吸をしていたのを棚にあげて、父親のために宿酔の薬湯を煎じてくれたりする。

寂しいものが、馬琴の心を占めていた。

末娘が、赤の他人の男の妻となったことのわびしさか、その娘の夫が無神経な、馬琴の嫌悪する人柄であったことの虚しさか、馬琴自身、なんとも説明がつかないままに、ぼんやりと、書斎から、狭い庭をみつめている老人の背には孤独が澱のようにただよっていた。

雨はやっと上り、庭に風が出ている。

馬琴がおさきと共に小石川伝通院を訪ねたのは、二日後で、前日までの雨もよいの底冷えのする天候とはうってかわった明るさと暖かさのある午後であった。

午食をすませて出るには中途半端な時刻だったので、途中で蕎麦屋へ寄り、鴨蕎麦を娘と食べて、小石川伝通院近くの灸療治の家へ着いたのは、もう八ツすぎ（午後三時）であった。

成程、はやっている家で、患者が四、五人も待っている。

狭い庭に向った六畳が患者の待合のようになっていて、それぞれ、順がくるまで黄表紙をみたり、ねそべったり、好き勝手にふるまっていた。

「お父さま、こちらへ……」

おさきが座布団を縁側の近くへおいて席を作ってくれたので、馬琴はそこへ行って庭を眺めていた。

「お武家へ嫁ぐのって、随分と厄介なものらしゅうございますね」

思い出したように、おさきが妹のことをいった。

「おくわは、お前になにかいっていたか」

里びらきの時、父親の悲しさで、あれだけ気を遣いながら、おくわとはろくな話もせずに終ってしまった馬琴である。

「いいえ、あたしもたいした話が出来たわけじゃありませんけれど……」

近く、長屋まわりをするといっていたと、おさきは告げた。

「長屋まわり……」

同じ、戸田家の家中へ挨拶まわりをするということらしい。

おくわが嫁いだ時に、渥見家と昵懇な同輩や上役へは、残らず土産物を持って挨拶にまわった筈だが、今度のはそれではなく、渥見家の近所まわりのようなものであるという。

「近所にも、一応の挨拶はすませた筈だが、何度も、義理がたいことだな」

いくらかの皮肉をこめて馬琴はいった。渥見家の姑のお富というのが、形式ばったことの好きな女だとは、何度もきいている。

「衣裳をどうしようかと、おくわがいっていたんですよ」

「着るものか……」

馬琴はうんざりした。

「なんでもあるだろう。紋付も作ってやったし、なにかしきたりがあるなら、むこうの母親と相談して作ることだ」

そのために、金は井筒屋節蔵を通じて、先に送ってあるのだ。

「御奉公から帰って、町方の暮しに戻った時、なんだか、もの足りない気持もしましたけれど、今になってみると町方へ縁づいてよかったと思います」

何気なくおさきのいった言葉で、馬琴は驚いていた。一度、武家奉公をした女というのは、やはり、町方の暮しをさげすむというか、安くみる気持があるとみえる。

おさきのような大人しいだけが取りえの女にも、きっと町方へ戻ったばかりの頃は、なにか身分が一つ落ちたようなみじめな思いが残っていたものとみえる。

今にして思うと、呉服屋の手代だった清右衛門と夫婦になることにも、おさきにはそれなりの抵抗があったのかも知れなかった。

馬琴自身、今でも養子の清右衛門を重宝に使いながら、心のどこかで、呉服屋の手代だった男と軽んじているものがないわけではない。

が、夫婦でありながら、おさきにも夫を卑める心があったとは迂闊であった。

清右衛門が実直で気のやさしいのをいいことに、おさきは結構、父親のみえないところでわがままにふるまっているようでもある。

「清右衛門は、お前にはすぎた亭主だ。やさしいからといって、男をないがしろにしてはならない。頼りなくみえることがあっても、それを口にも顔にも出してはいけない。男というのは頼られればその気になるが、馬鹿にされると、ずるずる、そういう男になり下ってしまうものだ」

馬琴は珍しく父親の顔になって、しみじみとおさきに説いた。

陽の当っている庭は冬枯れで、垣根もなにもなく、そのまま、隣家の庭へ続いているらしい。

その隣りでは、犬の啼く声がしきりにしていた。

一匹ではなく、かなりの数の犬が庭にごろごろしているらしく、時折は境を越えて、のっそり、こちらの庭へ入って来たりもする。

「犬好きらしいな」

いつまでも、娘に説教でもあるまいと気がついて、馬琴は犬のいる隣家へ、おさきの注意をうながした。

「犬のお医者ですって……」

おさきがちょっと微妙な表情をみせた。もっと話したいことがあるのだが、まわりの耳を気にしているという態度である。

「犬の医者……」

馬琴は、あまり気にかけなかった。

灸がすんだのが日の暮れ方で、その足でおさきは近所のお染の家へ馬琴を連れて行った。

お染は縁側で、小柄な男と二人がかりで犬に薬を飲ませているところであった。

座敷では、孝之助を抱いた女中が、不気味そうに、あばれる犬を眺めている。

「おや、おいでなさいまし」

やっと犬をはなし、お染は入って来たおさきと馬琴をみた。

小柄な男は、つながれている犬の様子をもう一度みてから、井戸へ行って手を洗っている。

「女ばかりで物騒だから犬を飼ったんですよ。昨日から、お腹をこわしてましてね。今、先生にお薬をのませてもらったところなんです」

小柄な男が犬の医者かと馬琴は眺めた。

背は五尺一寸そこそこだが、体つきはたくましい。

浅黒い顔はなかなかの美男で、眼つきに鋭いところがある。

「弄花堂先生、ありがとうござんした。お手数をかけてすみません」

お染が立って行って、なにがしかの治療代を渡すと、弄花堂と呼ばれた犬の医者は赤い紙にくるんだ薬を縁側におき、じろりと馬琴を一瞥して庭から帰って行った。

「変ったお医者なんですよ。とっても、可笑しな人……」

炬燵へ馬琴を招じ入れて、お染は下女に酒の仕度をさせた。

すぐ帰るというのを、ひきとめて無理に盃を持たせる。

「灸おろしに来て、酒を飲んでは仕方がないな」

馬琴は苦笑したが、もともと嫌いではない。

「同じようなものですよ。お灸もお酒も、どちらも体が熱くなるんですから……」

お染はそんなことをいって、自分も盃を持つ。

「いいんですか。お座敷は……」

おさきは自分が父親を連れて来たくせに、ちょっといやな顔をした。お染のそぶりに色気がありすぎるのが、同性としては、なんとも不快らしい。

「今日はおやすみ。たまに休まないと体がまいっちまうんですよ」

近所の魚屋から水貝だの、刺身だの、気のきいた肴が届いて来て、お染は腰をすえて飲む様子である。

「先生がみえたら、あたし、とっときの話をしようと思って、実はたのしみにしていたんですよ」

さっきの医者の弄花堂のことである。

「先生は、もの知りだから、勿論、弄花って意味は御存知でしょう」

花を弄ぶと書いて弄花堂という医者の名前についてである。

「弄花とは、花合せのことではないのか」

闘花牌、花骨牌などという文字をあてる花がるたを用いる賭事である。

「ええ、そうですって……あたしは知りませんでしたけど、弄花堂先生が御自分でおっしゃったんですよ」

医者としては、たとい犬の医者でもまことに不似合いな文字である。

「その花札とは意味が違うんですけれど、花って、女のことをいう場合もあるんですってね」

お染は、勧め上手に馬琴の盃に酒を絶やさずに、艶然と笑った。

「成程……」

「弄花堂先生の花は、女なんですって」

弄花は即ち弄女の意味だとお染はいった。

「それも本当の女じゃないんです」

話が変にきわどくなって来たので、馬琴はおさきを気にした。

いくつになっても、父親にとって娘は娘で、娘の前でいかがわしい話はききにくい。

が、もの書きの業で、馬琴の好奇心はお染の話へ吸いよせられていた。

「ねえ、先生、先生さえよかったら、今夜、うちへお泊りになっていらっしゃいましよ。どうせ、明日、もう一度、灸おろしをしてお帰りになればいいし、うちはあたしと孝之助と女中だけなんだから、誰に気がねのあるわけじゃなし、ゆっくり、あたしの話をきいて行って下さいな。きっと、先生のお仕事のお役に立つと思うんですけどね」

お染は馬琴の心中を見すかしたように、そんなことをいう。

それでも、馬琴は決心がつきかねた。色の恋のという年齢ではないと自嘲しながら、女所帯へ泊るのも、うしろめたい。

「先生、春之助っていう蔭間を知ってらっしゃるでしょう。昨年の冬……ちょうど一年前に殺された……」

思いがけないことが、お染の唇から出て、馬琴はぎょっとした。

「その人と、弄花堂先生と因縁があるんです。あたし、うちの死んだ旦那のことで、ずっと気になってたことがあるんですけどね……」

「上村どののことで……」

忘れもしない、一年前の冬の夜、馬琴が神田の番屋で不審訊問を受けた時、番屋の中にいたのがお染の旦那だった上村一角で、その場へやがて運ばれて来た死体が、女姿の春之助だった。

「ねえ、先生、泊ってって下さいよ。あたし、このことを誰かに話しちまわないと、なんだか、怖くって……」

お染の視線に、遂に馬琴はうなずいた。

「いいんですか。お父さま……」

流石に、おさきは不服そうに何度かくり返したが、やがて、お染が呼んだ駕籠で一人だけ、飯田町へ帰って行った。

あとは、もうお染と馬琴のさしむかいである。

「先生の前だけど、女も子供を産んで、この年になるともうおしまい……男は最初から玩具にするつもりでしか寄って来ないし、体で男を縛ろうったって、なかなかうまいこと行きゃあしない」

おさきの話では、結構、面白可笑しく暮しているようなお染が愚痴をこぼした。

「やっぱり、女は若い中が花ですねえ」

孝之助と下女は二階へ上ったきり、寝てしまったのか、物音一つしない。

「お染さん、いったい、どういうことなのだ。春之助と弄花堂というのは……」

酒を注ぐたびに、しなだれかかって来そうなお染に辟易して、馬琴は話のほうをうながした。

「弄花堂ってのは、もともと、鼈甲屋の息子だったんですってさ」

長崎へ入ってくる鼈甲を素材として、櫛や笄や、さまざまの装飾品を作って商いをするのが、弄花堂の生家だという。

「今でも長崎のお店はけっこう繁昌しているっていいますよ」

「すると、弄花堂さんは、長崎から江戸へ出て来なすったお人なのか」

「勘当されちゃったんですって……」

含み笑いをした。

「長崎には丸山って面白いところがあるんですってね。そこにあんまり通いすぎて……それも、丸山でなにをしてたと思います……」

遊里へ男が通って、なにをしていたと問われても返答に困る。

「弄花堂さん、商売物の鼈甲で、妙なものを作って、女の人に、ためしていたんですってさ」

お染の話が、いわゆる張り形だと馬琴も気がついた。

鼈甲屋の伜が、遊里へ通いつめて、張り形をためしていたのでは、これは勘当にならないほうが可笑しい。

「長崎には唐人さんも来るそうで、もろこしって国には、いろんなことがあるんですってね」

「もろこしか……」

「先生のお書きになるものも、もろこしって国の本を、うまい具合に直しているんでしょう。弄花堂さんがいっていましたよ」

悪気のないお染の言葉に、馬琴はちょっといやな顔をした。

たしかに馬琴の小説には、西遊記とか水滸伝を翻案したり、晋唐小説からヒントを得たりしたものも少くはない。が、それは、あくまでも、一つの作品へのとっかかりであって、馬琴の気持では、真似をするとか、盗むという意識はなかった。

それだけに、お染のような、もののわからない女から、うまい具合に直したなどといわれるのは心外でならない。

馬琴の気持にお染は頓着しなかった。

「もろこしの将軍様みたいな人の大奥には、何千人っていう女の人がいて、そこに出入りする男の人は、将軍様以外はみんな男のくせに男じゃなくされちゃっているんですって」

中国の後宮に仕える宦官という去勢された男子の役人のことだと、馬琴は気がついた。

弄花堂はどういうつもりで、そんな話をお染にしたのかと思う。

「そういう人は、そうなりたくてなったわけじゃないらしいんですけどね。世の中には、自分からそうなりたい男の人もいるそうですよ」

酔った眼で、お染は艶っぽく笑った。

「弄花堂さんのところには、そういう人が、夜な夜な、あの人の治療を受けにやって来ているんです」

風が雨音を鳴らし、馬琴は遠くで犬の啼く声をきいた。

御代参

浪路は向島にある中野清武の寮にいた。

中野家へ奉公にいっても、その屋敷へ出入りしている兄の京四郎には折々、逢えると、中野家でもいい、兄もそう考えていたらしいが、実際には、いきなり、向島へ移されてしまったから、一度も逢っていない。

第一、自分が、この向島の寮にいることすら、兄にわかっているのかどうか、心もとなかった。

町方役人は町方にあってこそ、力を発揮出来るものだが、武家屋敷は支配違いだというのも、中野家へ奉公してみて、はじめてわかることであった。

とにかく、屋敷内にあっては、外とは没交渉なのである。

邸内から外へ出ることは、禁じられているし、出る機会もない。手紙を出すのは自由だが、迂闊なことを書いて、老女に読まれてはと、これは浪路のほうが用心した。

従って、兄との連絡は全く、とれない。

兄に逢えない不安よりも、恋人とはなれて暮すことに浪路は苦しんでいた。逢いたい思いは四六時中、浪路の心を占めていた。

昼の間は、それでも御奉公にとりまぎれているものの、夜になって、あてがわれた局へ戻ってくると恋しさが体中に突き上げてくるのをどうしようもなかった。

別れの夜に、力をこめて抱きしめてくれた犬塚新吾の、むせかえるような男の体臭が、なつかしい。

兄も言外に許すとほのめかし、浪路も或る程度の覚悟と期待をこめて、新吾に抱かれたのに、あの夜の新吾はとうとう、それ以上の行為に出なかった。

おたがいに求め合っていながら、新吾は自制し、浪路は不馴れで、女の立場からはどうしてよいのかわからなかった。

ただ、熱い息と、触れ合った肌のぬくみだけが切ないほどに思い出される。

この向島の寮に中野清武は、浪路の知る限り、めったに訪ねて来なかった。

客は折々にある。

下総国中山法華経寺へ御祈禱のため、参籠、もしくは御代参の奥女中の駕籠は、必ずといってよいほど、この向島の寮へ休憩のために立ち寄るのであった。

中山法華経寺は江戸から七里、往復にして十四里の道である。

途中、休息に立ち寄っても不思議ではなかった。

中山法華経寺詣での大奥の女達は、往きとかえりと二度、この中野家の別宅へ立ち寄って、休息と身仕度という名目で、およそ二刻以上、滞在をする。

向島へ来て、間もなく浪路は、それがなにを目的とするものか知った。

中山詣での行列の来る前日に、きまって腰元姿をした若い女が駕籠で送り込まれてくる。女装ではあるし、女にしてもよいほどの美しさだが、まぎれもなく、男であった。女装の男は一人ではなかった。御代参の奥女中によって、相手もかわる。休息の二刻に、男子禁制の大奥から抜け出して来た奥女中は、向島の寮の奥まった部屋で、思う存分、愉悦の限りを尽して行くらしい。

無論、中野清武も承知の上である。

もともと、中山法華経寺の末寺、智泉院の住職、日啓というのは、将軍の御愛妾、お美代の方の実父であった。

お美代が中野清武の屋敷に奉公に上っている中に、その美貌に眼をつけた中野清武が養女にして大奥へ御次として奉公に出し、首尾よく家斉の眼にとまって、御手付御中﨟となった。

大奥ではこの頃でこそ家斉の寵を、新参のお勝の方と二分するという破目になったが、お勝の方の現われる以前は、文字通り、大奥第一の才女であり、権力者であった。

従って、日啓は娘のおかげで、智泉院を将軍家御祈禱所取扱にまで昇格させることが出来たが、やがて、その智泉院を息子の日量にゆずり、自分は新しく法華経寺の地内に、御朱印五十三石を賜って守玄院という法華経寺の客寺を建立してもらい、そこの住職におさまった。

もともと、家斉は日蓮宗信者であり、他ならぬお美代の方の血縁とあって、大奥からは折にふれ代参の駕籠が行く。

大奥の女中にとって一番の餌は男であった。

日啓はなかなかの美男で、男盛りの年でもあったから、忽ち、御代参の大奥の女たちを籠絡し、長男の日量も加わって、ひたすら、女達の歓心を買うことにつとめた。

が、その日啓も、五十のなかばをすぎては限りのない女達の情欲を満足させるには、いささか衰えをみせはじめた。

中山法華経寺通いの大奥の女中は一向に減らず、この頃では、溶姫の嫁ぎ先の前田家の奥女中まで加わるようになって、中野清武が考え出したのが、この向島の寮での休息であった。

ここなら、相手の好みに応じて、どんな男でも用意しておくことが出来る。

その日、向島の寮へ大奥からの行列が入ったのは午後になってからであった。

お美代の方、御代参の初音という御中﨟で、もう年齢は四十を越えている。

いわゆる、将軍のお手がついた御手付御中﨟ではなくて、お清（きよ）のお中﨟と呼ばれる種類の奥女中であった。

身分は御切米十二石、御合力金四十両、四人扶持だが、格式は高い。

この初音の相手は、昨夜からこの屋敷へ来ている月江という女名前の蔭間であった。

供は別棟で酒肴が出て、初音だけが奥まった部屋へ播取の裾さばきも鮮やかに入って行く。

その部屋は四方が壁であった。

窓はなく、一方の壁に、ちょうど茶室の、にじりぐちをやや広くしたような空間があって、そこに襖がはめ込まれている。

襖は中からは鍵がしまるようになっているし、仮に、そうでなくとも、この中に人のいる間は、呼ばれるまでは決して襖をあけてはならないことにきめられている。

初音を案内したのは浪路だった。

重い襖をあけると、部屋の中央には屛風が立てまわされていて、その奥には夜の仕度が出来ている筈であった。

襖ぎわまで出迎えたのは、浪路と同じような腰元風の女だったが、これが男で、初音の相手をする月江という者であることは、浪路も、もう知っている。

茶道具も、酒の仕度も、およそ、これからこの部屋でくりひろげられるすべてのことに必要なものはすべて部屋の中に用意されていた。

従って、浪路の役目は初音をここへ案内し、あとは呼ばれるまで、この建物のはずれにある小部屋でひかえていればよいことであった。

初音は、出迎えた相手の顔をみると、後姿にまで歓喜をみせて、いそいそと襖の中へすべり込む。

戸口は月江が閉めた。また、そこに手を突いていた浪路と、さりげなく視線が合う。

が、浪路は別に、なんとも思わず、廊下をいつものところまで戻って来た。

ひっそりとそこで待つ。

が、二刻以上すぎても、奥の部屋からは、なんの合図もなかった。

行列はいつも、二刻で、この寮を出て行く筈である。

呼ばれたのに、聞えないでいたのではないかと不安になって、そっと襖口まで行ってみた。

はっとしたのは、襖の奥から、初音の嬌声が低く聞えて来たからである。

慌てて、浪路は元の場所へひき返した。

胸の動悸をおさえようと、何気なく渡り廊下のほうを眺めた。

この寮は、いくつかの建物が渡り廊下でつながれている。

再び、眼を疑ったのは、東側の建物から、如何にも奥女中らしい搔取姿の中﨟が、やはり、侍女に案内されて表のほうへ戻って行くのが木の間がくれにみえたからである。

今日、この屋敷内に滞在している奥女中は初音の他にはない。

しかも、浪路に背をむけて表のほうへ出て行ったお中﨟の後姿は、衣裳といい、背恰好といい、さっき、奥の間へ案内した初音にそっくりである。

茫然としている浪路の耳に、遠く表門のあく音がきこえていた。

明らかに、御代参の行列が出発して行く気配である。

浪路は我にもなく足音をたてて、奥の部屋へひき返した。

行列が、よもや、初音をここへ置き去りにして出て行くとは思えないが、その時の浪路は、なにかの間違いでそうなったのではないかという危惧が強かった。

襖の外で、流石に声はかけにくく、逡巡していると、逆に中からさらりとあいた。

先刻は腰元姿だった月江が、男物の小袖に男帯をしめて立っている。

「お入り、なかへ入っておくれ。寒い風が入ってくる……」

月江の後から、初音の声がかかって、浪路は慌てて襖の内へ入り、手をつかえた。

「そなた、名は……」

「浪路と申しまする」

顔をあげてみると、初音は薄紫の下着にしごきをしめ、上に、ぼかしの被布を羽織っている。

体をくずして脇息によりかかっているのがどことなくなまめかしく、情事のあとのけだるいような雰囲気が感じられた。

「行列は発ちましたか」

と思いがけない言葉が、初音の口から出て、浪路はぎょっとした。

「そなた、なにもきいては居らなんだのか」

あでやかに初音は笑った。

大奥一の実力者といわれる御年寄、藤尾の腹心といわれ、御中﨟の中でも、中年寄の助といって、中年寄の代理や手伝いのような役目を持つ立場におかれている。

時刻を見計っていたものか、廊下に衣ずれの音がして、浪路たち女中が御老女様と呼んでいる滝乃という、いわば中野家の女中頭のような女が、侍女を二人伴って入って来た。

大奥の中では、お美代の方派でもあって、将軍の信任も厚い女であった。

「初音様、よろしゅうございましょうか」

入口で声をかけておいて、静かに下座へ手をつかえる。

「これは、滝乃どの、この度はお世話になりまする」

初音は殊勝であった。

「何事も、殿様より申しつかって居りまする。御代参のお供がここへ戻られるまで、ごゆっくり、気散じをなさいますよう……」

滝乃と初音の話をきいている中に、浪路にもおおよその推量がついた。

今度の御代参の役を初音はこの寮から先は替え玉を使って、中山から行列が帰ってくるまでの数日を、思うさま、羽をのばそうとしているらしい。

それにしても、大胆なことだと浪路は思った。仮にも御代参の途中である。替え玉を使うからには、行列の供をする殆んどの人々がぐるでなければならないし、その人々の口ふさぎに、どれほどの黄白がばらまかれているかわからない。

もっとも、どこの世界にも抜け道というのはあるもので、元来、御代参という行事そのものが、籠の鳥である奥女中の、唯一といってよい浮世との接触の機会だけに、古くは正徳年間の江島事件のように、御代参の帰りに山村座の芝居見物に出かけるとか、近くは享和の延命院事件とか、明るみに出たのは、ほんの氷山の一角で、多くの場合は、老中であろうと知って知らぬ顔、みてみぬふりが常識のようになっている。

考えてみれば、中野清武にとって、奥女中の中山、智泉院詣でほど、便利なものはなかった。智泉院の住職が、そもそも中野清武が養女として大奥にあげたお美代の方の実家である。行列の供の者さえ買収しておけば、替え玉が行こうが、からの駕籠が到着しようが、むこうの心配はない。

お美代の方が思う存分、大奥で勢力を伸ばしたのも、大奥で実力のある御年寄や中年寄達に、金品を贈るか、情事の取持ちをするかで、次々に自分の味方につけてしまったことにも起因している。

いってみれば、中野清武の向島の寮は、そうしたお美代の方派に属する大奥の女達の情事の場所として造られたもののようであった。

一夜があけると、初音は髪形まで町方風に変えてしまった。名も、ここでは、お初さま、と呼ばせている。

流石に最初の一日は部屋から出ようとしなかったが、二日目には、ぼつぼつ退屈したらしく、庭を歩いたりしている。無論、お気に入りの月江は、片時も傍から離さず、浪路たちは遠慮して、食膳を運ぶとか、お湯殿の世話をする時以外は近づかない。

智泉院へ行った御代参の行列が帰ってくるのは、五日目ときまっていた。

限られた日を、初音は月江を相手に限界を超えた燃え方をしているらしい。

三日目の朝、浪路は滝乃から命じられて、薬湯と二包ほどの薬を盆にのせて、奥へ運んだ。

初音は、まだ起きてはいないで、月江だけが部屋の外の廊下へ出ていて、ぼんやり、庭をみつめている。

近づいたのが浪路とわかると、青白い顔を僅かにほころばせた。

「御薬湯を持参致しました」

差し出したのを受けとって、一息に眉をしかめて飲む。

「浪路さんとおっしゃいましたね」

静脈の浮き出た手で、茶碗をかえしながら苦笑した。

「この薬、なんだか、御存知ですか」

浪路は知らなかった。およそ、わかるような気もするが、口に出していえるものではない。

「男をけしかける薬なんですよ」

包をとって、二服とも叩きこむように口に入れた。

「さぞかし、私をさげすんでいらっしゃるでしょうね」

女よりも優しい声で月江がいった。

「金で買われて、こんなおつとめをする。それも商売だから仕方がないとあきらめてはいますけれど……わたし、本当は怖くって……」

細く剃っている眉を強くよせた。

「なんのことでございましょう」

口をきくつもりはなく、浪路は訊ねていた。

無意識に、中野家の様子を探るという自分の任務を考えていたのかも知れなかった。

「あたしも……春之助の二の舞になるのじゃないかと思います……」

肩を落し、水を飲んだ。

「春之助……」

「ええ、あなたがここへ来られた時も、そんなことを考えて……」

春之助という名に記憶があった。

兄の笠松京四郎と、犬塚新吾の話しているのをきいたおぼえがある。

昨年の冬、犬に嚙み殺された蔭間の名前ではなかったか。

「あの、つかぬことをうかがいますが、春之助さまとおっしゃる方は、あなたさまの……」

「仲間ですよ。初音さまの前のお相手……」

「初音さまの……」

「まだ、春之助が忘れられないっておっしゃるんですよ。あたしは春之助の身がわり……」

忌々しげに、軽く舌うちをした。

「どこがよかったんだろう。あんな女の出来そこない……」

そういう自分が、男とも女ともつかぬ、浪路からみれば気味の悪い存在であることを、月江はわきまえていないらしい。

「あの……春之助というお人は、どこで初音さまのお相手をしていたのでしょう」

昨年の冬というと、まだ、この寮は出来上っていない。

「牛込七軒寺町に、仏性寺という寺があるんですよ。そこのはなれが、ここが出来るまで、あたし達の逢引の場所……」

つまり、大奥の女中達がお宿下りや、お使いにかこつけて、男と逢うかくれ家になっていたらしい。

「殺されたんじゃありませんか。春之助さまとおっしゃる方は……」

月江の眉が、かすかに慄えた。

「そう……もう一年も前に……」

「誰が殺したんです。春之助さまを……」

「それは……」

月江があたりを気にした。

「あなた、御存知なのですか」

それがわかったら、兄や、いや新吾がどれほど喜んでくれるかと、浪路は思わず、月江につめよった。

「浪路さん……」

月江が、浪路の手を強い力で摑んだ。

ている。

「月江……月江ッ」

奥の間で、明らかに初音の声である。ぎくりとして、月江は浪路の手をはなした。

襖口があいて、派手な友禅の小袖をしどけなくひっかけた初音が、けわしい眼でこっちをみている。

「なにをしています、月江……」

月江がふりむいた。

「お薬湯を頂いて居りました」

「薬湯……」

「お初さまの御意にかなう薬湯でございますよ」

初音が表情をゆるめた。

「そのようなことを……まだ、わたしを苦しめようとか……」

「お初さまが、おのぞみならば……」

「おいで、月江……早う……」

近づいた月江へ、初音は蜘蛛のように絡みついた。

浪路がそこにいるのもかまわず、男の体に手をまわして、抱きしめながら襖の奥へ消える。

浪路は吐息をついた。

それにしても、思わぬ収穫だったと思う。

殺された蔭間の春之助が、人もあろうに大奥の女中、初音と密会していて、その場所は牛込

七軒寺町の仏性寺のはなれとわかった。

加えて、月江という蔭間はどうやら、春之助殺しの下手人に心あたりがあるらしい。

そのことを、犬塚新吾に知らせたいと浪路は思った。

中野家の向島の寮に、大奥の女中達が代参の往復に立ちよって、情事を持っていることも、もしかすると、兄や新吾の探索の役に立つかも知れない。

廻廊を戻りながら、浪路は途方にくれた。この寮の高い塀の外へ、どうやって出たものか。

外へ出ることは、滝乃から禁じられていた。

ここで働く、すべての女中がそうである。

それと、浪路はうすうす気がつきかけていたことだが、浪路と共に働いている女達の多くは身よりたよりのない娘達であった。

お宿下りをしようにも、帰るべき家のない者がひどく多い。

そのことの意味を、今まで浪路はあまり深くは考えていなかったのだが、ひょっとすると、中野家ではあらかじめ、そういう親許のない娘をえらんで、この寮に奉公させたのかも知れなかった。

帰るべき家がなければ、お宿下りもしないし、従って、この向島の寮の中で起っている事実を外へ洩らす怖れもない。

とすると、浪路は我が身をふりかえって愕然とした。

「中野家では、生涯、自分をこの屋敷から外へ出すつもりはないのでは……」

そんな筈はない、と浪路は心の中でかぶりをふった。

兄は八丁堀の同心である。その妹を一生、飼い殺しに出来るものかどうか。兄が、まず黙っては居るまい。妹に宿下りをと兄が願い出た時、中野家ではどうするのか。

一度や二度は、病気とか御用繁多と、とり繕うことが出来よう。

ごま化しがきかなくなった時、中野家はどうするのか。

ふと、なんの脈絡もなく上村一角の死が浪路の心をかすめた。

背筋をつめたいものが走った。

中野清武は新御番頭格で二千石の大身である。加えて、将軍家御愛妾お美代の方の養父として、老中を凌ぐ羽振りで、陰の勢力はどれほどのものか、はかり知れないといわれている。その中野清武にとって、町奉行所の一同心の命など、虫けらをつぶすほどのことではなかったのか。

一夜、浪路はまんじりともしないで、そのことだけを考え続けた。はじめて気がついたのは、自分の命だけではなく、兄、笠松京四郎の命さえも、中野清武の手中にあるということであった。

翌日も、初音と月江は部屋に籠ったきりである。

食膳は運ばれたが、それも殆んど手がつかないまま、部屋の外へ出されてくる。

明日は智泉院へ御代参に行った人々が、再び、この屋敷へ寄る日である。

行列が帰ってくれば、初音は替え玉と交替して大奥へ戻らねばならない。

明日は別れという気持が、初音を狂気にしたのかも知れない。

控えの間に詰めていた浪路が、絶叫をきいたのは、夜になってからであった。

明らかに月江の悲鳴が、奥の間から聞えてくる。

控えの間には、その時、浪路と同輩のお菊という女中がいた。

二人とも腰を浮かしたが、その間にも月江の叫び声と、ものの倒れる音が聞えた。

「早く、滝乃様をお呼びして……」

咄嗟に浪路は、自分より年下のお菊へそういって、滝乃を呼びに走らせた。

自分は一足先に、奥の間へ近づく。

「お初さま……お初さま」

二声ばかりかけた時、

「ぎゃあッ」

月江の声である。

夢中で浪路は襖をあけた。鍵はかかっていない。

ほの暗い燈台のかげに初音が立っていた。

手に短刀を握っている。抜き身の白刃に血がしたたっているのがみえて、浪路はよろめいた。

初音の手も、白っぽい小袖の胸のあたりにも、赤く血の飛沫がとんでいる。

初音は眼も眉も吊り上っていた。血の気を失った顔と、異様に輝いている眼は、正気の人とは思えない。

廊下を、何人かの足音が近づいて来た。

その時になって、浪路は初音の足許にころげている小さな物体に気がついた。

血に染った人間の指であった。

大きさからいって、小指のようである。そう思った時、浪路はめまいを起していた。体が重く沈み、あとはなにもおぼえていない。

気がついた時は、自分の部屋で、傍にやはり蒼い顔をしたお菊が茫然としている。

「浪路さん……」

起き上った浪路をみて、救われたように傍へ寄って来た。

「怖かった……小指を切られたのよ。あの人、お初さまに……」

月江の小指を初音が切り落したということらしい。

「どうして、そんなことを……」

「お初さまは、あの人が、心変りのせぬようにとおっしゃって……まるで気の狂ったような顔をして……」

人の気配が近づいて来て、お菊は慌てて口をつぐんだ。

入って来たのは滝乃だった。

「浪路どの、気がつきましたか」

起きている浪路へ声をかけてから、あらためて顔をきびしくした。

「二人とも、今夜のことは屋敷内の者にも決して口外はなりませぬぞ。つまらぬ噂をふりまいたりせぬよう、くれぐれも心するように……」

御代参の駕籠が再び、この向島の屋敷へ帰って来たのは、翌日の午であった。

五日ぶりに片はずしの髪に結い、搔取姿も重々しく、お初から初音に戻って、長廊下を表へ出て行く姿を、浪路は手を突いて見送った。

行列は、何事もなかったように、大川沿いを大奥へ戻って行く。

が、月江は前夜から熱を発して、向島の屋敷を出られなかった。医者が来て、切り落された指の手当をしたのだが、出血多量の上に、五日間、初音の情欲の犠牲になって衰弱し切っていた体にひどくこたえたらしい。

月江の看護は、滝乃の命令で浪路が当った。

なるべく、事件を屋敷内の者にも秘密にしておこうとする滝乃の意向らしい。

三日ばかり、月江は食欲もなく、熱と痛みに苦しみ通した。

いくらか、口がきけるようになったのは三夜がすぎてからである。

繃帯をとりかえる時に、みたものだが、月江の小指は第二関節の部分から、切断されてしまっている。

「あんな女に……」

月江は歯ぎしりして泣いた。

遊女と客の間で、たがいに誠を誓い合って爪をはがしたり、指を切ったりという話があるのは、浪路もきいていたが、仮にも大奥の御中﨟を勤めるような女が、愛欲の果とはいえ、蔭間の小指を切り落すというのは常軌を逸した振舞といわねばならない。

「浪路さん」

熱の残っている眼で月江は枕許の浪路の手を握りしめた。

あたりを窺うように声をひそめた。

「誰もいないか、みて来て下さい」

浪路は立って行って、部屋の周囲を念入りにみた。

もともと、普段は屋敷の広さに対して奉公人はそれほど多くない。外から特別の客の訪れて来ない限り、眠ったような屋敷であった。

誰もいないと、浪路の手を強く握った。病床の月江へ首をふってみせて、浪路が戻ってくると、月江は骨ばった手をのばして、浪路の手を強く握った。

「あなた、春之助が誰に殺されたか知りたいとおっしゃっていましたね」

浪路は呼吸を呑んだ。

「教えてあげましょうか」

月江が浪路の心の奥を覗くような眼をした。

「浪路さんは、町方のお生まれだそうですね」

ささやくようにいう。

「どうして、それを……」

「この前、あなたに春之助の話をしてから、ずっと考えていたんですよ。あなたのような人がどうして、あんなことをきたがるのか。町方の旦那がご兄妹(きょうだい)ときいて、わかりましたよ。春之助がどうして死んだか、あの当時、町方の旦那は躍起になってかけまわっていなさったが、とうとう分らずじまいに終っちまった……私のところにも、随分、十手を持った親分が来なすったものだが、うっかり喋ったら、こっちの命にかかわることを誰が話すものですか」

お菊に訊いたのだと浪路は思った。月江の看病を交替するのは、お菊である。お菊の口から、月江は浪路の兄が八丁堀の役人であることを知ったに違いない。

「教えてあげましょうか、浪路さん」

月江の手が力をこめて、浪路の手をひきよせた。

「教えて下さい。誰が、春之助さんを殺したのか」

「そのかわり、一度でいい……」

月江の眼が妖しく光った。

「浪路さん、なぜ、あたしがこんな大事なことをあなたに打ちあけようという気になったか……わかっているでしょうね」

瞬間、浪路は体を固くした。月江の手が不自由なまま、浪路の裾へのびている。

「今でなくていい。あたしが元の体に戻った時、一度でいい、あたしの思いをかなえてくれたら……」

蛇のような眼にみつめられて、浪路は狼狽した。月江に肌を許すつもりはなかった。拒絶するつもりで、しかし、自分でも思いがけないほど落ついて浪路は答えていた。

「教えて下さい。春之助さんを殺した人を」

月江の声が更に細くなった。

「初音です。あの人……」

「初音さま……なぜ……」

「春之助が、あの女を裏切ったから……下手人は、仏性寺へ行けばわかります」

「牛込の仏性寺……」

縁の糸

馬琴は少し、深入りをしすぎたようであった。

ものを書く人間は、大なり小なり、好奇心が強いといわれる。

お染から弄花堂の話を訊いて以来、男に生まれながら、女でありたいと願う人間がこの世に存在するという事実に、馬琴の旺盛な好奇心が釘づけにされていた。

これは、男が男を愛するという男色の話だけのものではなさそうであった。

お染の話によると、どうやら弄花堂という医者のところへ集ってくるのは、倒錯した欲望に苦しむ者らしい。

いわゆる、男にしか欲望を持てない男達が、弄花堂の許へ来て、そこでなにが行われているのか。

実をいうと、馬琴は「八犬伝」の中に女装癖のある犬坂毛野という人物を書きはじめていた。

弄花堂へ集る男達の話が、なにかの参考にならないとは限らない。

「先生なら、弄花堂さん、話すかも知れませんよ」

お染がいい出した。

「この前、弄花堂さんに逢った時、いつぞや、お前のところに来ていた老人は、もしや滝沢馬琴という人ではないかっていわれたもんですから、あたし、例の捨て子の一件をすっかり話しちまったんですよ。だって、あのことを話さないと、なぜ、あたしと先生が知り合ったかがわからないでしょう」

お染が死ぬつもりで、孝之助を捨て、それを拾った馬琴が、苦労して飯田町まで連れて行ったという話を、弄花堂は熱心に訊いていたという。

「弄花堂さんの机の上に、先生の御本がのっているのをみましたし……なんだったら、先生が弄花堂さんに話をききたがっているって、いってみましょうか」

相変らず、お染は飼犬の治療にかこつけて、弄花堂へ出入りをしているらしい。

馬琴がなま返事をしている中に、もともと早のみこみで、そういう橋渡しが大好きな性質らしく、お染はいつの間にか、弄花堂に話をして来た。

その日も、馬琴が灸の帰りに、お染のところへ寄ると、待ちかまえていて、

「弄花堂さんが是非、お目にかかりたいっておっしゃるんですよ。たいしてお役に立つ話も出来ないだろうが、自分の知っていることなら、なんでもお話しするって、そりゃ、乗り気なんです」

鬼の首をとったような調子で告げた。

思いがけないことだったので、馬琴はちょっと迷った。

弄花堂という男の正体もわからないし、不気味な感じがしないではなかったのだが、好奇心は、それよりも強かった。

昨年、殺された春之助という蔭間が、弄花堂に出入りしていたということも、聞き捨てには出来ない。

結局、馬琴はお染の勧めに従って、彼女の家で夕飯の厄介になった。

弄花堂は五ツ（約午後八時）にならないと、手があかないという。

「犬や猫の世話をしているからなんですよ。病気の犬や猫を、お金持の家からあずかって治療しているんです」

常時、十何匹もいる、そうした犬猫の世話を弄花堂は一人でやっている。独り者だし、手伝いの者もおいていない。

「女みたいに、まめな人で、御飯炊きも掃除も洗濯も、そりゃ上手だっていいますよ」

お染の話をきけばきくほど、馬琴は弄花堂という人物に興味を持った。

例によって、お染は勧め上手に酒をすすめたが、馬琴は流石に、あとのことを考えて、殆んど盃をとらなかった。はじめて人に逢い、ものを訊ねるのに、酒気があってはすまないと、けじめをつけている。

暮六ツ（午後六時頃）あたりから、しきりに吠えていた近所の犬の啼き声が、やがてやんで、夜がひっそりと更けて行く。

「ぼつぼつ、参りましょうか」

お染がいい出して、二階で孝之助を寝かしていた小女を呼び、戸じまりをいいつけて外へ出た。

淡く、月が出ている。道は暗い。

弄花堂の家は、小さな門にあけびの蔓がからまっていた。門に戸はなく、玄関までの道は両側に椿の木が茂っていた。

馬琴の先を歩いていたお染がぎょっとしたように足をとめる。

椿の木のわきに仔牛ほどもある犬がすわっていた。別にうなり声は立てないが、暗い中に顔をあげて、じっとこっちをみつめている。

あの犬だと、馬琴は気がついた。

一年前の霧の夜、若い女が連れていた犬にまぎれもない。

不意に犬がのっそりと立ち上り、お染は声もなく馬琴にすがりついた。

玄関に灯が動く。息をつめている馬琴とお染の眼の前で、戸があいて若い女が出て来た。紫の頭巾をかむっている。犬は、その女を迎えるように近づいて、低く唸り、馬琴とお染の方角をふりむいた。あたかも、そこに人がいることを主人に教えているような動作である。

若い女が犬の視線をたどるように、馬琴のほうをむいた。

お染の手にある提灯のあかりが、明らかに馬琴を照らしている。馬琴のほうからは娘の顔はよくみえないが、娘からは馬琴がみえる筈であった。

娘は、驚いたふうもなかった。足早やに、犬を先に立てて門へむかって歩き出す。

自然に馬琴のほうが道を避ける恰好になった。馬琴の前を通る時、娘は軽く会釈をした。

提灯が、頭巾のかげの、娘の美貌を一瞬、馬琴の網膜に残した。

「もし……」

その声で、馬琴は無意識に出て行く娘を追って、二足三足ふみ出したのを遮られた。

手燭を高くかかげるようにして、弄花堂が戸口に立っている。

「よう、お出でなされた。さ、どうぞ」

うながされて、馬琴は止むなく後戻りした。それをみて、弄花堂は先に玄関へ入る。

馬琴にとって意外だったのは、馬琴を送って来ただけのつもりのお染が、さっさと弄花堂に続いて、家の中へはいったことである。弄花堂も、とがめようとはしない。

玄関の戸は馬琴が閉めた。

お染が提灯の灯を吹き消して、あがりかまちにおく。

「こっちですよ。先生……」

さも、勝手知ったように、馬琴を呼んだ。家のなかは、ひどく暗い。

廊下の突き当りの部屋に灯がついていて、その明るさをめあてに、馬琴はおそるおそる廊下を進んだ。

馴れない家のことで、盲になったような頼りなさである。

障子は先に入った弄花堂の手で開け放しになっていた。八畳ばかりの、かなり広い座敷のすみに、畳一枚ほどの台がおいてあり、白布がかけてある。

片側には薬のひきだしらしいのがずらりと並び、小机のまわりには、如何にも医家らしい道具類が雑然とおいてある。

行燈のかげに弄花堂はすわっていた。

「よう、おいでなされた」

眼で座布団を示す。別にお染へいった。

「御案内、御苦労でござった。これにておひきとり下さい」

「そんなのってないでしょう。弄花堂さん」

甘えるように、お染がいった。

「あたしだって、弄花堂さんの話がきいてみたかったんだもの。ここに居たってお邪魔にゃなりますまいよ」

弄花堂の眉がいくらか寄った。

「そりゃあ、こっちはかまわない。あんたさえ、命が惜しくなけりゃあね」

はっとするほど、冷たい声である。

「なんですって……」

「今夜、わたしの話をきいたら、お前さんの命の保証が出来ないってことだよ」

弄花堂が、ちらと馬琴をみたが、へんこつ老人はむっと唇を結んだままである。

「それが承知なら、わたしはかまわない。そこにおいでなさい」

お染がうそぶいた。

「そんな、おどしに乗るものかね。素人娘じゃあるまいし……」

「おどしか、おどしでないか、お前さんの旦那が、なによりの証拠じゃないのかね」

馬琴が灰吹きをひきよせた。腰から煙草入れを抜いて、ゆっくり一服つける。

お染がよろめくように立ち上った。

蹌踉として逃げ去ったお染の足音を、弄花堂は耳をすましてきいているようであった。

行燈の油が小さな音をたてて燃えている。馬琴は煙管を灰吹きに叩いた。

「早速ながら、二、三、お訊ね申したいが……」

弄花堂がうなずいた。

「なんなりと……」

「先程、手前がお玄関先ですれ違った女のことでござるが、素性を御存知ならば、おきかせ下さらぬか……」

「その理由は……」

「一年前、霧の深い夜に、手前はあの女と犬に出逢うたことがござる」

逢って道を訊かれたと馬琴はつけ加えた。

「あまりの奇遇ゆえ……」

「なるほど……」

うなずいて、弄花堂が苦笑した。

「著作堂先生、手前は医者、ここは医家でござる。病を持って医家を訪ねる患者の素性については、おあかし申さぬが、医家の常でござれば……」

馬琴は動じなかった。

「医家とおっしゃるが、あの女は飼犬の療治に来られたのでは……」

「それはそうですが、ここへは人も参ります」

「ほう、人も診られる……」

「病によりましては……」

「如何なる病ですかな」

「著作堂先生は、唐国の奇書におくわしいそうですな」

なにをいい出すのかと、馬琴は相手の口許を眺めた。

「大明(だいみん)の周文襄(しゅうぶんじょう)と申す者、胡蘇という地に住み、男にして男児を産めりという……」

馬琴は相手をみつめた。

「宋の宣和六年、青果を商う男ありて、或る時、孕みて女児を産む、とか申しますな」

「流石、著作堂先生……それでは、無論、半男女(ふたなり)ということは御存知でしょう」

「ふたなりでござるか」

半眼になり、馬琴はちょっと思案した。

「さて……手前の知るのは、毘陵という所の女で、上半月は男、下半月は女、共に淫を好み、夫は困り果てて、妾を与えたと申す話がござったが、そのことでであろうか」

弄花堂が笑った。

「これは、手前は初耳……成程、上半月が男、下半月が女、左様なことも半男女にはありましょうな」

半男女とは、その形、男女両方をかね具えて、二つながら人道を用いることだと、弄花堂はいった。

「くだいて申すなら、男に対して女となり、女に対しては男となり得る体を持っているということでございましょうか」

「まことに、この世にあるのですか」

馬琴は疑わしい表情になった。一人の人間が、自由に男と女を相手に出来る肉体を持っているなどとは考えられない。

侍の家にうまれながら、若い中はかなり無頼な生活を送ったことのある馬琴だし、つき合った仲間の中には、常人と違う愛欲の世界を持っている者の話をまことしやかに伝える者も少くはなかった。

が、半男女などとは、きいたこともない。

「奇書の荒唐無稽ではござらぬよ」

弄花堂は唇をすぼめて笑った。

「実は手前も今まで、さまざまの患者を診て参った」

自分が診るのは、内臓の疾患や肉体の外傷ではないと、弄花堂はいう。

「主に、心を病んでいる者です。心と申しても、手前が関心を持つのは、肉欲に関するものばかりでござる」

つまり、正常な肉体を持ちながら、心を病んでいるばかりに、異性に対して性欲を持てない男達が、弄花堂の手がけて来た患者らしい。

「或る者は、男でありながら、化粧を好み、女の衣服をまとうことに、異常な執着を持って居ります」

赤く紅をひき、肌に女のような赤い蹴出しを巻くことで、血を湧かせている。

「それは、蔭間と呼ばれる者たちのことで……」

「いや、蔭間の中にもさまざまです。そうした性癖を持つ者も多いが、そうではなくて食うために、そうせざるを得ない者も居ります」

第一、本当にそうした紅や赤い肌着に執着する癖のある男というのは、案外、表むきはれっきとした商家の主人や、身分のある武士にも多いと弄花堂はいった。

「それらの人々は、昼の顔と夜の顔を分けて持って居ります。まさか、昼は化粧も出来ませんし、女のきものを着て、じゃらじゃらして暮すわけにも参りますまい。あくまでも、並みの男と変らぬよう、男らしく暮して居ります故、周囲の者も、長年、連れ添う女房すらも、その男の夜の顔に気づかずにいるものです」

彼らは、必ず、同じ趣味を持つ仲間を知って居り、秘密の場所を作っているという。

「表向きは商談ということであったり、もしくは信心の名にかくれたりして、彼らはその場所へ集って参ります」

そこで、夜の顔をとり戻した彼らは思う存分、化粧でも、女のきものでも好みにまかせて装い、興奮し、欲望を吐き尽して行く。

「信じられませんな」

馬琴は苦笑した。或いはそうした倒錯の世界があるのかも知れないと思いながら、迂闊に弄花堂の口車に乗せられまいと用心をしている。

「お疑いになるのは、御自由……」

女のような手つきで、弄花堂は茶をいれた。

馬琴にも勧め、自分も飲む。

「そうした性癖の者の悩みの一つは、性毛でござる」

男なら、精神にどう異常があろうと、肉体には成長と共に太い毛が生えてくる。

「まず、髭ですな」

心がどんなに女でありたいと願っていても、その男の肉体は容赦なく、男である証拠をその部分に伸ばしてくる。

「不思議なことに、口紅とか、女の肌着などに夢中になる男は、なよなよした役者のような体つきの者が殆んど居らず、むしろ、肉体は男の中の男とでも申したいほど、骨太で毛深い性質の者が多うございます」

弄花堂が知っている、或る大商人などは、相撲とりにしてもよいような、いい体格をしている。

「そういう男が、紅を唇に塗り、顔に白粉を掃いているのでございますよ」

他人からみれば滑稽だが、当人にとっては死ぬ思いだという。

髭は剃っても、濃い男は数時間でのびてくる。

はたからみればそれほどでなくとも、そうした男たちは、ひどく敏感で気に病んだり、恥じたりする。

「そうした悩みを持った者が、手前のところへよく参ります」

なんとか、髭や体毛を薄くして欲しいというのから、咽喉仏を目立たなくしてくれ、果ては男から女へ変りたいと、彼らの欲望は際限なく続く。

「そのようなことが出来ますか」

流石に、馬琴は一膝、乗り出した。

「体毛を薄くすること、咽喉仏を目立たなくすることなどは、或る程度は……」

弄花堂は自信たっぷりであった。

「長く、手前の薬を飲み続けて居りますと、肌は女のようにきめ細かくなりますし、肉づきがふっくらとして、骨ばった体が驚くほどの変化をみせて参ります」

いいさして、弄花堂はちょっと気がさしたように黙った。

大道で、傷薬を商う、蝦蟇の油売りの口上めいた効能書をのべることに、照れを感じたらしい。

軽く咳ばらいをして、言い続けた。

「しかし、男を女に変えることは出来ませぬ。これはもう天命にそむくと申すか、自然に逆うというか」

大体、毛を薄くしたり、咽喉仏を目立たなくするような治療をしていても、体がみるみる中に弱くなり、寿命を縮めるものだという。

「それでも、のぞむのですか」

「勿論です。彼らは長く、心にもない生き方をするより、火のように燃えて、短く生きることを願って居ります。これは十人が十人とも間違いのないところ、そのようです」

が、命を縮めてまで、みかけは女らしい体を作り上げても、行きつくところ、彼らの最後の望みは、どうすることも出来ない。

「但し、例外があるにはあるのです」

稀に弄花堂のところへ来るので、女かと思っていたが、実は男だったというのがある。

生まれつき茎の発達が悪く、親も女と思っていたのが、長じてみると男の機能を持っていた。

「これは、手術によって、男になり得ます」

ただ、そういう男は、何故か決して女に欲望が持てず、むしろ、今まで通り、女として生涯をすごしたいと願ったりするものだと弄花堂はいった。

「世の中、さまざまでございます」

暗い表情をした。

「手前が申し上げたいのは、彼らとて好んでそうなったわけではございません。人は彼らをもの好きといい、片端者呼ばわりをするかも知れませんが、彼らはすでにして、そう生まれついてしまっているのです。人に知られぬ悩みと苦しみと恥を抱えて、それでも生命に執着のある限り、生きて行かねばなりますまい。著作堂先生に手前がきいて頂きたかったのは、そこのところでございます」

この部屋の、馬琴が背をむけている壁のむこうに、犬や猫の囲いがあるらしかった。

時々、仔犬らしい小さな甘え声がきこえたり、床をふみ鳴らしたり、寝返りでも打つような物音がする。

そういえば、この家には玄関を入った時から、けだもの独特の臭いが、柱にも壁にもしみついているような気がする。

けだものの臭いから、馬琴は女の化粧をした男が、同性同士、絡み合っている図を連想した。

弄花堂から、彼らの宿命的な歎きをきいた今も、そうした同性の肉欲に対して或る種の嫌悪に似た気持を馬琴は持っていた。好奇心はありながら、たわけたことと眉をしかめたくなるのは、男女の営みが、種族を保存するという大義名分に支えられているのに対して、それはあくまでも本能だけのことと割り切ってしまうからに違いない。

しかし、弄花堂の話の中にある半男女というものが、もし、彼がいうように存在するとしたら、それには多少の同情を禁じ得ない。

「著作堂先生は、旅はどのあたりまで、なされました」

不意に問われて、馬琴は弄花堂を眺めた。

「さあ、手前は若年の頃、世をすねて、流浪したこともござったが、その後は、家族を養うことに追われて旅らしい旅のおぼえはござらぬが……」

「西国には……」

「いや、とんと……」

「手前は肥前、長崎の生まれでござる」

弄花堂が、長崎の鼈甲屋の息子だったとは、お染からきいたことであったが、間違いではないらしい。

「肥前には大島、小島、数多くの海上の島がござるが、その中には、かつて世の中から葬り去られた一族が、人まじわりを絶ってかくれ住む島もございます」

歴史の中の政変に破れて、逃亡して、絶海の孤島に一族だけがひそんでいる。

「たとえば、伝えきく平家のかくれ里のようなものであろうか」

弄花堂はうなずいた。

九州には政変が多い。

徳川の世になってからも潰れた大名家が少くないし、古くは切支丹禁止令による宗徒の叛乱もあった。

いずれも逃げかくれせねば、日本の中に生きることの出来ない人々である。

海上遥かに、陸地とはなれた小島なら、そうした一族が、かくれ住むにふさわしい。

「彼らは、一族の血を守るために、同族同士の契りを結び続けて居ります」

人まじわりのならない一族であれば、他の土地からの嫁とりは思いもよらず、その土地を出て、人並みな生活を持つことも危険であった。

一族の中では、出奔を禁止している場合もあろう。

「犬でも猫でも、親兄妹が夫婦になって生まれた仔は、なにかと不思議が起りやすいようでございますな」

病気になり易かったり、不具であったり、血の近い同士から生まれた仔ほど異常が多いという。

「半男女なども、えてしてそうした場合に起り得るのではないかと手前は考えて居ります」

「ご存知なのか、そういう者を……」

「知らずに、かような話を申し上げると思われますか」

陰気なものが、弄花堂の面に浮んでいた。

「手前は、それを知ったばかりに、早晩、不運な最期を遂げるような予感を持って居りますよ」

「なんとおっしゃる……」

戸を叩く音が、いきなり聞えた。流石に馬琴は顔色を変えた。

たった今、弄花堂が異常なことを口にしたばかりである。

少し、間をおいて、ゆっくりと弄花堂が立ち上った。手燭に灯を移し、部屋を出て行く。

玄関に立って、外の人間に声をかけた。すぐに戻って来て、

「御案じになるような者ではござらぬ。手前の患者でござれば……」

ただ、暫く待ってもらいたいといわれて、馬琴はうなずいた。

「どうぞ、おかまいなく……」

乗りかかった舟だと、へんこつ老人は腹をきめていた。

こうなっては、弄花堂が話す限りを聞かねばならないし、聞く気でもあった。

夜が更けるのは一向にかまわない。今夜は明神下へ帰れるとは思わなかった。

お百には灸療治の家へ泊ったといえばよい。

弄花堂が表をあけて、誰かを入れた。

障子がしまっているので、馬琴のところからみえないが、廊下に女のような衣ずれの音がして、襖のむこうの部屋へ弄花堂と患者が入ったようであった。

「先生……」

いきなり、甲高い男の声がした。甲高いくせに、嗄れている。

「こりゃあ、ひどいな」

弄花堂が、それに答えるようにいった。

「熱が出たろう」

「出たなんてものじゃありませんよ。三日三晩、うなりっぱなし……」

「早く、俺のところへ来ればよかった……」

「お屋敷を出してくれないんですよ。自由だったら、人にかついでもらっても、先生のところへ来ます」

「切らされたのか、切ったのか……」

薬を摩るような音が会話にまじって来た。

馬琴は、しんと耳をすます。無論、襖一重だから、弄花堂は馬琴が聞くことをあらかじめ考えて喋っているようであった。遠慮する必要はないのだ。

「切られたんですよ。それも、あのあとで疲れ切って、うとうとしている時に、いきなり、やられたんです」

男の声がくやしげであった。

「春之助が逃げたのも無理じゃありません。しつっこいし、元気がよすぎて、およそ、どうやっても、悦ばないんです」

「悦ばないのか」

「そのくせ、いくらだって欲しがるんですよ。きりがないし、全然、疲れない女です」

「あれを使ったのか」

「使えるものですか。大奥じゃ、そればっかりだから、なまみでなけりゃつまらないって……横柄で……助平で……」

大奥という言葉を、男が不用意に使ったことで、馬琴は、はっとした。

隣室の男は、ひょっとすると蔭間で、相手の女は大奥の女中だったのではないのか。

春之助という名前にも、馬琴の胸がさわいだ。

いつぞや、殺された春之助という蔭間が、隣室の男のいう春之助と同一人物なら、彼も亦、大奥の女の相手をしていたことになる。

「ちと、痛いぞ」

弄花堂の声がして、金属の触れ合う音がまじった。

男の押し殺した悲鳴がきこえる。

長い時間ではなかったのに、馬琴は呼吸がつまりそうになった。流石にのぞくわけには行かない。汗がうすく額に滲んで、馬琴は手拭を出した。

「よし、これでいい。薬を飲め」

男の荒い息が、それに応えて、弄花堂がそこらを片づけているようであった。

「駕籠は待たせてあるのか」

「はい……」

「帰って寝ることだ。三日でも四日でも、ねられるだけ寝て、眼がさめたら、又、おいで。今度は歩いて来られる筈だよ」

「ものは食べてもかまいませんか」

「明日は食べられまい。あさって、食べられたらおあがり、ひょっとするともどすかも知れないが、そうしたら、又、眠って、欲しくなった時、食べることだ」

弄花堂に支えられて、患者が起き上る気配がした。

「先生、何日、経ったら、その……」

「まず商売が出来るようになるには七日から十日……。その間に食うに困るようなら、そこにある金を持って行け」

「いえ……それくらいは、もらって来ていますから……」

「嘘をつけ。口止め料に、たっぷりせしめて来ている筈だ」

「先生……」

男が細い声で抗議をした。

「金なんぞ、いくらもらったって、指は元に戻りませんからね」

「それがどうした。文句のいえる相手なのか」

「だから、腹が立つんです。いくら、おもちゃにされても……指まで切られるなんて……」

「今度は、いつだ」

「来月十五日です」

「行くのか」

「死んでもいやだとは思いますよ。でもね、先生、あてがあるんです」

「あて……」

男が低く、忍び笑った。

「好きな女がいるんですよ」

「ほう」

「大きな声じゃいえないが、その女がどうやら八丁堀の旦那の家族とかで、わたしにいろんなことを訊くんですよ」

「おい……」

弄花堂が遮った。

「悪いことはいわない。命が惜しかったら、その女のことはあきらめろ」

「先生……」

「おどしじゃない。下手をすると春之助の二の舞になるぞ」

「春之助の殺されたわけは、わかっていますよ。あたしのとは、違います」

「そりゃあそうだが……」

命が惜しくないのかと、弄花堂が念を押した。

「あの女のためなら、死んでもいい。どっちにしたって、生きていて面白いわけじゃないんです。あの女を抱いたまんま死ねたら、間違いなく、極楽往生ですよ」

「女は承知したのか」

「話とひきかえにね」

女に逢えるのは来月十五日と、その男は歌うように繰り返した。

「止むを得ないな。お前がその気なら……」

嘆息のように呟いて、やがて弄花堂の立つ気配がした。患者を玄関まで送って行くらしい。

馬琴は大きく息をした。体も心もとぎすまされたようになっていたらしく、気がついてみると肩と首筋が痛かった。

それにしても容易ならぬ話をきいてしまったことになる。もしかすると、弄花堂は、馬琴を自分と同じ立場におきたいと思っているのではないかと気がついた。　（つづく）